鎌倉カルテット　四重奏

梅野陽

港の人

鎌倉カルテット　四重奏

カバー装画…「鎌倉絵葉書　鎌倉八幡宮の桜」「鎌倉絵葉書　鎌倉海浜ホテル」ともに鎌倉市中央図書館所蔵。

目次

踊念仏

一

陽は中天に掛かり、まだ夏の余韻をたっぷりと残した九月の陽射しを浴び、脇田信綱は和賀江津へ至る往還の道を歩いていた。これから武蔵国品河を経て、隅田川を遡り石浜に至る二百石船に乗り、信綱が地頭を務める守護千葉氏の所領である下総国風鳴荘に向かおうというのだ。

この道を何度歩いただろう。三十七歳に至るこの年まで、二十五歳で父の地頭の跡を継いで既に十二年は経っている。その間この往還の道は年々に賑わいを増してきた。今も荷物を満載した荷車が牛に曳かれて通り、馬に乗った武士や商人や下人風の男達。そして、僧侶や時には牛車に乗った貴人の女等が、目深な市女笠を被った壺装束の伴の女達を付き従えて通って行く。

前浜には、何時の間にか無数の土倉が建ち並び、和賀江津に船が着く度荷下ろしされた米や塩や油や干物といった全国の荘園からの産物に混じって、時には宋から舶載されて来た銅銭や陶磁器といった珍奇な物品が、先ずはこれらの土倉に留め置かれるのだ。

突然、道の脇から何処からともなく現れた僧が、信綱の前に立った。何者かと、信綱はその僧の方を見たが、心当たりも無く無視して通り過ぎようとすると、少し間合いを置いて、遮る様に信綱の前に出た。

僧は、薄汚れて着古したほとんど襤褸雑巾の様な法衣をまとっており、とても何処かのしかるべき寺の僧という格好ではなく、最近鎌倉でよく見かける念仏僧の類と見えた。

「俺に何か用か。」

信綱は威嚇する様に、敢えてぞんざいな口調で僧に向かって声を掛けた。

「お侍さま。私をお覚えではございませんか。何時ぞや大町の辻辺りだったと存じます。あの魚町辺りから曲がった辺りでした。私は両手に贔屓にして下さる長者様から頂いた野菜や魚等をズタ袋に詰めて、下げておりました。それを遊行聖である他阿弥陀仏様と時衆のいる道場へ持って帰ろうとして急いでいる所でした。

まあしかし食う物も食わず足元がふらついていたのでしょう。気が付いたらあなた様の馬の蹄に一思いに踏みつぶされそうな所でした。」

信綱は思い出した。それは下総の荘園から鎌倉にやって来て二、三日後のことだった。名越の下総守の別邸から馬で小町の本邸へ戻ろうという所だった。

名越からの道は、善導寺の前辺りを過ぎると大町の辻に近付くに従って賑わいを増し、商人や侍や下人達に加えて、牛に曳かれた荷車までが、大路に所狭しと溢れ返っていた。それ程広くもない鎌倉の、一体どからこれだけの人々が現れて来るのか、荘園育ちの信綱には不思議に思われる人の波だった。

馬の手綱を取りつつ、人の流れを掻き分け、進んでいく信綱は、馬の前に何か黒い物が転がる様に倒れ込んで来るのが目に入った。咄嗟に信綱は手綱を引き、驚いた馬は後ろ足立ちとなって大きくいなないたまま、踵を返して後ろに仰け反るように体を捻って前足をようやく道に下ろした。周囲の通行人達は馬のいななきと突然の後ろ立ちに馬を中心とした空間が生まれた。そこに、黒い薄汚れた法衣を纏った僧が、こちらも茫然と馬を見上げたまま横たわっていた。ズタ袋からは野菜や魚が道の上に転がっていた。

「おい、坊主大丈夫か」

信綱は馬を下りて貧相ななりをした僧の手を取った。僧は少しよろけながらも、何事も無かった様に立ちあがった。見た所特に怪我は無い様だった。

信綱は、素性が知れぬとは言え、僧を馬の蹄に掛けるという後味の悪い結果を、取りあえず避けられたことで、ほっとした気持ちになっていた。僧は信綱に礼を言うと路に転がった野菜や魚をズタ袋に収め、その場を逃げる様に立ち去った。

「おう、あの時の坊主か。よう覚えている。突然黒い物が足元に転がったので、あわてて手綱を捌いた。考える間も無かった。おぬしの様な坊主を馬の蹄の下で殺めて仕舞わずに済んでほっとした。」

言われてみると、確かにこの貧相な僧は、あの時の僧であった。突然のことであったし、あわてていたので、信綱は正直言って僧の顔などは良く覚えてはいなかった。しかしこの襤褸雑巾の様な法衣と、貧相な雰囲気と風貌は確かにあの時の僧そのものだった。

「わざわざ声をお掛けしたのは、こんな所で想いも掛けずお侍様にお会いしたので、是非あの時のお礼を一言でも申し上げたいと思いました。道を急いでおられる様子ではありませんでしたが、敢えて声をお掛けさせて頂きました。」

僧は再び深々と信綱に向かって頭を下げた。

「そうであったか。それは良い心掛けじゃ。貴僧見た所余り名のある寺の者とも見えぬが、僧は見た目ではない。で、一体何処の寺の者か。」

「寺はございません。私どもは遊行僧でございますれば寺を持たず、諸国を遊行して、ひたすら念仏を唱え、念仏札を配り、時には踊念仏を催しつつ廻国する者でございます。時衆とも呼ばれております。今は、寺ではございませんが、浜の感応寺という廃寺となっている荒れ寺を仮の道場にしております。この様な私どものことをお侍さまはご存じかどうか。」

「ほう。遊行の者か。そう言えば聞いたことがある。一遍とかいう坊主が始めたという踊念仏の話だ。あれはわしがまだ若い頃だった。初めて父に連れられて、鎌倉に出てきておった時だった。片瀬浜の踊り小屋で一遍という坊主が弟子の坊主共と踊念仏を踊り狂っていたという話を聞いた。

何しろあの時は鎌倉中が大騒ぎじゃった。わしは見に行けなんだがな。」

「左様でございます。その一遍様、私共の祖師様でございます。まさにその踊念仏の時衆でございます。よくご存じで。」

「なるほど。貴僧が踊念仏の坊主か。はじめてお目に掛かった。思った以上にまともじゃな。これを機会に良く覚えておこう。では、わしは先を急ぐのでこれにて失礼する。」

信綱はそう言って僧を振り切る様に歩き始めた。

その時僧があわてて信綱に声を掛けた。

「脇田様ですね」

突然自分の名前を呼ばれた信綱は、驚いて歩みを停め、僧の方を振り向いた。

「おぬし、俺の名前を呼んだか。」

「ええ、失礼ながら呼ばせて頂きました。脇田様で間違いはございませんよね。」

「そうだ。その通りわしは脇田信綱だ。何で貴僧がわしの名前を知っておる。」

僧は待っていたとばかりに、話し始めた。

「脇田様のお名前は良く存じ上げております。私ども同朋の者が何時もお世話になっております名越の長者という方がおられまして、そのお屋敷が佐竹様の御屋敷の先にございます。そのお近くに下総守様のご別邸がございます。その辺りで何度か脇田様をお見かけしたことがあります。」

下総守とは、信綱が地頭を務める荘園の領主である、千葉胤宗である。信綱がこの僧を大町辻で馬の蹄に掛けようとしたあの日、その下総守の別邸からまさに馬で通りかかった所だった。

そこにはあやめという領主千葉下総守の側室が居た。この僧がそこに出入りしている信綱の姿を見ていると言っているのは、信綱にとって心穏やかならぬものがあった。

あやめは、信綱が地頭を務める風鳴荘に近く住む藤森長者の娘であったが、まだ父が地頭を務める頃であったので、遠くから眺めるのみで、その輝くばかりの美しさについて幾多の噂を聞くばかりだった。

あやめがまだ十六歳の時に、領主千葉下総守の目にとまり、下総守のたっての願いから鎌倉に側室として迎え入れられ名越の別邸に住まうこととなった。父の長者も一度は断ったが、領主のたっての願いとあれば断り切れず、表面では身に過ぎた光栄と言いつつも、心の中では密かに涙を流していた。

そして、側室となったあやめは正室を差し置いて、下総守の寵愛を一身に集めることとなった。

そのあやめに信綱は同郷のよしみもあり、鎌倉へ所要や大番の勤めで来た折には、風鳴荘の様子を伝え、時には父の藤森長者からの便りを預って届けることもあった。そして、あやめのもとを訪れる時は、欠かさずその時々の荘園の産物を持参するのが常であった。

これは、領主の下総守も認めていて、信綱は特に咎められることなくあやめを訪ねることができた。そんな信綱とあやめとの間に心が通い始めるには、それ程時間は掛からなかった。そして、信綱は所用で鎌倉にやって来た時の忙しい時間を巧みに割いて、しかし下総守が別邸に来ない日をしっかりと把握してあやめのもとを訪れた。まさかそんなことをこの念仏僧が知っているはずもなかろうが、下総守の別邸に出入りしていることをこの僧が知っているというのも何か気味悪く、この僧が一体どんな風に、何処まで信綱のことを知っているのか、少し訊いてみたい気になっていた。

「では貴僧、先日大町辻で馬の蹄で踏まれそうになった折、そんな気配は見せなんだな。あの時も俺のことを知っていたのか。」

信綱の訝しげに問い詰める様な口調に少しも動じる所なく、僧は滑らかな口説を回し始めた。

「ご不審ごもっともと思われます。改めてお話しすれば、あの折も脇田様のお名前を存じておりました。しかしあんな突然の時で言い出す機会を失ってしまいました。申し訳ございません。私ごとき貧乏僧が何故脇田様のお名前を存じているのか不審に思われましょう。

実は私も脇田様のお名前など姿は見ても知ることも無かったのです。脇田様のお名前は、先ほど申し上げた名越の長者様からお聞きしたのです。それもたまたまお話の中でふと耳にしたということで。

名越の長者様は、私ども遊行念仏の教えに深く心を動かされ、何くれとなく日頃よりお世話を頂いております。名越の長者様のお考えは、自分は祖師様や他の時衆の様に全てを捨てて私どもに加わることはどうしてもできないけれど、今の在家のままでお手伝いできることはしたいとおっしゃるのです。

名越の長者様がこの様なお心持になられたには、大きなきっかけがあったのでございます。それは、長者様にとっては誠に悲しい出来事でございました。

長者様には、年を取ってから授かったそれこそ目の中に入れても痛くない最愛のお嬢様がおられました。そのお嬢様は長者の下で何不自由なくすくすくと育ち、誠に見目麗しき娘御になられました。御年十五歳でございましたそうです。しかしそこで魔が差したとしか言えない出来事が起こったのでございます。

長者様はかねてより、塩の商いをされており、西国から送られた塩を和賀江津から荷揚げし、鎌倉中に捌かれて、大きな商いをされておりました。ですから使っている下人も大層な数に上り、その中には近在や関東諸国の荘園から流れて来る若者なども多数おりましたのです。

その中に、房州から来たという惚れ惚れする様な見目の良い若い者がおったのでございます。」

僧はとっておきの話を舐める様に、澱みない口説で回し始めた。僧の話が思わぬ方向にいきなり止まるところなく進み始めたので、しびれを切らした信綱が思わず言った。

「おい、念仏僧。一体その様な話から、何処で俺の名前を聞いた所につながるのだ。」

「これは脇田様、お話が長くて申し訳ございません。しかしこの話をいたしませんと、肝心の所にはつながらないのでございます。もう少しご辛抱の程を。」

卑屈そうに見えたこの貧乏僧は、意外に強引なところがある様で、今や紅潮した表情に妙に爛爛と光った眼差しを見せて、信綱の苛立ちを知らぬ気に平然と話を進めた。こうなると信綱はとにかく暫く我慢をして話を聞くしかなかろうと、いらいらした気持ちを鎮めて話に耳を傾けた。

「その若者は下人の中でも多少目端の利いた所もあったと見えて、何時の間にか勘定を任されたりして、長者様のお屋敷にも出入りすることが多くなったのでございます。

すると、稀に見る様な優しげな見目の良い若者でございますので、お嬢様の目に留まるまでにそれ程時間は掛かりませんでした。若者の方も、お嬢様をお慕いするようになり、長者様の知らぬ間に、二人の仲はすっかり出来上がってしまったのでございます。

それは、ある激しく雨の降る夜であったそうでございます。桜の花も散り尽くし、葉桜となり始めた生暖かい夜でございました。お嬢様がお屋敷から消えたのでございます。こんな激しい雨の中、しかも真夜中に一体何が起こったのか。お嬢様の部屋のしとみ戸は開け放しとなっておりました。そこから何者かがお嬢様を連れ去ったとしか考えられません。

翌日の朝、名越の大切岸の下で死んでいるお嬢様が見つかりました。宅間が谷に住む長者様の懇意にしている仏師様が知らせてくれたのでございます。仏師様の話を聞いて、次第に事が明らかになってまいりました。

勿論、長者様のお悲しみは大きく、何日かは食事も喉に通らない程悲しみの涙に暮れておりましたそうでございます。宅間が谷の仏師様の話す所によりますと、その激しい雨の夜に仏師様の家の戸を叩く者があった。不審に思って戸を開けてみると、ずぶ濡れになった若者が立っていた。何かひどく感情が高ぶっていたためか、暫くはそこに立ったまま動かなかったそうでしたが、とにかく土間に入れて少し落ち着かせようとしたのでございます。するとその若者が話し始めた。実は今しがた、名越からこの尾根筋の道を越して来たが、この雨の中連れの女が名越の大切岸の崖の上から足を滑らせて下へ落ちてしまった。あっという間の出来事で、自分もどうしてよいか分からなかった。故あって私は立ち戻る訳にはいかない。崖から落ちた女は名越長者のお嬢様だ。

そう言うなり、再び雨の中を立ち去ったそうでございます。それ切りその若者の姿は杳として分からずじまいになったのでございます。

ここまでのお話は、実は長者様が私共時衆の門に入り、念仏を唱えられる様になる前の出来事でございました。このお話は、ですから私共のお仲間になられた後お聞きしたお話でございます。

この時の長者様のお悲しみは、先ほども申し上げました様に、幾日も、幾月も続き、身は痩せ細り、お嬢様を連れ去ろうとしたその若者の意図が何だったのか、そしてお嬢様がこんな形で亡くなってしまった原因を作ったこの若者への憎しみへと至ったのでございます。

しかし、如何にこの若者を憎もうとも、この若者の行方は知れず、ましてやお嬢様は二度と帰っては来ないのです。そんな辛い時期が続き、何かに必死に救いを求めておられたのでしょう。一時は宅間が谷の仏師様に阿弥陀如来を彫らせ、お屋敷に置いて毎日祈られておられました。その阿弥陀様のお顔は何処かお嬢様に似ているというお話もお聞きしました。

そしてついに長者様は私共の時衆の門を叩かれたのです。念仏に心を開かれ、念仏を唱えられることに救いを見出される様になったのでございます。

丁度その頃は、祖師様が七里ヶ浜で初めて踊念仏を催され、鎌倉中の老若男女が好奇の目を持って見物に訪れた時から数年がたち、祖師様の教えがようやく広がり始めた頃でございました。」

念仏僧の口説は相変わらず長々と続き、信綱も何時の間にか念仏僧の話に引き込まれていて、静かに耳を傾けていた。中天の陽はいくらか西に傾いたが、強い陽射しは相変わらず往還の道に容赦なく照り注ぎ、でも人の流れは絶えることなく続いていた。

信綱は何時の間にか往還の道から少しそれた、由比ガ浜の方へ広がっている前浜の松林の根方に念仏僧と並んで腰を下ろしていた。

「ここからでございます。脇田様のお話が出てくるのは。」

そう言って、念仏僧は信綱ににっと笑って見せた。信綱はすっかり念仏僧の口説に乗せられてしまった自分に歯がゆい思いもしたが、とにかく先の話を聞きたい一心で言った。

「良いは、そう勿体ぶらずとも。早く話を聞かせてくれ。」

「はは、左様でございますな。すっかり回り道をいたしまして。実はこの頃に脇田様に関係のある出来事が起こったのでございます。それは、あやめ様が千葉様の御方様として下総の藤森長者様よりお輿入れになられ、名越のお屋敷に入られたのでございます。

これは勿論脇田様も良くご存じのことだと承知しておりますが。それが名越の長者様とどういう関係があるのかと申しますと、元々長者様のお屋敷は千葉様のお敷地をお借りして住まわせて頂いているのでございます。ですから、日頃から千葉様へは季節の折々の遠方、近在を問わぬ海山の産物をお届けしてご挨拶を欠かしたことはございません。何しろ長者様は塩の商いを通して各地の商人と手広い付き合いがございますので、この様なことはいとも容易《たやす》いことでございます。

あやめ様が参られましてからは、あやめ様が、千葉様のご別邸の謂わば主となられた訳でございまして、長者様はあやめ様へのご挨拶に先ずは伺うことになったのでございます。そして、長者様があやめ様に初めてお目通りとなった時に、長者様が腰を抜かさんばかりに驚いた出来事が起こったのでございます。

あやめ様はその時まだ、御年十六歳でございましたが、そのお姿と言い、そのお顔と言い、お亡くなりになった長者のお嬢様と瓜二つでいらっしゃったのです。長者様は余りの驚きと嬉しさのあまり、暫くは穴の開くほどあやめ様のお顔を眺めておられました。

それからというもの、長者様は西国から珍しい物が届いたとか、近在の荘園で美味しい瓜が穫れたとか、房州の海で貴重な貝が獲れたとか、折にふれてはあやめ様のお屋敷に伺い一目なりともお目に掛かってはうれし涙を流していましたそうでございます。奥様も是非あやめ様にお目に掛かりたいと言って、そんな時に何時も奥様もご一緒でしたそうでございます。

長者様はその頃から脇田様のお話を伺う様になったと聞きます。あやめ様のお育ちになった、下総の藤森長者様のお屋敷の近くの風鳴荘の地頭であられる脇田様が、同郷の好で色々な懐かしい風鳴荘の便りを伝えてくれ、荘園で穫れた季節の産物を何くれとなく持ってきてくれるので、何時も感謝されているというお話をお聞きしていたのだそうでございます。そんなことから長者様も脇田様のお名前を聞き、また私ごときも脇田様のお噂をお聞きすることとなったのでございます。」

念仏僧の話は、一端そこで切れた。しかしこのまま話させておけばこの僧は更にいくらでも長者から聞いた話を続けるだろう。問題なのはこの念仏僧が何処まで信綱のことを名越の長者なる者から聞いているかだった。そこは何としても知っておきたい所だった。

「あやめ殿はわしの話をその名越の長者とやらにそんな風に話しておったのか。しかしわしはあやめ殿からは名越の長者のことは何も聞いておらぬぞ。」

信綱の言葉に、念仏僧は少し首を傾けていたが、すぐに答えた。

「それはもっともでございますよ。あやめ様にとって、脇田様は大事な同郷の荘園の地頭様、長者様は私どもにとっては確かに有難い名越の長者様でございますが、所詮近所の話好きの気の良いお年寄りでしかございませんから。それは扱いに大きな差が出て参ります。それだけあやめ様が脇田様のことがお気に入りで、心を掛けておられるということではございませんか。」

そう言う念仏僧の表情が少し笑っている様に見えた。この念仏僧に全てが見透かされているのではなかろうか。こんな疑念に捉えられて信綱は言った。

「それは妙だな。あやめ様がわしをお気に入りだなどと、勝手に思い込まれては困る。わしがあやめ様の所に参っているのは、同郷のよしみということで、郷里の土産話をして御慰めしているのだ。仮にも主君の御側室であられる。めったな言い方は慎め。」

僧はあわてて言った。

「いえいえ、その様な意味で申し上げた訳ではございません。ちょっと口が滑っただけで。言い方が少し間違っておりました。」

信綱は僧の話を聞く内に、次第に不安に駆られて来るのが分かった。この僧が一体何処まで自分のことを知っているのか分からないという不安。そして、自分が全く知らない内に知らない者から、自分の行動がしっかりと覗かれているのではないかという得体の知れない不安に駆られて来た。

二

信綱はつい三日前に一と月にも亘る鎌倉大番の勤めを終え、荘園に戻る挨拶にあやめを訪れた時の事を思い出していた。

ほぼ一と月振りに見るあやめは、打ち沈んでやつれた様子に見えたが、信綱の姿を見ると、ぱっと表情に笑みが浮かび、信綱をほっとさせた。

「今日はあやめ様にお暇乞いの挨拶に参りました。」

「もう領国に帰るのですか。信綱殿に暫く会えないと思うとまた寂しくなります。」

そう言って、あやめは少し痩せて、やつれた横顔に得も言われぬ哀感を漂わせて、夏の茂りを残した庭の前栽を眺めた。その横顔を見て、信綱はやつれて見えるあやめの姿にますます増さる美しさを感じて、あやめへの熱い想いを新たにした。

「父上より頂いた蕪漬はいたく美味しかったと伝えてください。それに、下総の干し鮑も。そうじゃ、風鳴荘で穫れたという信綱殿から頂いた芋と蓮根も美味しかった。」

信綱は今回の往還に当たっても、何時もの様にあやめの父の藤森長者から託された土産や風鳴荘の産物を、先ずあやめに届けたのだ。

「蕪漬はお父上が蕪を屋敷の敷地の一角の畑で、手ずから育てられ、母上が漬けられたものですので、御心が籠っているのでしょう。」

「そうかもしれぬ。懐かしいのう、下総が。風鳴荘の事も思い出します。まだ童であった頃、風鳴荘を訪れ、遊んだことがありました。その時、信綱殿をお見掛けしたことがあります。お父上が地頭をされていて、あれが地頭の息子殿だと教えられました。ただそれだけで、まだ童でしたから、気にもせず遊んでおりました。」

「その様な事がありましたか。失礼ながら覚えておりませぬ。あやめ様の事を知ったのは物心ついてからで、ずっと後のことでした。」

「それはそうでしょう。信綱殿は歴とした地頭殿の息子様。私は只の長者の娘でしたから。」

「私が父から地頭職を継ぐ少し前でしたか。その頃あやめ様の噂は良くお聞きしました。藤森長者の娘御の美しさは、下総中の語り草だったと思います。私もあやめ様を一目見ようと、用事もないのに長者のお宅を訪れ、あやめ様をちらっと垣間見たことがございました。この世にこんなにも美しい方がおられたのかとしみじみ思いました。」

「ほほほ、それはまた買被りが過ぎておりましょう。信綱様もお世辞がうまい。そんなお話は信じられません。」

あやめはやつれた表情に、少し紅が差した様な華やぎを見せて、恥かし気に笑ったが、それも束の間、再び暗く沈んだ表情に戻った。

「お父上、お母上に逢いたいのぅ。下総が恋しい。」

そうつぶやく様に言って、溜め息をついた。

「お父上とお母上にお伝えしましょう。あやめ様の思いを。お父上もお母上も、何時もお会いするとあやめ様の事を気遣っておられます。何かお伝えする言葉があればおっしゃってください。」

あやめは暫く物思いに沈んでいたが、やがて溜息とともに言った。

「いや、止めておきましょう。お父上とお母上には元気で過ごしているとのみお伝えください。お伝えしたいことは一杯あります。でもそれを言うと、お父上とお母上に心配をお掛けするだけになります。」

そう呑み込む様に言葉を切った。

あやめは、十六歳で胤宗の側室に嫁いで来て、もう十二年が経っていた。しかし、あやめには子は無かった。側室として、鎌倉にやって来た頃は、胤宗の寵愛は強く、暫くは華やかな、傍目にも幸せに見える、満ち足りた生活が続いた。胤宗が名越の別邸にやって来ることも頻繁であり、その愛を確かめて暮らすことができた。

しかし、それから三年が経ち、四年が経ち、あやめに子が出来ないことが分かって来ると、自ずから胤宗の足が遠ざかって行った。そして、今まで子がなかった正室に世継ぎが出来ると、更に一層胤宗の足は遠ざかって行った。

胤宗の正室は、北条氏の一族に繋がる金沢顕時の娘であった。それは胤宗が父の跡を継いで、下総守護となったため、代々下総守護である千葉家当主との繋がりを求めて金沢氏には娘を正室に送り込むという伝統があり、それに従った政略結婚であった。

北条一門の一翼を担う金沢氏にとって、関東の有力な御家人である千葉氏と結んでおくことは、北条得宗家に対する地位を固める意味で重要であり、勿論千葉氏にとっても北条一門の一角にある金沢氏と結んでおくことは、政権内の御家人としての地盤を保つ上に必要であった。

しかし、弟である胤宗が、留守預かりとは言え、兄を差し置いて千葉氏の当主を意味する下総守に就いたことは、その後の千葉氏の中の兄弟の主導権争いから、家臣を巻き込んでの内紛へと向かう火種を残した。

兄宗胤は、蒙古の襲来を迎え撃つべく、弘安の役が起こるや幕府の要請により九州の領国へ行っており、弟は留守を預かる立場であった。

時は、御内人である平頼綱が、有力御家人安達泰盛を突如襲撃し滅ぼした、霜月騒動から十五年が経っていたが、その間には執権北条貞時が今度は平頼綱を謀反人として討ちとり、北条得宗家へ権力集中を強め始めていた。

そのため、下総国でも得宗家の息の掛かった地頭や雑掌が、寺社領や貴族領、あるいは今や謀反人となった平頼綱の一派の荘園に押し掛け、様々な難題を突き付けた挙句、これを下地中半という手法で横領したりする事件が後を絶たなかった。流石に千葉介たる胤宗の荘園に手を掛ける者はいなかったが、兄の宗胤の一族との確執は日増しに強くなっていった。

そんな浮かない日々を送っていた胤宗は、たまにあやめの居る別邸を訪れても、沈んだ表情を見せることが多かった。そして忘れた様にぽつりと、

「あやめに子がおれば楽しかったろうにのう。わしはあやめの子がほしかった。」

と呟く様に言った。

こんな言葉にあやめは、身も細る思いのまま、じっと耐えるしかなかった。そして、一体自分は何のために鎌倉まで来て、こんな日々を送らねばならないのだろうという、虚しい思いにとらわれた。

「信綱殿。もう少し近くに寄って下され。」

物思いに沈んでいたあやめが、頭を上げて突然信綱に言った。その顔には乞う様な只ならぬ真剣さが漂っている。或いは縋る様な眼差しと言えなくもない。

信綱は、一瞬戸惑い、うろたえる自分を感じたが、やがてあやめの思いに吸い寄せられる様にに

じり寄って行く自らの姿を認めた。そして、あやめから漂う芳ばしい香りを感じる面前まで至って止まり、こんなにあやめと真近に向かい合う戸惑いと、身の置き場の無さから、思わず深々とあやめに向かって平伏した。

「良いのじゃ信綱殿。も少し近うに寄って下され。」

そんな信綱の心を解きほぐす様に、あやめは信綱に白い手を差し出した。手を取れというあやめの誘いであった。意外なあやめの手の出現に思わず信綱はあやめの表情を見据えた。相変わらず乞う様な、縋る様な表情である。

その表情を確かめると、信綱は自然とあやめの白い手を取っていた。冷たいが滑らかな手である。

「あやめ様」

思わず信綱はあやめの名を呼んでいた。

「温かい手ですね信綱殿の手は。最早私にとって頼りになるのは信綱殿のみです。私を見捨てないで下され。」

「そんな。あやめ様を見捨てるなどと。あやめ様には胤宗様という立派な殿がおられる。安心して心置きなく過ごされれば良いのです。信綱もずっとあやめ様に付いております。」

「殿の心はとっくに私から離れてしまいました。これからもどんどん殿の心は私から離れ、いずれ私は殿から見捨てられて行く定めなのです。それを考えるといっそのこと出家してしまおうかと思う今日この頃です。」

あやめと信綱は暫く手を取りあったまま、お互いを見詰めあい、心を確かめる様に静かにその姿勢を保っていた。そして、お互いの思いが高まって行くにつれ、自然とお互いの距離は近付いて行くのが分かった。

何時の間にか信綱はあやめの肩を抱いていた。あやめもまた、倒れ込む様に信綱の胸にその顔を埋めていた。そうなると信綱は更にひしと強くあやめを抱き留めた。信綱は今はその胸の中に収まっているあやめを見下ろしていた。こんな角度と姿勢であやめの顔を眺めるのは、勿論初めてだった。

すると、あやめの閉じられた瞼から涙が流れているのが分かった。その涙は絶え間なく流れ落ち、ほんのりと紅色に染まった頰を辿っていった。この様な位置から眺めるあやめは、今まで眺めていた以上に美しいと信綱は思った。

「あやめ様。泣いておられるのか。」

不思議に思って信綱は聞いた。

「ええ、何故か涙が流れるのです。悲しいのやら、嬉しいのやら、良く分かりません。多分両方なのでしょう。」

信綱は、じっとあやめの表情を覗き込んでいた。すると、突然あやめはぱっちりと目を開けた。

間近で見るあやめの目は、驚くほど大きく見えた。そして、今まであんなに涙を流していたとは思えぬほど、澄んだ目をしていた。

お互いにひしと見詰めあったまま、信綱の顔はあやめの顔に少しずつ近寄って行った。再びあやめは目を閉じていた。まるで全てを許すという様な絶妙な間合いを取って。次の瞬間、まるで吸い込まれる様に、信綱はあやめの唇を吸っていた。

どれだけその時間が続いただろうか。息詰まる様に長い時間だった様な気がする。屋敷の奥から渡廊をこちらに向かって来る下女らしい足音が聞こえた。

思わず、信綱はあやめを突き放す様に後ずさりに元の下座の位置に下がって、何事も無かった様な姿勢に戻っていた。後には甘美な感触と同時に何か恐ろしい罪を犯してしまった様な悔悟の気持ちが重く残っていた。それから信綱は、あやめに暫くの別れを告げると、飛び出す様に名越の別邸を出た。

それが丁度三日前の出来事だった。

三

「如何でしょうか。拙い口説ではありましたが、脇田様のお名前を存じ上げる様になったいきさつについてはお分かり頂けたでしょうか。」

念仏僧は、信綱の顔を覗き込む様に言った。それまで回想に耽っていた信綱はその言葉にふと我に帰った様に念仏僧の方を見て言った。

「うむ、話は良く分かった。貴僧がわしの名前を知る様になった訳は十分に分かった。ところで貴僧名は何と申す。」

「え、私の名前など、お教えする様なものではございません。名も無い遊行の念仏僧でございますれば。」

「いや、貴僧はわしの名を良く知っておる。しからばわしも貴僧の名を知っておかねばならぬ。教えてくれ。」

「では申し上げましょう。智達と申します。」

「智達か、智達坊か。」

「左様でございます。」

「智達坊。では改めて聞くが、貴僧がわしについて知っていることは、今まで話したことで全てか。誓ってこれで全てと言えるか。」

信綱は、畳み掛ける様に言った。智達は、少しうろたえている様に見えた。

「そ、それは勿論です。これ以上のことは私は全く存じておりません。しかし……」

とまで言って智達は言い淀んだ。

「しかし何か、何か他にあるか。」

信綱は智達の何故か動揺している様子に、逆に不安を感じた。智達は何かを隠している。そう思うと、更に問い詰める様に念仏僧を睨んだ。

智達は、一呼吸を整えると、いましがた見せた動揺とは打って変わって、妙に落ち着いた口調で話し始めた。

「実はでございます。随分と遠回りをしてしまいましたが、いよいよ本題に入らせて頂きます。」

智達は、信綱の方へ真正面に向き合うと姿勢を整えた。信綱は、息を殺して、智達の言葉を待った。

「実は、私が脇田様をここでお呼び止めしたのは、あやめ様のお言葉を伝えるためだったのです。」

突然の智達の言葉に、信綱は穴のあくほどその顔を眺めた。意外さと不可解さの波が信綱を襲った。

「おぬし、今何を言った。あやめ様のお言葉だと。それは、確かにあの名越のお屋敷におられるあやめ様のことか。」

「勿論、そのあやめ様でございます。」

智達は至って当然という表情で静かに答えた。確かにこの念仏僧は、今まで話の中であやめの事を語ってはいた。しかしそれは名越の長者なる者を通じての話であって、あくまで人伝の話ではあった。しかし、それが突然直接あやめの言葉を伝えるというのだ。あやめがこの念仏僧にそう信綱に対して伝えよと言ったということだ。あやめがこの念仏僧に何かを頼んでいる、その姿というものは、信綱には想像がつかないものだった。

それにしてもどんな内容かは知らないがそんな言伝をあやめから預っていたのならもっと早くそのことを話してくれても良かろうにというのが信綱の一つの思いであった。

しかしそれにしても、念仏僧がこの様にはっきりと言っている以上、それは事実であろうと考えるしかなかった。となると信綱は矢も楯もなく、早くあやめの言葉が聞きたくなった。

三日前のあやめの姿が思い出された。あのあやめとの甘い時間、そしてあやめが流していた涙。あの時のあやめのやつれて思い悩む姿が、信綱の脳裏に浮かんでいた。

「分かった。智達坊、あやめ様の言葉とやらを聞かしてくれ。」

「承知致しました。」

智達はほっと胸をなで下ろす様に、硬くなった表情を和らげて言った。そして、何時もの口説の調子に戻って語り始めた。

「実は、あやめ様は、今この先の道の脇にある私共時衆の仮の道場におられます。私はあやめ様より、脇田様を、その道場に御案内する様に頼まれております。道場は、この道を、和賀江津の方へ向かいまして、直ぐの、道から少し入った感応寺という荒れ寺をお借りして、仮の道場としております。余り人目に付かぬ場所でございます。

でもご安心ください。そこには今、越前、信濃、上野、武蔵等で長い遊行を終えられ、鎌倉に戻られたばかりの、他阿弥陀仏、真教様が居られ、またお弟子の智得様、呑海様を始めとして多くの遊行僧、念仏僧もおられます。

今、あやめ様は、これらの時衆の者達に温かく迎えられていると思います。他阿弥陀仏、真教様は、あやめ様の御身の上、お悩みをお聞きされていると思います。」

智達の言葉にじっと耳を傾けていた信綱は、一見平静を保って見える表情とは裏腹に、突然あやめが踏み出した行動への戸惑いと混乱する意識に満たされていた。

「何故あやめ様はその時衆の道場とやらに行かなければならぬのだ。わしにはまるで分からん。」

それが信綱からやっと出てきた言葉だった。その言葉とは別に、信綱の心の中には、再び三日前のあの出来事が浮かんできた。あの時、初めて抱き寄せたあやめが、信綱の懐の中で見せたとめどなく流れる涙、そしてお互いに求めあった唇の甘美な生温かさ、それらが脈絡もなく蘇って来た。そして、下女が渡廊を渡って来る足音に驚いて、突然の別れを告げ、名越の屋敷を飛び出して来た。

それからあやめに何が起こったのか。信綱は、そう誰にともなく問い掛けていた。でも問い掛ける相手はあやめしかいない。そうなると信綱は、早くあやめに逢って話をしたいという思いを募らせた。

智達の導く方へ信綱は、あやめの居る時衆の道場へと智達をせかす様に足早に、往還の道を進んだ。

「それにしても智達坊、貴僧があやめ様からそのような言伝を頼まれていたのなら、何故もっと先に言ってくれなかったのだ。」

智達のここに至るまでの長々とした口説のことを考えると、信綱には苛立たしい思いが残った。

「私ごとき貧乏念仏僧の言葉を直ちに信じて頂けるか覚束なく、つい前置きが長くなってしまいました。」

そう言って智達は申し訳なさそうに頭を下げた。

「そしてまた、信綱様のあやめ様の今の御心境への御疑念誠に御尤もと存じます。これは私ごときがお話ししても納得されますまい。あやめ様に脇田様より直にお聞きになるのがよろしかろうと存じます。」

呟く様に智達が言った。信綱は、その言葉に何も答えなかった。ただひたすらに、上の空にあやめの事を考えていた。

右手の方には前浜の松林が広がり、その奥には由比ガ浜の海辺が眺められる様になり、ようやく浜風が潮の匂いを運んで来た。和賀江津へ往き来する人々で相変わらず往還の道は賑わっていた。その辺りで智達の足は、往還の道を逸れ、左手に分かれた道に入った。道は緩い上り坂となり、弁ヶ谷へと向かっていた。その道に沿った、松林が密生し、小暗い影を作った一角に至った。

「ここが私共時衆の道場です。」

そう言って智達は松林の中に入って行った。信綱が見回すと、境内の一角らしき右手の空地に、高床式の至って粗末な建物があり、床は板張りであるが、壁はまるで無く、屋根は草ぶきで葺いただけであった。まずこの奇妙な建物を眺めながら正面へ向かうと、そこには寺院らしき建物があった。これが、智達等時衆が道場と称している建物らしかった。

しかし、最早この建物は、寺院の残骸と言うに近く、草ぶきの屋根は乱れ草が生え茂り、所々はがれていて、壁はあちこちで落ち、至るところで下地や骨組が剝き出しとなっており、軒はそここで垂れ下がり、荒んだ廃寺の雰囲気を漂わせていた。戸惑い気味の信綱の様子を眺めながら、智達が言った。

「ここはもと感応寺と申しまして、真言の寺でございましたが、何時の頃からか、住持もいなくなり、廃れて、人も寄りつかず、こんな姿になり果てました。放っておけば、夜盗、盗賊の住みかとなってしまいかねず、私どもが拝借して、仮の道場として使わせて頂いております。」

「そんな勝手なことができるのか。」

信綱が不審に思って訊いた。

「持ち主がおられぬ様で、むしろ人助けと思って使っております。これでも中はかなり手を入れて、住み心地良くなっております。」

そう言って智達は、何食わぬ風に笑った。

「ところで、あの手前の建物は何か。」

信綱は、高床式の粗末な建物の事を聞いてみた。

「あれは踊念仏の舞台でございます。」

「ほう、あれが踊念仏の舞台か。一遍坊とかいう坊主が始めたという。わしが大番役で鎌倉に来ておった時に噂だけは聞いたことがある。大変な大騒ぎだった様に覚えて居る。」

「お聞き致しました。一遍様は、私共の祖師様でございます。しかし踊念仏は正しく言うと、一遍様が初めと言うより、空也上人様が都で始めたのがそもそもの最初と承っております。」

「どんなものか見てみたいのう。」

「直ぐにご覧になれます。暫くすると、道場に居る時衆の者皆で行います。」

智達は道場の正面と逆の、裏の方にまわり、狭い戸の前に出た。その奥は、嘗て寺の庫裏があった場所らしく、今は柱や壁の残骸が散らばり、礎石だけがあちこちに残る荒んだ姿を晒していた。

戸口を開けて中に入ると、薄暗い中に何もない広い空間が広がっていた。その板張りの床に茣蓙を敷いて、殆どまんべんなく空間を埋める様に、墨染の姿の僧尼や、被り物をした俗人らしき人々が居た。中には、侍や下人、姿の良い貴人の女や商人らしき男もいた。

薄暗い光の中で、信綱はあやめの姿を探したが、はっきりとその姿を認めることはできなかった。そんな信綱の様子を覗いながら、智達が言った。

「あの奥の方をご覧ください。あの辺りにあやめ様もいらっしゃいます。」

そう言われて、薄暗い光の中を、奥の壁際の一角に目を凝らした。良く見ると、そこに僧尼が何人か並んでいて、その内の一人が堂内の人々に何やら語っている様子だった。入った当初はまるで静かだと思えた堂内で、人々はこの僧の言葉にじっと耳を傾けていたのだった。

「あの真中に座られて、今説法をされている方が、他阿弥陀仏真教様でございます。祖師一遍様の一番弟子であられ、今は祖師様の跡を継いで遊行聖となられた方でございます。その右に居られるのが、真教様の一番弟子の智得様でございます。この方は、鶴岡八幡宮若宮の宮司で在られた大伴家のご出身と聞いて居ります。そして、左側に居られるのが、呑海様でございます。御家人俣野五郎景平様の弟御でいらっしゃいます。そして、智得様の前辺り、後ろ向きに座って居られるのが、あやめ様でございます。」

智達は、周囲を気遣いながら、囁く様な声で話した。信綱は、智達の話す辺りを目で追いながら、あやめを見つけようと目を凝らした。智達の言う後ろ向きの人物は、尼の姿をしていた。それ以外には、あやめらしき姿の女はいなかった。

「まさかあの尼姿があやめ様ではなかろう。」

不審に思って、信綱が聞いた。

「いえ、あの方があやめ様でございます。」

信綱は、一瞬我が目を疑った。そして、くらくらとする様な衝撃を覚えていた。やがて絞り出すように言った。

「あやめ様は出家されたのか」

「はい、左様でございます。」

智達が淡々と答えた。何か言おうとして、信綱は一旦言葉を呑みこんだ。

暫くして、

「何故じゃ」と呟く様に言った。

真教の説法は、相変わらず続いていた。人々は、思い思いの姿勢と態度で説法に耳を傾けていた。真教の姿を食い入る様に見詰めていて、一言一句聞き漏らすまいと集中している武士。じっと目をつぶって、一見眠るが如く耳をそばだてている商人。手を合わせながら、口の中でひたすら念仏を唱え続けている老婆。

そして、真教の説法の声は次第に高まり、静かではあるが、強い響きを見せて、終盤に差し掛かっていた。

やがて、説法が終わるとともに、人々は一斉に合掌し、念仏を唱え始めた。堂内は人々が唱える念仏の声に満たされた。そして念仏が終わると再び真教の朗々とした声が流れた。

「身を観ずれば水の泡」

「ミヲカンズレバミズノアワ」

と人々が一斉に真教の声を繰り返した。

「消えぬる後は人もなし」

「キエヌルアトハヒトモナシ」

「命をおもえば月の影」

「イノチヲオモエバツキノカゲ」

「出入る息にぞとどまらぬ」

「イデイルイキニゾトドマラヌ」

「人天善所の質をば」

「ニンテンゼンショノカタチヲバ」

「おしめどもみなたもたれず」

「オシメドモミナタモタレズ」

「地獄鬼畜のくるしみは」

「ジゴクキチクノクルシミハ」

「いとえどもまた受けやすし」

「イトエドモマタウケヤスシ」

こんな風に、真教の言葉と、それを追いかける人々の言葉とが続いて行った。

「これは別願和讃と申します。祖師様の作られたお言葉でございます。何時も、この様な説法の後に唱えられることになっております。」

「和讃と申すか。〃身を観ずれば水の泡、消えぬる後は人もなし〃か。」

そう言って、信綱はその別願和讃の言葉を何度も繰り返した。やがて長い和讃が終わると、再び堂内は静寂に包まれた。人々は長い間続いた心の高揚と、張り詰めた緊張の持続から解放され、突然襲って来た疲れに全身がへたり込む様な虚脱の状態を見せていた。

再び真教が静かな口調で話し始めた。

「今日は、新たに我が時衆の同朋となられた女人を、御会堂の一同に紹介致す。ここに居られる風阿弥陀仏でござる。」

そして、真教はあやめに立ち上がる様に促した。あやめが立ち上がって、堂内の時衆達に会釈すると、「ほう」という声にならない声が起こった。

僧衣を纏い、被り物をしているが、その際立った美しさが人々を驚かしたのだ。風阿弥陀仏とはあやめの事であった。

「風阿弥陀仏か。」

信綱が呟いた。そこにはそんな出家の象徴である阿弥名で呼ばれたあやめをどう受け入れたらよいか分からないという戸惑いの響きがあった。

「風鳴荘の風の一字を取ったそうでございます。」

智達が言った。それを聞いて、信綱には熱い物が込み上げて来るのが分かった。やはり、まだ風鳴荘こそがあやめにとって最も大きな心の拠り所なのだろう。それは信綱にとっても同じであった。

真教が話を続けた。

「風阿弥陀仏については、この際一同にお話ししておきたいことがあります。有阿弥陀仏が都に向かい、新たに都に七条道場を開くことになったことは既にお知らせしたとおりですが、風阿弥陀仏も有阿弥陀仏呑海殿と一緒に、都に向かうことになりました。これは風阿弥陀仏のたっての希望で、都に行って道場を開くお手伝いをしたいとのことです。今日は皆一同で風阿弥陀仏を心より温かく送り出そうではありませんか。」

それを聞くと堂内の人々は、俄かにどよめいた。手を叩く者、合掌して念仏を唱える者、励ましの言葉を発する者も中にはあった。

しかし、このことを聞いた信綱の心は逆に衝撃で凍り付いた。あやめが出家してしまったばかりではなく、都に行ってしまうという。今や、考えもしなかった出来事が次々と起こり、信綱の心は混乱と悲しみに満たされた。そして、何とか都へ行くことだけはあやめに思い留まらせる術は無いものかと考えてみた。

四

ようやく真教の説法は終わったらしく、堂内はあちこちで私語の囁きが始まっていた。

「脇田様、あやめ様、いや風阿弥陀仏様の所へ参りましょう。」

智達がそう言って信綱を促した。あやめは、真教やその周りの僧尼と話を交わしており、信綱が来ていることに気付いてはいない様であった。智達に導かれながら、人々が座している辺りを避け、壁に沿ってあやめの方へ向かった。

やがて真教が居る一角に近付くと、あやめは信綱と智達の姿に気付いた。あやめと信綱の目があった。あやめの表情に割れる様な喜びが浮かび、少し青白く見えた肌が、紅を差した様に華やかな色に染まった。

あやめのこんな喜びに満ちた笑顔を見るのは信綱にとって初めての様な気がした。自分に向けたあやめの笑顔だけで、信綱の心から一瞬これまでの衝撃や混乱は消えていた。

信綱は、あやめの前にくずおれる様に座った。そして正面に尼僧姿のあやめ、今は風阿弥陀仏を暫く穴の開く様に見つめた。感無量であった。しかし出家したあやめはやはり美しかった。いやむしろ、三日前に名越の別邸で見たあやめより輝いていて、力強い美しさに溢れている様な気がした。信綱に見つめられても、あやめはにこやかでしかも毅然とした表情を保っていた。

信綱は思わず深々とそこであやめの前に平伏した。

「信綱殿、お顔をお上げ下され。良くここへ来て下されました。信綱殿に改めて感謝いたします。」

そして、あやめの白い手が信綱の前に延びて来た。三日前の名越の屋敷の時と同じ情景である。しかし、まるで意味は違っていた。ここには遊行聖である真教・他阿弥陀仏を始め、智得や呑海や多くの時衆、結縁衆が居た。信綱はそうした人々の視線を感じたが、でも迷わずあやめの手をしっかりと握った。三日前の名越の屋敷での様に。そして、あやめの目を見詰めた。握ったあやめの手は、堂内のひんやりとした空気にも関わらず、三日前の冷たい手とは異なって温かかった。

「出家されたのですね。」

信綱はそこまで言って、後は言葉が途切れた。

「長いこと考えていたことですから。ようやく心を決めることが出来ました。それもこれも、ここに居る名越の長者様御夫婦、そして智達様のお陰です。

信綱殿にはお話ししておりませんでしたが、改めてご紹介します。名越の屋敷の隣に住まわれている長者様でございます。」

あやめは後ろに座っている長者の夫婦に目をやった。長者夫婦は信綱に向かって静かに頭を下げた。

「何故突然出家することになったのか、驚かれたでしょう。信綱殿にはこの様なお話をしておりませんでした。と言うより、私の心も急に決まったのですから。三日前に信綱殿にお会いした後でした。ここに居られる遊行聖の知識である真教様にお会いできたのが幸いでした。越前、加賀、信濃、上野、武蔵等の諸国を長く遊行をされて来て、鎌倉に戻られていた真教様そしてお弟子の皆さまが居られたお陰でございます。」

二人の話を傍らで聞いていた真教が口を開いた。

「脇田様、良くここへお出でいただいた。感謝いたします。あやめ殿、いや風阿弥陀仏も脇田様の来訪を心待ちにしておりました。私共時衆の祖師一遍智真様が申された様に、捨つる事、全てを捨つること、世との繋がり、我執、我慾へのこだわり、そう言った全てを捨ててこそ救われるのです。これを、身を捨つると申します。そして南無阿弥陀仏を唱え尽くすのです。この教えを、風阿弥陀仏様は短い間に良く会得されました。

祖師様と私共時衆が初めて鎌倉に参ったのが、弘安五年の事でございました。丁度今から十八年前でございます。この時、祖師一遍智真様の〝身を捨つる〟教えは、鎌倉中の多くの人々の心を捉え、また片瀬浜で催した踊念仏は、踊躍歓喜の境地に人々を導きました。その意味で鎌倉は私共時衆の第二の出発点であると思います。今ではこの鎌倉にはたくさんの時衆のお仲間が出来ております。」

「誠に真教様のおっしゃられる通り、時衆の僧尼や結縁衆のお陰でここまで至りました」

「でも、あやめ様は都に行かれるのでしょう。本当に京に旅立たれるのですか。」

信綱は、まだ半信半疑のまま訊いた。

「はい、参ります。それも遊行の旅でございます。かって祖師一遍様が鎌倉から京へ向かわれた時の様に。〝身を捨つる〟ことを修行する旅でございます。信綱殿、突然の事で、急には受け入れ難いであろうとは思います。でも信綱殿に今日ここに何としてもお呼びしたかったのは、たってのお願いがあったからです。私は明日京へ向かって遊行の旅に上ります。その前に是非お伝えしたい。」

あやめは、信綱に向けて言った。あやめは既に遊行僧尼の一員となって明日にも都へ向かって旅立つという。もはや信綱の手の届かぬ世界に向かって走り始めていた。この上信綱に何を頼もうというのだろうか。

「一体お願いとは何でしょうか。あやめ様と私とは最早遠くの世界に隔てられてしまった様に思われますが。」

「そうではないのです。信綱殿。信綱殿は私の近い所に居るのです。そしてそれは一歩を踏み出せば良いだけなのです。」

「一歩踏み出せば良い。一歩踏み出せばあやめ様と近い世界に居ることが出来るということですか。」

信綱は探る様にあやめの言葉を待った。

「その通りです。信綱殿、私と一緒に都への遊行の旅に旅立ってはくれませぬか。」

衝撃的なあやめの言葉だった。信綱の中では、何処かで予感していた言葉ではあったが、実際にあやめから聞くと、やはり鈍痛の様に信綱の心の底に広がった。しかし、一方では何故か信綱の心の中の何処かに甘美な印象が残ったのも事実であった。それは、あやめが信綱に遊行の同行を求めるまで、自分を慕ってくれているという甘美な喜びであった。

信綱の心は、既に引き裂かれていた。このまま明日から都への遊行への旅に旅立つということは、勿論あやめと一緒に出家することであり、同時に信綱の現在の地頭としての地位や、家族と言う一切を捨てることにつながった。まさに真教の言う「身を捨つること」そのものであった。

一体そんな事が出来るのだろうか。しかもそうしたしがらみの全てを捨て去って、あやめとの遊行の旅に向かうというのも甘い魅力を放っていた。勿論出家した者同士の立場になるので、お互いの間には、念仏を唱える者同士というつながりしかないのだが。

この頃の時衆の遊行の旅は、男女の僧、尼僧が同行するのが普通であった。踊念仏も、僧、尼僧が一緒になって踊った。むしろ男女が一体となって踊ることによる踊躍歓喜の熱狂と盛り上がりが作り出されたと言えるかもしれない。したがって、男僧、尼僧の混在による間違いを防ぐため、宿所の民家や寺院の中では、お互いの空間の間に、二河白道と称して荷物等を並べて仕切りを作って寝る場所を分けた。

「あやめ様のお話は良く分かりました。しかし、私はこれから領国の風鳴荘に戻るところ。せめて、領国へ一旦戻り、荘園の下司や縁者、家族に話をして後、出家致し都への遊行の旅に合流する訳には参りませんか。」

「それはなりませぬ。信綱殿が一旦領国へ戻り、縁者、家族、家司に話をすれば、賛同を得ること叶わず、信綱殿の心も揺らぎ、出家もかなわぬ事になります。今ここで出家を決めて、都への遊行の旅に向かうか、それが出来なければ、信綱殿とは今日を限りの御縁となると考えてくだされ。」

あやめの今までにない、断ち切る様な毅然とした言葉であった。

「失礼ながらお聞きしますが、あやめ様は胤宗様にお話をされたのですか。」

「勿論お話をしました。そして、許して頂きました。胤宗様の心は私を離れていましたから。しかし信綱殿の場合は違います。そう容易く縁者が許してくれるとは思われませぬ。」

信綱の迷いは深まるばかりだった。思いは領国の下総風鳴荘の方へ向かっていた。そこに展開されている日々の事に思いが至った。

風鳴荘には、ここのところいざこざが絶えなかった。荘園の下司や名主が、千葉家の内紛や北条得宗家の圧力を受け、何かにつけて地頭である信綱に要求を突き付ける事が多くなった。

領主千葉介胤宗は、兄の宗胤とお互いの家臣を巻き込んで、兄弟同士の争いを、日増しに強めていた。信綱にとって、そんな日々に得体の知れない重圧を感じているのも事実だった。だから、この際出家してしまおうかという考えも信綱の心をかすめた。幸い、信綱には二人の息子も居り、一人は元服の年に達していた。弟も居たし、後継ぎに不足は無かった。しかし後継ぎが多すぎると言うのも心配の種であり、やはり妻や兄弟という極近い縁者の事を考えると、縁を断ち切ることの辛さが信綱の思いを占めた。

そんな様々な想念が信綱の頭の中を次々と巡り、ますます迷いは深まって行った。

急に周囲は騒がしくなった。堂内の人々が次々と立ち上がり、堂の外へ出ようと、入口の方へ向かい始めた。

「信綱殿、これから踊念仏が始まります。時衆の者達は皆踊り屋の周りに集まります。私も今日は踊りに加わる積りです。私にとって初めての踊念仏です。信綱殿も加わることをお勧めします。

一緒に踊りませぬか。」

そう言って、あやめは信綱の手を取って立ちあがらせた。

最早、それ以上あやめは遊行への同行のことは聞こうともしなかった。もう既にあやめの中では、決まったこととして流れの中に入ってしまった様に思えた。

五

堂の外に出ると、境内の松林の中には、踊念仏を待ち構えていたらしく、鎌倉の何処からとなく集まって来た人々が、所狭しとひしめいていた。この人々はどう見ても堂内に居た時衆の人々だけではなかった。踊念仏を見ようと鎌倉中から人々が集まって来たのだ。

人々の姿を見ると、壺装束の女あり、然るべき身分と思われる武士あり、下人風の男あり、職人あり、牛車で乗り付けた貴人の女あり、中には他宗の僧侶らしき姿や、背に琵琶を背負った琵琶法師や念仏僧の姿も見られた。そして、柿色の装束をした人々の群れも遠慮がちに周辺にたむろしていた。

陽は既にかなりの陰りを見せていて、さしもの九月の日中の暑さも盛りを過ぎ、前浜から続く松林を、由比ガ浜の海辺から抜けて来る風が心地よく感じられた。

しかし、人々は既にこれから始まる踊念仏への期待に、静かな熱気を育ませていて、人々の熱い視線が踊り屋台へ注がれていた。堂内から人々が出て、最後に智得、呑海らの高位の弟子が遊行聖である真教を囲んで外に現れた。

その中に、一人だけ絶えず念仏を唱えている僧がいた。この僧が、堂内でもずっと念仏を唱えていた。その僧の事を不思議に思って信綱が智達に訊いた。

「あれは六時念仏と申しまして、私共時衆は四六時中絶えず念仏を唱え続けることを、祖師一遍様の教えとしており、念仏が絶えることのない様、僧が交代で唱え続けているのです。遊行する時に多くの僧を引き連れて回られたのも、そのためなのです。時衆と言う名もここから来ていると聞いております。」

やがて、男僧、尼僧達は、何箇所かに掛け渡した梯子に上って、次々と踊り屋の上に上がった。

あやめも踊り屋に上がる順番が来た。

「信綱殿、上がりましょう。」

あやめが言った。

「信綱様、御一緒に。」

智達も信綱の後ろに立ち、信綱を挟み込む様に、梯子の前に進んだ。

「智達坊も踊るのか。」

「勿論でございます。僧、尼僧は皆踊ります。踊らぬのはあの六時念仏を唱える僧ぐらいでございます。」

智達がそう言って、踊り屋の脇に立って、相変わらず念仏を唱えている僧に目をやった。最早信綱も踊り屋の上に上がるしかなかった。あやめと智達がそこに一緒に居るというのが信綱にとっては、今は心強かった。

僧尼達が上がり切ると、智得、呑海という高位の弟子が上がり、最後に真教が踊り屋の上に上がった。

踊り屋は三、四十人は居ようかという僧尼達で満たされた。これほどの人数がひしめいた状態で、一体踊りが踊れるのだろうかと訝しくさえ思える程、踊り屋の上には僧尼が所狭しと居並んだ。辺りは急に静まりかえった。微かに聞こえるのは、六時念仏の僧が絶えず唱え続けている、口の中にこもった様な念仏の声だけであった。踊り屋を取り巻く時衆や結縁衆、見物人と覚しき人々も、踊り屋の僧尼達の方に目を凝らした。そして、真教、他阿弥陀仏の発する踊念仏開始の合図である第一声を待った。

やがて、「ナムアミダーブーツー」という何処までも落ち着き払った真教の低い声がゆっくりと流れて行くと、その六字名号が終わるか終らない内に、一斉に堰を切った様に、怒号の様な僧尼達の「ナムアミダーブーツー」の声が辺りに響き渡った。鉦の音が鋭く研ぎ澄まされた金属音を発し始め、念仏の声と相まって、一気に辺りは高張感に包まれた。

と同時に、僧達は大きな輪を描きながら、床板をドスン、ドスンと踏み叩く様に、各々が思い思いの手振りを取りつつ、河の様な流れとなって踊り始めた。

それは、まさに大きな渦巻きの姿に似ていた。

信綱もまた、あやめと智達との間に挟まれ、見よう見まねで念仏を唱え、周囲の僧尼の手振りに合わせながら踊った。踊っている内に、次第に踊念仏に引き込まれて行くのが分かった。

前に居るあやめを見ると、初め小さかった念仏の声も大きくなり、踊りの動きも次第に板に付いたきびきびとした動きに変わって行く様に見えた。

周囲の踊りの輪の中に混じって念仏を唱えながら流れて行く内に、少し心にゆとりが出て来たのか、信綱は踊り屋の上から周りの風景を眺めていた。

踊り屋の周りには、境内の松林を殆ど埋める様に、様々の人々が居た。武士や、女人、商人や牛車に乗った貴人の女、職人の男、そして少し遠くの場所には柿色の装束をした人々の群れがたむろしていた。そして、人々の中には、座っている者、立っている者、それぞれの姿勢で念仏を絶えず唱えている者、手を合わせて踊念仏を食い入るように眺めている者などが居た。

踊り屋の上で踊り続ける時衆の僧侶達と、それを眺め念仏を唱えている時衆と結縁衆、そして見物人達は一体となって踊念仏の高揚と熱気に包まれ、何処かとも知れぬ頂点へと向かって高まっている様に見えた。

ふと、信綱が目を転ずると、松林の重なりを通して青空が見え、その下には由比ガ浜の海と白波が目に入ってきた。透き通るような青空と海の青である。

信綱の意識から、突然念仏の声と鉦の音が遠ざかり、静寂の中から低く静かに聞こえて来る声があった。


「身を観ずれば水の泡」

「ミヲカンズレバミズノアワ」

「消えぬる後は人もなし」

「キエヌルアトハヒトモナシ」

「命をおもえば月の影」

「イノチヲオモエバツキノカゲ」

「出入息にぞとどまらぬ」

「イデイルイキニゾトドマラヌ」


別願和讃である。今さっき堂内で真教が唱え、それを追う様に、時衆や結縁衆が唱えていたあの和讃が何処からともなく、信綱には聞こえ始めた。

しかし、周囲の時衆達を見ると、ただひたすら念仏を唱え、踊り狂っているばかりである。しかし、その和讃の声は念仏のかまびすしい音を縫って、それに和する様に低く、静かに流れていた。

「人天善所の質をば」
「ニンテンゼンショノカタチヲバ」
「おしめどもみなたもたれず」
「オシメドモミナタモタレズ」
「地獄鬼畜のくるしみは」
「ジゴクキチクノクルシミハ」
「いとえどもまた受けやすし」
「イトエドモマタウケヤスシ」

何処からともなく流れて来る別願和讃の詩句は、信綱には幻ではない様に思えた。誰かが何処かで静かに唱えているに違いない。怒号の様な念仏の嵐の中で、遊行聖真教が静かに唱えているのかも知れなかった。

その低く沈潜する様な通奏低音に似た和讃の声に合わせ、何時の間にか信綱も自らその詩句を唱えていた。

周囲を眺めると、踊念仏の熱狂はまさに頂点に達しつつある様に見えた。踊躍歓喜そのものの様に人々は念仏し、飛び跳ね踊り狂っていた。僧尼の阿弥衣は激しい動きに乱れ、前を見るとあやめの裾の衣も跳ね上がり、白いふくらはぎが眩しい程に垣間見えた。周囲を見回すと、僧、尼僧を問わず、阿弥衣は乱れ、彼方此方で肌が露わになっているのが見えた。

しかしそれも誰も不思議に思わない、とめどもない高揚感が辺りを支配していた。

信綱も、この踊念仏の熱狂感の頂点に巻き込まれていた。最早信綱の中から、風鳴荘のことも、領主千葉介胤宗のことも、妻や子を始めとした縁者達のことも急速に遠ざかって行った。

あやめが、突然信綱の方を振り向いた。あやめもまた、踊念仏の熱狂の中に居た。紅潮して輝いた表情を見せて、信綱に笑いかけた。

これが踊念仏と言うものか。信綱は果てしなく続く熱狂と高揚の中で、このままあやめ、いや風阿弥陀仏と共に都へ向かおうと思い始めた。

偏界一覧の雪

一　発端

八幡宮門前に軒を連ねる旅宿の一角に、横大路から小袋坂の方へ曲がる角辺りに、こじんまりとした角屋《すみや》という旅宿があった。丁度この辺りからは、西へ向かうと岩屋不動を通って英勝寺や寿福寺のある扇ガ谷へと至り、東へ向かうと、宝戒寺、筋交橋を経て六浦道へと連なる、まことに鎌倉見物をするには何処へ行くにも至便の地であった。

江戸も末期、さすがに二百年も続いた徳川の世も、太平の眠りから覚め、世情ようやく何やら騒がしくなって来た頃であった。

丁度八幡宮の西南の隅に位置するところから名付けられたらしい、この角屋という旅宿の敷地の一角に、好事家風の小洒落た門構えで、世捨て人の隠れ家といった風情の家があった。

この辺り、鶴岡門前の雪の下に連なる旅宿や商家は、ことごとく藁ぶき屋根を載せていて、この家も御多分に洩れず、其の中に紛れ込む様に、ひっそりと藁ぶき屋根をいただいていた。

ただ周囲の旅宿や商家や百姓屋と異なる点と言えば、侍や僧や時には仏師までが訪れたりするのだが、一体何を生業としているのか、皆目見当が付かないことであった。

ここに一人住する、自称二階堂氏俊と名乗る侍は、江戸は市ヶ谷の月桂寺という尼寺の寺侍と称していて、無類の鎌倉好きが高じて、鎌倉にやって来る度に逗留していたこの旅宿角屋の敷地の一角にある、隠れ家の様な小宅に住み着いていた。

この男、二階堂氏俊は、この小庵に一人住まいであるが、宿の主人の娘のお豊が朝晩の食事の賄いをしてくれ、昼はお豊の作る弁当を持って、朝早くから家を出て、鎌倉中を歩き回っては日が沈む頃帰って来るというのが日課だった。また、雨の日は仕方なく、一日家に籠って日がな一日机に向かって何やら書き物に没頭していた。しかし、これで月桂寺なる尼寺の寺侍の仕事がどう務まるのかと不思議に思われるのだが、たまに忘れた頃に江戸に行っては、四、五日して帰って来るところを見ると、それが仕事の様にも見えた。

この男二階堂氏俊と名乗ってはいるが、実は奥州街道喜連川を領する高家大名喜連川家の藩主の末弟で、今は部屋住みの身ではあるが、兄の藩主の命を受け、江戸鎌倉を遊学していることになっていた。

取り敢えず今の氏俊の最大の生業と言えば、最近ようやく板に着いてきた、鎌倉案内人という仕事であろう。実はそのためもあって、何時の間にかこの旅宿角屋の一角にある小庵に住することになったと言えなくもない。元々この小庵は角屋の主人の隠居場として造られたもので、主人より宿の離れとして提供されているに過ぎないが。

最もそのためだけにここに住むことになるとは考え難いので、まあ結果として案内人の仕事が派生して来たと考えた方が良いかもしれない。まあ、この辺りの詮索はこの位にしておいて、先ずはこの二階堂氏俊なる人物の生態について筆を進めて行こう。今述べた様にあくまで自称二階堂氏俊であって、実は喜連川氏俊なのであるが、これから先は本人の公称である二階堂氏俊と記述して行くこととしたい。

冬の寒さもようやく峠を越え、春まだ浅いとは言え、鎌倉でもあちこちで梅が咲き始め、水仙が盛りを迎えた頃である。例によって朝一番のご注進という格好で、角屋の主人幸兵衛が、氏俊の小庵の戸を叩いた。

大概客人を迎えての前夜の深酒ですっかり寝込んでいる氏俊は、この音で目を覚ますことが多い。目をこすりながら、氏俊が迎えた幸兵衛は、中年に差し掛かって少し恰幅が良くなって、ようやく旅宿の主人という愛想の良さを身につけ始めたが、元々は八幡宮の社人という風格を何処かに残していた。仕事を持ってきた時に見せる嬉しそうな笑みを漂わせながら、幸兵衛は小さな庭に面した座敷で、氏俊に対した。

「またどこぞのご依頼ですかな。」

氏俊が口火を切った。

「ええ、昨夜飛脚で江戸から届きました。それがあの江戸市ヶ谷の紙問屋駿河屋の娘御で最近売り出し中の澄琴《ちょうきん》様という女絵師とそのお弟子達のご一行です。明日江戸を御出立し、神奈川の宿に泊まられ、金沢をご遊覧されて、明後日の夕方には当宿へお泊まりとのこと。ご案内はその翌日からと承りました。」

「随分急な話だな。何か訳ありの気もする。」

「良く分かりませんが文には、急に春めいて来て、鎌倉の梅が見たくなり、俄かな旅の想い止み難く、と書かれてございました。」

「表向きはそうであろう。しかし女絵師が弟子を引き連れて鎌倉詣でとは、随分にぎやかなことだな。多分弟子も女子なのだろう。」

「近年は鎌倉、江の島のご遊覧の方が大分増えました。私共の旅宿も、ご存じのように一頃は片手間でやっていたものが、今はすっかり本業になってしまいました。中には色々な方がございます。江戸から参られる方は勿論、上方を含め諸国から参られます。女絵師とお弟子の御一行というのもあっておかしくはございますまい。」

「それはそうだが女子ばかりの旅というのも珍しい。」

「近頃はこの様な旅もたまにはございます。まあ女絵師御一行とは言っても、駿河屋のしかるべき方もご一緒のようです。ところで、この度の駿河屋のご一行は二階堂様ご指名でご案内をとのご要望です。」

「私を指名して来たのか。随分奇特なお方だな。私の名が江戸にまで知れ渡っているとはとても思えない。女子ばかりで不用心だから用心棒代わりに頼もうというのではないか。」

「左様なことではないでしょう。氏俊様の日頃のご精進が江戸にまで何時の間にか伝わったのではございませんか。」

「幸兵衛殿も随分口がうまくなったな。しかし私は鎌倉案内人とは言っても私の好きなやり方でやっている。時には旅人のお目当ての場所と違う所へ無理やり案内をしたりもする。だから、私の案内が気に入らず、二度と頼みたくないなどと言う輩も多い筈だ。」

そんな風に気乗りのしない時に氏俊が見せる気難かしい態度に苦笑いしながら幸兵衛は何も言わず小庵を退出した。

二　女絵師澄琴

その翌々日、女絵師澄琴とその一行は、陽の落ちる間際に角屋に到着した。一行は澄琴を中心に、随行という感じで若い女が三人に、商家の番頭という風情の初老の男と、若いこれも商家の手代という感じの総勢六人の賑やかな構成である。一行が角屋の玄関に入って来ると、いきなりそこは何時もとは打って変って華やかな空気に包まれた。何といっても女盛りの色っぽさを湛えた、女としてはすらっとした長身の女絵師澄琴は、旅装束とは言え、江戸好みの上品な中に艶やかさのある花模様の小紋の小袖に身を包み、三人の若い随行の女達もまた、各々の好みのこれは少しおとなしいが若さで充分に艶やかさをカバーして、女絵師には負けないといった風情の装いであったから。

こんな人達が突然店の中に入って来たのだから、辺りは幾つもの花が咲いた様な賑やかな雰囲気に満たされた。だから、残り二人の商家の番頭、手代風の男コンビは、着ている服もまるで旅姿の地味な格好で、すっかり影が薄く、精々これらの女四人の引き立て役に甘んじるしかなかった。

早速幸兵衛が玄関へ向かい、先ずは挨拶をすると、

「私は江戸で絵師をしております澄琴と申します。ここに居りますのは妹の秀琴、そして弟子の篠と峰でございます。また、こまごまとした世話をしてもらっております、駿河屋の伊助と与吉でございます。」

と一行を紹介した後、

「暫く逗留させていただきますのでよろしくお願いいたします。」

と深々と頭を下げた。それに合わせて三人の随行の若い女と番頭、手代も後を追って揃って頭を下げた。こんな丁重な挨拶を客から受けて、幸兵衛も恐縮して深々と頭を下げた。

「暫くご逗留と今伺いましたが、ご予定は何時頃までとなりましょうか。」

そう幸兵衛が聞くと、少し思案する様子の後、

「それがまだ決まっておりません。どの位になりますか。絵の出来次第ということになりそうです。」

絵の出来次第と聞いて、少し戸惑っている風の幸兵衛を尻目に、

「急に大勢で押し掛けてさぞかしご迷惑でございましょう。長逗留になるかも知れませんが一つよろしくお願いいたします。では仔細は伊助の方から申させますので」

と言い残して、三人の若い女性随行を引き連れて先に部屋へと向かった。

伊助という番頭風の初老の男は、江戸は市ヶ谷に店を構える駿河屋という、紙や筆を扱う大店の元番頭で、今は後進に道を譲り店の仕事を側面から支える謂わば雇問の様な役割をしていて、特に女絵師澄琴担当として時には澄琴の旅のお世話をするのも重要な仕事だと言う。幸兵衛が澄琴と駿河屋との関係について聞くと、伊助は次の様に説明した。

「澄琴様のことを私共はお師匠様と申しております。お師匠様は、駿河屋の娘で最初住吉派の大和絵を学ばれておりましたが、今は錦絵なども描かれ、向島の仕事場には沢山の弟子も持たれておられます。今日ご一緒したのも先程お師匠様がおっしゃられた様に、妹の秀琴様と若手のお弟子様でございます。そのためお使いになる紙と筆はかなりの量でございますので、私共駿河屋で手配させていただいております。つまり駿河屋の大得意先でございますし、同時に娘御でもございますの

で、お得意様対策も兼ねて特別に色々お世話している次第でございます。」

そして与吉という若い男については、駿河屋の手代であり何でも遠慮なく言ってくれれば役に立つ男であると紹介した。伊助は最後に、忘れずにお願いしておきたいのだが、こちらに二階堂様という方が御案内人としておられるとお聞きしたが、今夜は是非そのお方を会食にお招きしたいとのお師匠様の言伝ですのでよろしくと言った。幸兵衛は何故澄琴が氏俊のことを知っているのか聞いてみると、お師匠様からのご伝言なので私共もそこいらは良く分からない。仔細は後ほどお師匠様から直接聞いてほしいとの返事が返ってきた。

幸兵衛は早速江戸からの澄琴一行の到着と、夕食への招待のことを伝えようと、氏俊の住する小庵の戸を叩いた。氏俊は既に宿の風呂から上がり、賄いのお豊が運んでくれる夕食の酒肴をつつきながら、一人手酌で酒杯を傾けているところであった。

「いよいよご到着か。しかも早速私を夕食にお招きとは、随分と力が入っている様だな。その澄琴という女人、どんな様子であった。」

氏俊は酒杯の手を止め、興味津々という風情で幸兵衛に話を急がせた。

「いやいや中々お綺麗な方で、年のころは三十半ば過ぎというところでしょうか。絵師としても脂が乗った感じで、ご一行からお師匠様と呼ばれており、誠に華やかな雰囲気を漂わせておられました。ご一行は総勢六名で、澄琴様の妹様とお弟子の若い女人が二名、そして駿河屋の元番頭と手代でございます。」

「駿河屋の澄琴殿か。そう言えば聞いたことがある。確か、住吉だか、土佐だかの大和絵に錦絵も描く、今売り出しの女絵師という噂を聞いた様な気がする」

「ご存じでしたか。」

「いや、定かではないが、先日飛脚で着た便りにあった駿河屋というところから、もしやとは思っていたが。何時頃まで逗留されるご予定かな。」

「それが、聞いてみたのですが、はっきりしないのです。絵の出来次第とおっしゃっていました。」

「絵の出来次第か。えらくのんびりした話だな。」

「氏俊様の役割が大きく成ろうかと存じます。御案内役として。」

「それはどうかな。私に案内を頼むかどうかも分からん。」

「いえいえ、ご指名で、しかも早速夕食にご招待ということであれば、澄琴様はかなり氏俊様にご期待されていると考えられますが。」

「そうかな。」

と言いながらも氏俊は満更でもない風に、幸兵衛に注がれた酒を飲みほした。

「しかしそうだとしたら、一体何を私に期待しようと言うのかな。」

幸兵衛は暫く思案する風であったが、やがて言った。

「それは絵でございますよ。」

「絵か。しかし絵師は絵を描くのが当たり前であろう。」

「そこですよ。澄琴様は逗留がどの位になるかは絵の出来次第とおっしゃっておりました。絵を出来あがらせるのがこの度の逗留の目的とすれば、氏俊様にご期待されるのはそのためのお手伝い、あるいはもっと踏み込んだ役回りかも知れません。」

「そうかな。しかし私は絵師ではないし、絵は嫌いではないが、それ程詳しい訳でもない。」

「多分私がここまで言うのは僭越ではございますが、それは氏俊様の学識が鍵ではなかろうかと存じます。鎌倉についてのです。」

「しかし私の鎌倉案内だけで、絵が出来上がるとも思えない。何か他に目的がある様な気がしてならないがな。」

何故かそれ以上話に乗って来ない氏俊を前に、幸兵衛は匙を投げる様に、

「まあ、澄琴様のご招待に応じたところで、お話をお聞きしたらどうでしょうか。」

「それはそうだな。確かにご招待を断る手はない。そう考えると、その澄琴殿との一献、何か妙に楽しみに成って参った。」

そして暫く思案する様子があり、やがて口を開いた。

「今、前浜で何が獲れる。」

「そうですね。真鯛に伊勢海老、江の島ではさざえ、鮑なども獲れます。鰹などはまだ少し早いですがね。」

「よし、それではその辺り上手く取り混ぜてお造りにして澄琴殿の席に、私からとして用意してくれ。」

「承知致しました。私はこれから澄琴様ご一行の夕餉の準備を致しますので。」

幸兵衛はそう言い残して、そそくさと氏俊の小庵を後にした。

「二階堂様にこの様なお席にお出でいただき、大変有り難うございます。突然のお願いで厚かましいとは存じましたが、是非二階堂様にお願いしたい事がございまして、お越しいただきました。また当地で獲れたこの様な海の幸の差し入れまでいただき、恐縮でございます。」

そう言って澄琴は深々と頭を下げた。それに合わせる様に、他の五名もまた同じ様に頭を下げた。氏俊は上座の中央に席が据えられ、各々前には銘々膳が置かれ、そこには氏俊が差し入れた真鯛や伊勢海老のお造りも含め、相模湾で獲れた魚料理が載っていた。氏俊の脇には澄琴が座り、妹と弟子二名が両側に並び、駿河屋の元番頭と手代が末席に座った。

澄琴一行は既に宿の浴衣に着替え、丹前を掛けてはいたが、浴衣から覗く澄琴と三人の女人の襟首の白さが、氏俊には妙に眩しかった。

「ただの鎌倉案内人の私に、この様な席を設けていただくとは、誠に恐縮の至りですが、少し解せないところもありますな。まさか私の名が江戸にまで轟いているとは思えませんし。そもそも澄琴殿の絵師としての昨今の評判には足元にも及びませんしね。」

「ほほほほ、これは申し訳ございませんでした。私共の二階堂様への気持ちが、却って二階堂様にご不審な思いを抱かせたとすれば、私共の不手際でございましょう。」

澄琴は氏俊の言葉を軽く躱して、次の様に説明した。

「二階堂様の事は、月桂寺様を通じて以前から存じておりました。月桂寺様は二階堂様もご存じかも知れませんが、私共駿河屋のお得意様で、写経の紙を納めさせていただいております。駿河屋は市ヶ谷にございまして、月桂寺様にも近く、御寺様や、お武家さまのお得意様も多いのです。そんなご縁で、私も住持の尼御前のお話をお聞きに伺うこともございます。そこで二階堂様のお噂をお聞き致しました。何やら鎌倉の歴史文物など、古い昔のことを調べておられる寺侍の方がおられるというお話でした。しかも喜連川藩に繋がりがある方だとお聞きしました。二階堂様と言えば鎌倉以来の足利家にご縁のあるお方なのでしょう。私の夫は、いや正確に言うと元の夫は、神田で漢学の塾を開いておりますす貧乏学者ですが、夫の影響もあり私も漢学や歴史に興味があるのですよ。」

そう言って澄琴は、ほほほほと笑った。

「これは恐れ入った。澄琴殿のことは大和絵から入って錦絵も描く女絵師ということでお名前をお聞きしていたが、まさか漢学者の亭主持ちで、漢学にも通じたお方とは存じ上げなかった。何か私と話が合いそうな予感がしますな。」

こんな風に話が盛り上がっていく内に、既に席では鎌倉三浦で獲れた盛り沢山の魚料理を前に、酒を酌み交わしあっていた。とは言っても、氏俊に隣り合った澄琴が氏俊に注ぎ、氏俊が澄琴に注ぐという感じで、その合間に末席に座った駿河屋の元番頭伊助が一人手酌で飲みつつ、時々氏俊と澄琴の前に進んで注ぐという風で、流石に妹と若い弟子二人と手代の与吉は食べる方に専念していた。

「しかし澄琴殿が月桂寺とそんなに懇意であったとは知らなかった。大体私の名前が江戸にまで轟いているなどという訳がない。ところでこの度の目的は只の物見遊山ではござらんのでしょう。何か一つ絵を物にしようというお志かな。これだけの陣容を揃えて鎌倉までやって来て、土産なしでは帰れんでしょう。」

氏俊の言葉に、得たりとばかり身を乗り出す様に、既に澄琴が語り始めた。

この度の来訪は鎌倉図屏風というべきものを三双作成するのが最終の目的であり、そのための構想を練り、それを下絵に起こすまでが今回の仕事になる。この三双の屏風絵は、江戸のさる大寺から依頼を受けたもので、これだけの大仕事は、絵師澄琴としても、滅多にない仕事であるので、何としても成功させたいのだ。そしてそのためには二階堂様の鎌倉とその歴史についての深い知識と洞察力の助けが必要である。この観点を持って是非二階堂様に鎌倉の案内をよろしくお願いしたい。

そこまで聞いたところで、氏俊が何処か浮かない表情で言った。

「それは無理な話だ。私は絵師ではない。絵を描くために鎌倉を案内するなどと言うことはやったことも無いし、出来る訳がござらん。」

氏俊は、急に酔いが醒めた様な白けた表情になり、絵師の顔を穴の空く様に眺めていた。そんな氏俊の反応にしばしたじろいだ澄琴はやがて柔和な表情に戻ると、ほほほほとおかしそうに笑った。何時も意表を突いて出る澄琴の妙に上品でくすぐる様な笑いに、今度は騙されまいとするように、氏俊は強張った表情のままで居た。

「これは失礼をいたしました。少し言葉が足りなかった様で。勿論私共がどんな絵を描くか、その案内をしていただくと言うことではございません。二階堂様の何時ものご案内で結構なのです。というより、その案内を更に二階堂様の持てる知識と洞察力というか、鎌倉について積み上げられて来た、鎌倉観といったもの全てをご提供いただきたいと言うことなのです。それが絵になるかどうかは私共の問題。それは一切二階堂様には関わりないこと。ご安心下さい。そういう考え方で是非鎌倉をご案内下されば良いのです。ほほほほ。」

こんな澄琴の説明を聞いている内に、氏俊もまた何となく澄琴のペースに嵌められてしまったのか、何時の間にか元の調子に戻って、澄琴から注がれた酒を飲み、料理に舌鼓を打っていた。

「で、ご予定は如何になっているのですかな。先ずそれをお聞かせ下さい。」

澄琴の言葉に一安心したのか、再び酒が進む内に、氏俊も先程の一歩引いた警戒感の様なものも薄らいで、少々興が乗った気分にもなって来たのか、こんな言葉も出て来た。

「最初に伺った話だと、三双の屏風を、鎌倉の風景を題材に描くということだが、一体どんなものをお考えかお聞かせ願いたいものですな。」

こんな氏俊の言葉に澄琴はすっかり嬉しくなったようで、ほほほほと例の如く笑いながら、話し始めた。

「この三双の屏風は江戸のさる大寺からのご注文でございまして、その大寺とは今ここで何処とは申し上げられませんが、その大寺に、嘗て住せられた高名な僧が昔鎌倉を訪れられた。その僧の没後二百年を記念して、今の住持がこの鎌倉図屏風を作りたいと発心為されたのです。」

「まさかその寺というのは月桂寺ではないでしょうね。」

氏俊はちょっと冗談めかして聞いてみた。

ほほほほと澄琴はおかしそうに笑いながら、

「勿論失礼ながら月桂寺ではございません。月桂寺は私が言うのもなんですが、尼寺ですからね。」

「で、その三双に取り上げる鎌倉の風景はどこか決まっているのですか。そのどこぞの大寺から示された風景が何処かにあるのですか。」

「それは先程も申し上げました様に全く決まっておりません。でそれをどうしたものか、この旅の間に何とか決めたいと思っております。二階堂様のお知恵をお借りしたいのはそこなのですよ。」

氏俊も、ここまで来てしまった以上乗り掛かった船という心境になったのか、

「さてでは明日からのご案内を何処に致すか、先ずはそこからかな。」

と、何やら杯の手を休めてしばし思案する様子となった。

「澄琴殿は漢学の素養もあるとの事。『新編鎌倉志』はご覧になられた事があるかな。」

「勿論ですとも。愛読書でございます。隅から隅まで何度読みました事か。中身は粗方覚えている程です。」

「ほう、それは心強い。鎌倉へは初めて来られたのかな。」

「いえ、今回は二度目です。一昨年大山詣で、江の島詣での際に鎌倉を訪れ、すっかり鎌倉が好きになりました。そしてこの度こんなお仕事をいただき、願っても無い幸いと思っております。」

「では、先ず訪れるべき場所は瑞泉寺。そして偏界一覧亭に上って鎌倉の景色を見渡してみるのがよろしかろう。何しろ『新編鎌倉志』はこの偏界一覧亭に籠って、水戸光圀の臣、河井、松村、力石の三人が十年掛かりで執筆したものだと言われておりますからな。偏界一覧亭に上られたこと

はありますかな。」

「いえ、ございません。一昨年鎌倉を訪れた時は、八幡宮、建長、円覚、そして長谷大仏といった名所を一渡り回っただけですので。」

「それは是非行ってみるべき所でしょう。他には何処か思い当たる場所はありませんか。」

「そうですね。名越の花が谷の慈恩寺跡に行ってみたいのですが。釈迦堂切通しも通ってみたい所ですし。」

「花が谷、それはまた何で。」

氏俊は澄琴の思わぬ提案を少し意外に思った。

『新編鎌倉志』で出て来てまいります。足利直冬の菩提寺でございます。今は廃墟となってはおりますが、この寺には花が咲き乱れ、京五山の僧が訪れて詩を詠んだという記録があるそうです。多分素晴らしい所だったのでしょう。直冬という方は、悲劇の宰相であったのですが、この様な花の寺に縁があるということは、何か直冬という方が只の武将ではない、人の温か味を感じます。戦に明け暮れた南北朝の世に、ほっと息をつかせる様な潤いのあるお話ではないでしょうか。それに私もお花を育てるのが好きで、私が弟子を教え、絵を描く場所としております向島の駿河屋の寮には、草花を植えた小園がございます。多分慈恩寺跡を訪れても廃墟となっていて何もないでしょうが、何か昔を感じさせる寺の礎なり、花園の跡形なりが残っていれば確かめてみたいと思うのです。」

そう澄琴はしみじみと語った。

勿論氏俊も『新編鎌倉志』のこのくだりは良く知っているが、その記述が素直に信じられないという思いをかねてより抱いていた。そもそも、西国で尊氏に叛旗を翻して闘い続け、最後は将軍側に敗れて西国で死んだというのが『太平記』などの記述であり、その直冬が鎌倉に戻ったということはあり得ないのではないかというのが氏俊の正直な感想である。でもその辺りの史実は分からないのだ。

『新編鎌倉志』を編んだ水戸光圀の南朝好みの思想や、反足利の思い入れが反映しているのではなかろうかとの思いもあったが、この直冬という人物が歩んだ数奇な運命と花の寺慈恩寺との結び付きに不思議な魅力を感じていることは確かだった。

「澄琴殿からご提案を頂いたところで、明日の日程は決まった様ですな。瑞泉寺と偏界一覧亭、そして釈迦堂切通しから花が谷慈恩寺跡へと足を運ぶといたしましょう。」

酔いも大分まわって、頃合と見た氏俊は席を立とうとしていた。

その時、脇の一番奥に座った一番若い女弟子が突然声を上げた。

「お待ちください。ご師匠様、二階堂様、私お願いがあるのですが。聞いて頂けませんでしょうか。」

若い女弟子はお篠といった。ほとんど泣き出しそうな悲壮な悲しそうな顔をしている。

「お篠さん急に何ですか。まさかあの件ではないでしょうね。」

驚いた表情の澄琴が、きっとした顔でお篠を睨んだ。

「そうです、その事です。松が岡様の事です。是非それを二階堂様にお願いしたいのです。」

「お止めなさい。お篠。二階堂さまに失礼ですよ。そのお話は分かっていますから、この場では言ってはいけません。」

そう言って、厳しく澄琴はお篠をたしなめて、少し怯んだお篠の様子を見て、氏俊に向かって言った。

「今の事はお忘れ下さい。私共の内輪の話としてお聞き捨て下さい。」

何やら緊迫した遣り取りに、ただ訳が分からんという風に氏俊はきょとんとして見守るしかなかった。

お篠もこの場ではそれ以上言うのは断念した様で、静まったが、氏俊には何か不吉な印象が消化不足のまま残った。

三　喜連川氏俊

澄琴一行との宴が終わり、かなり酒の回った覚束ない足取りで、氏俊は小庵に戻った。今宵は月に照らされてはいるが、何時もの様にそこだけは木々に包まれて、ひっそりと小暗い闇に沈んでいる。そのまま氏俊は布団に潜り込んだが、今夜は妙に目が冴えて眠れない。今日初めて会った澄琴という女絵師の事は勿論、澄琴が語った直冬の話などが思い出され、次々と連なる想念が巡り始めた。

この直冬の存在は今まであまり気付かずにいた人物ではあったが、氏俊も足利の末裔として、確かに気になる人物ではあった。もっとも、喜連川家は足利の末裔とは名乗っているが、所詮秀吉の時代に月桂尼の熱心な働き掛けと、太閤秀吉の情けによって、辛うじて奥州の一角である喜連川に足利正統の余命を繋いだに過ぎない。嘗て鎌倉を追われて、古河の地に辛うじて遷り、古河公方を名乗って生き延びた、その古河の地より更に奥まった地に、殆ど名目だけでも生き長らえた五千石の貧乏大名に過ぎなかった。

氏俊は、喜連川の地で藩主として領民に一応は慕われていて、なおかつ名君とさえ言われている兄の彭氏《ひろうじ》の弟として生まれ、しがない部屋住みの身として若い日々を送っていたが、喜連川なぞという田舎で朽ち果てて行くことはとても我慢が出来なかった。

そんな部屋住みのままで本来なら何処かの高家の一角で養子の口でもあれば収まっていただろうが、そんな堅苦しい養子の口も氏俊は根っから性に合わず、喜連川に腰を落ち着けることもできず、あるきっかけから江戸に出て暮らすことが多くなった。江戸では、喜連川家草創の頃からの縁の深い月桂寺に頼み込んでそこの寺侍ということで居場所を見つけることが出来た。

勿論月桂寺では喜連川を名乗ることも憚られたため、鎌倉からの縁故の家である二階堂を名乗っていた。従って表向きは二階堂氏俊であくまで通した。

月桂寺に落ち着いた氏俊は、暫くは江戸の繁盛を味わうことに夢中で、それを生き甲斐として、時間さえあれば江戸の市中を往来し、時には吉原や岡場所で女郎買いにも手を染めることもあったが、次第にそんな遊びにも飽き、生来の歴史好きから月桂寺に籠って、古今の歴史書を紐解くことが多くなった。これには、部屋住みである氏俊に喜連川藩という貧乏藩が遊びの金を湯水の如く与える余裕などはなく、一応の体面を保って生活しうるぎりぎりの扶持と、月桂寺から出る多少の扶持によって暮らすしかなかったことにもよる。

そんな氏俊が史書を読む内、自己の足利公方家の後裔としての出自の地である鎌倉に興味を抱き始めたのは当然と言えば当然のことであろう。元々足利家は鎌倉公方であった室町期以来東慶寺と縁があり、江戸期には喜連川家から東慶寺に姫が住持として入住していた。それに伴い、寺役人も喜連川家から付き従い、寺役所は喜連川からの役人が差配する時期が続いていた。

そんなこともあり、氏俊は東慶寺との関係を通じて喜連川家即ち足利家の末裔としての鎌倉への繋がりを意識することもあった。氏俊は月桂寺の一室に籠り、鎌倉に関わる史書を次々と読み漁った。『吾妻鏡』に始まり、『太平記』、『鎌倉大草紙』、そして『新編鎌倉志』といった鎌倉案内本から、果ては鎌倉物語や市井に流通する旅行案内の類に至るまで、鎌倉に関係する書を読み漁った。

勿論そこに書かれた場所を確かめるため、鎌倉にも度々足を運ぶことになった。鎌倉の宿は八幡宮門前の角屋と決まっていた。次第に鎌倉を訪れることが頻繁となり、長期滞在することも多く、角屋の主人が隠居用に建てていた庵を、氏俊の為に提供してくれたのがきっかけで、殆どここに定着しながら鎌倉の寺々や遺跡や、門前の町々を巡り、雨の日には庵に籠り史書を読み、巡遊の記録を記す毎日となった。そして時々角屋の主人から頼まれる宿に泊まった旅人の鎌倉案内を引き受ける内に、鎌倉案内人としての役割が定着し、いっそのこと鎌倉案内人二階堂氏俊を売り出してやろうという成行きとなったのである。

ここに嘗ての何代か前の鎌倉公方の末裔が、鎌倉案内人として、鎌倉に戻って来ると言う次第となったのである。考えてみれば不思議な成行きである。嘗ての鎌倉の主とも言うべき鎌倉公方の末裔が、今は鎌倉を訪れた旅人を案内するという氏俊の姿を誰が想像しえただろうか。しかし表向きは案内人はあくまで二階堂氏俊であって喜連川氏俊では無かった。しかし氏俊本人としては、鎌倉を案内するのが喜連川氏俊であることに何ら違和感を持ってはいなかった。

そんな成行きを辿って、鎌倉案内人になった氏俊にとって、先祖である何代か前の足利の人々が少なからず鎌倉の歴史の上に名を留めていることに、鎌倉を探求しようとする契機のかなりの部分を負っていることからも、澄琴から足利直冬という名が出たことに、多少の驚きと多大の興味を抱いたのは当然であった。

勿論氏俊も『太平記』や『鎌倉大草紙』といった史書から、直冬の事は知っていた。しかし、その印象は最後まで尊氏に実子である事を認知されず、妾腹の子として差別され続け、尊氏に対する反逆に終始し、最後は南朝方で闘い、出雲で寂しい一生を終るしかなかった悲劇の貴種という印象しかなく、一言で言って悲劇の宰相であり、その運命は如何ともし難い諦念に包まれているというものだった。だから澄琴の言う花が谷慈恩寺と直冬についての視点は承知していたとは言え、改めて考えてみると意外でもあり新鮮でもあり、悲劇に彩られた直冬という人物に、一筋の光を与えてくれる様な気がした。そんなことをあれこれと思い巡らせている内に、何時の間にか氏俊は眠りに落ちていった。

四　氏俊と澄琴

翌朝は庭の小鳥達の囀りで目を覚ました。この時期鎌倉には様々な鳥がやって来る。目白や椋鳥、じょうびたき、鵯《ひよどり》や鶺鴒《せきれい》もいる。それらの喧しい鳴き声で目を覚ました氏俊は外が大分明るくなっているのを知った。多分そろそろ賄いのお豊が朝食を運んで来る頃である。そして改めて、氏俊は今日の澄琴達一行の案内について思いを巡らせた。澄琴という女人、絵師としての腕もかなりのものだろうが、和漢の素養も相当ありそうだ。大体夫が江戸で漢学塾を開いているということだから、その薫陶を受け、漢学の素養も持っていそうだ。案内といっても通り一遍の解説では満足しないかも知れない。そう思うと氏俊は改めて、身の引き締まる思いがした。あの女人に、二階堂氏俊は案内人とは言ってはいるが、こんなものかと軽く思われるようなことは何としても避けねばならぬと思った。

幸いこの日は早い春を思わせる様な心地良いのどかな日和である。ここかしこで咲き始めた梅の香りも氏俊の心を浮き立たせる趣があった。そしてこの様な妙齢の女人達を連れ立って鎌倉案内をするのも滅多にないことだという思いもあって、気分は高揚しつつあった。

宿の玄関に至ると、既に澄琴の一行は上がりがまちに腰掛て、氏俊の来るのを待っていた。澄琴を始めとする女人達は、藍や鼠の縞模様といった如何にも江戸好みの小袖を着てはいるが、その下から華やかな色合いの半襟や緋縮緬の裾を思い思いに見せて、いやが上にも明るい華やいだ空気を辺りに振りまいていた。

一方氏俊のなりと言えば、何時もの様に紋だけが唯一の模様という、真黒な着古した着流しの出で立ちに二本差しという、一見用心棒の浪人といった格好である。そして、元番頭と手代は全くの手甲脚絆の旅装束に、手代は背中に重そうな笈を背負っている。

不思議に思って氏俊が澄琴に聞くと、

「与吉には私共の今日の弁当とお茶道具、そして絵具などを背負って貰っています。遠出の写生の時には何時も与吉は頼りになります。ほほほほ」

と笑った。そう言われて、与吉も自分の役割に満足しているのか、いやな風もせずにこやかな表情である。

八幡宮の前を横切り、金沢街道を、一行はゆっくりと進んで行った。八幡宮の前辺りは旅宿を中心に店が立ち並んでいるが、大御堂橋の方に行き掛かるにつれて人家もまばらとなり、街道の両側はすっかり畑ばかりの田舎の道に変わった。

この心地良い小春日和の陽気に誘われたのか、澄琴の妹と二人の女弟子は何やら楽しそうにきゃっきゃっ言いながら話に興じている。そんな賑やかな一行の様子を眺めながら、氏俊は先頭を切って歩いた。何時の間にか脇に澄琴が並んで、何とはなしに会話が始まった。

「長閑《のどか》ですね。そして静かなこと。」

澄琴がぽつりと言った。

「鎌倉は田舎ですからな。江戸の賑わいに比べたら、全く天地の違いです。街道といっても人通りはこんなものですから。それでも最近は鎌倉遊覧など洒落込んで訪れる人も増えては来たのですがね。」

右に滑川の流れを眺めながら、殆ど林と田畑ばかりの風景の中を進んで行く。これまでに擦れ違ったのは駕籠に乗った二人連れの旅人のみであった。多分朝比奈を六浦から駕籠で越えて来たのであろう。

「たまに馬に乗った侍が大音声を張り上げて駆け抜けて行くことがある。」

「え、それはまた早馬か何かですか。」

澄琴が不審な表情を見せると、

「いや、最近遠馬というものがはやり出して、江戸の血の気の多い若侍が鎌倉まで早朝に江戸を発し、その日の内にどれだけ早く江戸へ戻れるか競うことが増えて来た。街道を歩いている旅人を蹴散らさんばかりの勢いで掛けて来るのでまことに油断がならない。」

「そうですか。それはまた勇ましい風景ですね。面白そうだわ。是非見てみたい。」

「絵に描いてみたいですか。」

「絵に描いてもみたいですが、ただ見るだけでも楽しそうですね。」

そうこうするうちに道は金沢街道から逸れ、左へ入り、薬師堂ヶ谷へと入って行く。辺りはますます鬱蒼とした林に被われ、所々田畑があり、家といえば百姓家が忘れた頃に現れるという風景に変わった。

「こんなもの寂しい所を歩いていると、二階堂様が一緒だと心強いですわ。」

「矢張り私は用心棒の代りですか。」

「ほほほ、勿論鎌倉に詳しい二階堂様のご案内ですから、道に迷うことはないでしょうという意味です。用心棒なんてとんでもない。でも二階堂様は伊達に二本差しを差している訳でもないでしょう。聞くところによると、喜連川藩は剣術や馬術など武術に長じた方々が多いとお聞きしました。」

「確かに武術は盛んです。藩主自ら撃剣には秀出ておられるし、藩主の……」

と言い掛けて氏俊は思わず次の言葉を飲み込んだ。「藩主の末弟として」と言おうとしたのに気付いたからだ。幸い澄琴は氏俊の狼狽には気付かなかった様だ。言うまでもなく、ここでは喜連川氏俊であってはならないのだ。あくまでも二階堂氏俊で通さねばならない。

「藩主の家臣として私も武術は大分若い頃から鍛えて参りました。」

どうにかこう言い直してことなきを得た。

「立ち入った事ではございますが、もっぱら何流をなさいますか。」

澄琴は更に突っ込んでそう聞いてきた。

「神道無念流と申しましてね。ご存じかどうか。関東の守護神香取鹿島大神宮に発します流派です。先代の藩主恵氏《やすうじ》公、そして現藩主の彭氏《ひろうじ》公が、足利の末裔にあたる喜連川藩は武芸でもって天下に立たねばならないと仰せられて、藩を挙げて力を入れております。」

澄琴と思わぬところでこんな話をしている内、氏俊はここ数年全く寄り付かない喜連川のことを何故か思い出した。最早自分とは殆ど関係もなく、戻る積りも無い喜連川藩については、ある意味では昔の思い出に満ちてはいるが、こうして思い返してみると、幼い頃から暮らしていた喜連川の事が懐かしく思い出された。

喜連川の地は、奥州街道の喜連川宿を中心に、荒川と内川に挟まれており、特に目立った産業もなく、ただ田畑が広がっているばかりである。そして、嘗て塩谷氏の山城があったお丸山からは喜連川の領内が一望の下に眺められた。

鎌倉公方であった足利氏は室町期に鎌倉の地を関東管領上杉氏に追い出されて、古河に遷座し、古河公方と称した。その足利氏の末裔である喜連川氏は、古河よりも更に北に奥まったこの喜連川の地に安住の地を見出したのだ。

この喜連川という亡霊の様な足利氏の忘れ形見は、徳川からは御三家に匹敵する様な家格を与えられ、五千石とは言え、参勤交代を始めとする一般の大名に負わされた扶役を悉く免除され、この喜連川の地に過去の栄誉を守るためだけに静かにその余生を送っていたとも言えよう。しかしこの幕藩体制から奇妙に免れ、半ば忘れられた喜連川は、静かで長閑で、豊かで清らかな山川に恵まれ、この自然の中で育った氏俊にとっては、部屋住みの三男坊という立場を別にすれば、退屈ではあるが、今考えると美しく、楽しい思い出に満ちた場所であった。部屋住みの三男坊である氏俊には、特にやることもなく、ただ日々遊んでいれば良かった。しかし遊ぶといっても、領民の目もあり、そう羽目を外したことはできない。精々荒川や内川で釣りをしたり、馬で遠出をしたりするのが楽しみであった。氏俊は喜連川の山野に心行くまで親しんだと言えよう。

現藩主である兄の彭氏は、父の恵氏が三十八歳の時に十七歳で後を継いで藩主となったので、最早既に二十年近く藩主として君臨していて、後継ぎの男子にも恵まれていたので、最早氏俊が藩主を継ぐ可能性は殆ど全くと言っていい程なかった。

二十歳を過ぎると、氏俊にとって喜連川の地は実に退屈で息苦しいだけの場所になっていった。兄の藩主である彭氏は三十六歳となっていて、藩主としての地位も盤石の態勢を築いていたし、前藩主の恵氏は最早引退していたが、まだ五十五歳であり、父子の体制が円熟の度を増していた頃である。ある意味では、十六歳も年上の兄は、兄というより父に近いとも言えた。

弟のそんな行き場の無い鬱屈した心境を察してか、兄彭氏はある日弟の氏俊にこう言った。

「お前は部屋住みの身として、この喜連川にこのまま埋もれてしまうのは、兄としても甚だ惜しい。適当な養子の口も無いので、お前は江戸で暫く遊学して来い。当藩には藩士が学ぶ藩校が無い。お前はそのための準備も兼ねて、江戸へ行って諸学を学んで来い。」

まさに氏俊としては渡りに船の話で、二十歳を過ぎて、晴れて喜連川を離れ、江戸で遊学することとなった。

江戸の賑わいの中で暮らし始めた氏俊は、既に述べた様に、その魅力に取りつかれ、遊び周る日々が続いたが、やがてそれにも飽きて、江戸というものをもう少し冷静に眺め、また自らの足利の末裔としての出自に思いを致すことが多くなった。

そんな時改めて喜連川を思い出してみると、そこには清らかで豊かな山川があり、丸山の麓に藩主の屋敷と、それを取り巻く整然としてはいるが質素な武家屋敷が建ち並んでいた。それらは今思い出してみると、まるでおとぎ話の国の様に見えた。

そんなことを考えながら氏俊の一行が進んで来ると、まだ冬枯れの田畑の中に土籠に至る道が左手に、理智光寺に至る道が右手にと二股に分かれている所に至った。左手の田畑の中に、山裾にぽっかりと口を開けた土籠は、如何にも廃墟という荒んだ光景を見せていた。一方右手の理智光寺は、尼寺として東慶寺の支院となっていて、木々の中に辛うじて寺の形を留めていた。

新編鎌倉志では、土籠に捉えられた親王を足利直義が、部下の淵辺何某に斬らせた事を口を極めて非難している。氏俊にとっては自己の血筋に多少でも繋がっている直義の所業がこんな風に語られていることに、内心落ち着かないものもあったが、長い歴史を隔てた過去の事であり、ある意味では冷静に捉えることが出来た。

暫く静かに歩いていた澄琴の妹と二人の若い弟子達から、俄かに賑やかな声が上がった。土籠の風景を写生しようという話になったらしく、与吉の背負っていた笈を下ろして、写生道具を取り出していた。妹と女弟子二人は楽しそうに土籠の方へ向かい、土籠の前の草地や、畑の畔道などで思い思いに写生を始めた。山裾にぽっかりと開いた土籠の風景が面白いと思ったのか、熱心に写生をしている。確かに田畑の中の山肌にぽっかりと不気味に開いた土籠の風景は、それが親王が捉われていた場所という謂れから想像を掻き立て、廃墟の雰囲気と相まって江戸育ちの若い女絵師達の絵心を掻き立てたと思われる。

すっかり楽しそうに写生に取り組んでいる若い三人を眺めながら、氏俊は昨晩のお篠が宴の終わりに見せた情景を思い出した。あの悲壮とさえ思える様な言葉を澄琴に投げ付けたお篠の様子と、今の楽しげに他の二人とはしゃいでいるとさえ思える振舞いとの相違に不思議な違和感を感じていた。

ちょっとこのことが気になって、氏俊は澄琴に聞いてみた。

「そうですね、あまり気にしないでいて頂きたいんです。あれは昨日の夜のお篠の想い。急に色々なことを思い出したのでしょう。一日経てばまた気分が変わるのです。何しろまだお篠は若いから。まだ十七ですから。まあ有体に言ってしまいますと、お篠は恋の病に罹っているんです。」

「はあ、恋の病。」

「そうです。恋の病。あの位の年にありそうな麻疹の様なものだと思っておりますわ。」

「ほう、そんなものですか。」

随分と鷹揚に構えた澄琴の言葉に、昨日のお篠の雰囲気を思い出して、氏俊は矢張り少々違和感を感じた。

「はたから見るとちょっと不思議に思われるかもしれませんが、私はそんなものだと思っています。実はお篠の家も江戸では名だたる商家の一人娘で、もう幼い頃から親が決めた許嫁が居て、十八になったらその許嫁と婚儀の運びになっているのです。」

「ほう成る程。」

「それを今更止める訳にはいかないではありませんか。そこにお篠に恋が降って湧いた。そこでお篠はどうもこの婚儀を潰す手段として松が岡というものを考えた様です。まあ、そんなところで、何処まで本気なのか私にも分かりません。ということで、この話は聞かなかったことにして欲しいのです。どうお篠の気が変わるか分かりませんものですよね。」

「はあ、そんなものですかね。中々乙女の気持ちは読みにくい。」

そう言って一先ず氏俊はこの話の追跡は此処で止めた。ついでに氏俊はここで澄琴が昨日ちらりと漏らしたことについて、厚かましいとは思ったが聞いてみようと思った。

「そう言えば昨日の夜、澄琴殿は御夫君のことを、元の夫とか言っていましたね。あれは一体何ですか。もしや澄琴殿も松が岡のお世話で御夫君と離縁の運びとなった訳でもありますまい。」

それを聞いて澄琴はほほほほと可笑しそうに笑った。

「確かに事と次第によってはそんな大田舎芝居を打つ羽目になったかも知れませんね。でもそんな芝居を打つ間もなく、こっちが何も言わないのに亭主の方から三下り半を突き付けて来たんです。その経緯はまた別にお話することとして。ほほほほほ。でも、相変わらず仲はいい間柄なんですよ、亭主とは。私は向島の駿河屋の寮で絵師として弟子を教えているし、亭主は神田で漢学の塾を開いていて、まさに別居中の元夫婦という間柄で適当に付き合っています。ほほほほほ。」

澄琴はまたここで氏俊を煙に巻くように可笑しそうに笑った。

五　植田孟縉

一体この澄琴夫婦というのはどういう関係なのか。亭主に突然三下り半を突き付けられて、如何に駿河屋という大店の娘で、向島の寮で絵師として取り敢えず一家を成し、弟子を持っているとはいえ、そこに何があったのか。何か訳ありの臭いを感じざるを得ない。それにしても改めて、氏俊は突然鎌倉に遣って来て、鎌倉の風景屛風を完成させるという澄琴という絵師一行の目的が本当にそこだけなのか、何か予期しないことがこれからも起こりそうな予感を感じた。しかしそれはそれでよかろう。むしろ余りにも平穏無事で退屈さえ感じ始めた鎌倉案内人の仕事にここに来て多少面白いことが起こっても良かろうという気持ちになって来た。いずれにしろ、この澄琴という女絵師にしても、妹を始めとした若い弟子二人にしても、その美貌とも相俟って、何やら興味尽きない材料を提供してくれていた。思うに氏俊もこの鎌倉探訪を純粋な歴史的興味と、先祖の鎌倉公方であった足利家の足跡を辿ることをそこに加えて、残っている寺や社や多くの廃墟、廃蹟をそれらを記した史書や案内書を頼りに、自分なりの鎌倉像を作り続ける営みを重ねて来たが、その中で今鎌倉に住み、あるいは訪れ、鎌倉の過去と現在に関わった多くの人々を知る機会も多かったのだ。だから、今氏俊が鎌倉で何かと言うと集まっては角屋の一室を借り、また小庵に招いて酒を酌み交わすことは大きな楽しみの一つとなっていた。そんな交流の人々には、八幡宮の社人や、仏師、雪の下に軒を連ねる商家の商人や、東慶寺や英勝寺の寺侍、そして大火で焼けた八幡宮の改築に携わっている幕府の普請に関わる幕臣まで居た。

そんな中で、『鎌倉覧勝考《らんしょうこう》』を上梓したという植田孟縉《もうしん》という学者と鎌倉で出会った事は、全く偶然とは言え、氏俊にとって出色の体験であったと言えよう。この学者は武蔵国八王子に住する幕府千人同心の一人で、まがう方なき幕臣ではあるが、一人笈を背負って各地を探訪しその歴史と文物を記録に留め、世に公刊せんとする類まれな学究の士であった。氏俊がこの植田孟縉に出会ったのはもう十年も前になろうか。孟縉は笈を背負って現れ、角屋に宿を取っていた。そんな恰好をして、しかも鎌倉の旅宿に何日も留まり、毎日の様に鎌倉のあちこちを訪れ、大事そうに帳面を抱えて、しばし立ち止まって何やらそこに書き込んでいる。そんな姿をあちこちで見かけたが、相手も氏俊のことを気付いたらしく、永福寺、二階堂廃蹟を通り掛かった時に、どちらからともなく声を掛けたのが最初の出会いではあった。この時、孟縉は背割羽織《ぶっさきはおり》に裁着袴《たっつけ》という旅姿で、背には笈を背負っている。氏俊は何時もの様に紋だけ目立つ真黒な着流しに大小の落とし差しである。氏俊はこの時、孟縉が八王子千人同心の一員で、既に『日光山志』や『新編武蔵国風土記』を表して、地誌作者としては一家を成していることを知った。しかも、今は鎌倉に、日頃から抱いていた興味を『鎌倉覧勝考』にまとめようとしている時だった。

「『新編鎌倉志』をご存じですかな。」

孟縉が氏俊にそう聞いた。

「勿論ですよ。この書に導かれて鎌倉探訪をする毎日です。」

氏俊が鎌倉公方の末裔に当たる喜連川藩の二階堂氏俊であると名乗ると、興味深そうに孟縉が語り始めた。

「喜連川家の事は私も良く存じています。御城下にも、私が日光山に居りました頃、何回か訪れたことがあります。私のこの度まとめた『鎌倉覧勝考』では、『新編鎌倉志』では余り触れられなかった鎌倉公方足利氏や、関東管領上杉氏のことなど、出来る限り記述することにいたしました。」

「それはありがたい。喜連川の者として、是非その辺りのことを記述していただきたいものです。」

「二階堂殿が喜連川藩のご家中の方ということであれば、その辺りの足利氏から喜連川氏に関わる史実や史料についてお教えいただきたいものですな。」

孟縉は学者らしい好奇心を如何なく示して、氏俊にそう語る姿勢は、かなりの本気度があったので、氏俊も思わず身構える程だった。

「まあ、ご期待に添える物があるかどうかは甚だ心もとないところですが、何かお役に立てるものがあれば心して置きます。」

そんなおざなりの言葉を返すのが精一杯だった。

「そう言えば喜連川藩は、確かあの松が岡の尼寺東慶寺ともご縁があった様に記憶致すが。何代か前までの住持は喜連川家の姫君が務められておられたと思いますが。もしや二階堂殿は松が岡役所の関係のお方でございますか。」

「良くご存じですね。しかしそれは随分と前の話で、今は喜連川と松が岡東慶寺とは殆ど全く関係なくなりました。私も東慶寺には関係がございません。住持には二、三度ご挨拶に伺ったことがあるだけで。私も江戸の月桂寺という尼寺の寺侍をしておりますので、その関係で伺ったまでで、昔の様な関係ではござらん。」

「ほう、月桂寺の寺侍を。月桂寺と言えば、あの月桂尼の創られた尼寺ではないですか。太閤秀吉のご側室で、そもそも喜連川家創設の大恩人であられる方。その寺に居られるのですか。」

「まあ、月桂寺は何かと喜連川との関係もあり、お世話になっております。」

「中々面白い話ですな。これは二階堂殿と是非じっくりとお話を伺いたいものです。何か私の知らない話を大分ご存じでおられる様な気がいたします。」

「ははは、恐縮です。私のことを大分買い被っておられる様ですな。月桂寺の寺侍というのも、色々方便ということもあり、こちらの都合も影響しているのです。」

「ほう、え、方便と言うと、どんなご都合ですかな。ますますお教え願いたいところですな。」

孟縉が妙な所に好奇心を抱き始めた様なので、少し舌が滑ってしまったのに気付いて、氏俊は慌てて火消しに追われる羽目に陥った。

「いえいえ、ここのところは余りお気になさらずに、。大した話ではありません。」

「これはこれは失礼いたしました。余り詮索は無用ということですかな。」

氏俊は、孟縉が自分の素姓について何か気付いたのではないかと一瞬不安な気持ちに捉えられた。幕臣であり、武家の内情についても様々な事情を知っている筈である孟縉が、氏俊について何か察知した可能性はあった。しかし氏俊はもうこのことについては何も語らず、そう思わせるなら思わせたまま、この男とは付き合おうと思ったし、この男ならそんな付き合いも可能であろうと思ったから。

そんな孟縉との出会いのことを考えている内に、三人の若い門人達は、既に写生を終え、孟縉と出会った場所である二階堂旧跡に一行は至っていた。

道の左側が急に開けて、水田が広がっており、周りは鎌倉らしい緩やかな連山に囲まれている。その水田の中に所々草地が残っていて、そこに旧跡二階堂の嘗ての存在を示す礎石らしき物が幾つか転がっていた。その石は、『新編鎌倉志』では、里俗即ち土地の人々の言い伝えとして、四石あるいは姥石と言い、二階堂の礎石であったと言う。

早速三人の女弟子達は、それらの石を取り囲む様に、様々な方向から写生を始めた。彼女達の観察意欲には中々たくましいものがあって、各々の興味の赴くまま、それらの石を観察し、写し取っていく。まさに大塔の宮の矢倉で見せた様な熱中振りで、写生にのめり込んでいた。

そんな風に写生に夢中になっている女弟子達が形振り構わず湿った草地で小袖の裾をたくし上げて真白なふくらはぎを惜し気もなく見せているのに気付いて、氏俊は思わず微笑ましいと同時に、その艶めかしさにしばし見とれた。

氏俊はそんな三人の姿を眺めながら、ふと澄琴の方を見遣ると、転がっている礎石を一通り眺め、今は周囲の山々とこの水田の様子、そして川の方に流れ込んで行く流れが作る湿地帯の風景を眺めながら、何か想像を逞しくする様に、ひたすら想いを巡らしている様であった。

そんな澄琴の近くに氏俊は寄って行った。

「良い絵が出来そうですかな。」

「そうですね。色々と浮かんでは消えて行くのですが、その二階堂という壮麗な寺の風景や流れが作り出す池泉、それと背景の山々を組み合わせたりして想像を巡らせています。でも何処かよそよそしくて何かこれはという決め手の案が浮かばないのです。絵にかけては、私は慾張りですから。納得が行かないと中々描き始めようという気にはならない。」

そんな澄琴に植田孟縉の話をしてみると、案の定興味を示してきた。

「是非その方にお目に罹ってお話をお聞きしたいものですね。お会いする機会はありませんか。」

「孟縉殿は八王子に住んでおられる。そして七、八年前に『鎌倉覧勝考』は上梓されていて、この鎌倉を訪れることは余りないでしょう。まあたまに訪れる時は、角屋に泊まり私の所にも顔を出すので、一献を傾けることになる。何時鎌倉にやって来るかは分からないので、一つは八王子に孟縉殿を訪ねるか、あるいは孟縉殿は江戸にある水戸藩彰考館を時々訪れ、そこで古い典籍等の資料を当たっている様なので、この辺りは澄琴殿の夫君、いや、元夫君に聞いてみると何か分かるかも知れませんよ。その筋を通して孟縉殿の消息を聞いてみてはいかがですかな。」

「近々孟縉殿が鎌倉を訪れるという予定はないのですか。矢張りお話をお聞きするのは、この鎌倉で直に風物を眺めながらその卓見をお聞きしたいものですから。」

「御熱心なことですな。分かりました。私から孟縉殿に文を送ってみましょう。澄琴殿という美人の絵師が貴君にお会いしたがっていると書いて。多分日を置かず鎌倉へすっ飛んで来ると思いますよ。」

「ほほほほ、そんな一言で鎌倉まで来て頂けるのなら、どんどん名前を使って下さい。」

こんな風に思わぬ展開になってしまったことに氏俊は内心苦笑した。何故こんな安請け合いをしたのだろうかと考えてみると、何時の間にか女絵師澄琴という存在が、氏俊の中にどっかと居座っているのに気付いた。

こんな風な成行きで、孟縉に鎌倉訪問の打診をするという宿題を負って仕舞った氏俊は、さてどんな風にこの宿題を片付けるかに暫く想いを致していたが、これから瑞泉寺を訪れ、肝心の偏界一覧亭に登り、瑞泉寺の次は釈迦堂切通しを経て花が谷慈恩寺跡に向かわなければならないという今日の日程を考えると、二階堂旧跡でこれ以上ゆっくりとしている訳にはいかないことに気付いた。

女弟子は相変わらず二階堂の礎石の名残である四つ石、姥石や周囲の風景の写生に熱中していた。澄琴の方はと言えば孟縉の鎌倉訪問について氏俊から依頼の約束を取り付け少し安心した様に氏俊から離れて、再び周囲の風景を眺めながら、絵の構想に想いを巡らせ始めた様子だった。

しかし氏俊が一言瑞泉寺へ向かうべき時刻であることを告げると、まるでこれまで何かにとり付かれていたものから、一斉に目覚めたかの様に、氏俊の周りに集まって来た。

六　瑞泉寺偏界一覧亭

瑞泉寺に至る道は更に木々に覆われた谷へと向かって行く。古びて所々すり減って掛け落ちた石段は、両側から被さる様に繁った樹木の中を上がって行く。石段の脇は草が茂るまま殆ど人の手が入らない、荒んだ様相を呈していた。傾き掛けた草葺きの山門を入ると、ちっぽけな草葺きの本堂が建っている。ここが嘗ては関東十刹の第一位とされ、世に轟いた瑞泉寺の佇まいとはとても思えない様な寂れ方である。特に若い弟子達の澄琴一行は、その侘しい寺の風景に首を傾げる様な反応を見せた。しかし澄琴一人はその侘しげに荒んだ寺の風景に何やら思い入れがあるらしく、興味深気に眺めている。

「驚いたでしょう。これが関東十刹第一位の寺の今の姿です。」

「いえ、驚きませんわ。こういう姿を見ると想像を掻き立てられます。あの逢坂の関の蟬丸が住んでいた関の明神を思い出します。あの月夜の日に関の嵐が吹き荒ぶ夜に琵琶を奏でた蟬丸の心境もかくやと思います。多分月夜の晩にこんな寺に僧が一人で住しているなんて、ものすごい風景でしょうね。」

「いい絵が浮かびそうですか。」

「そんな気がします。」

そう言って澄琴は寺の佇まいを眺めまわして感嘆しきりであった。

「では、御望み通りここに一人住する住持を呼んでみましょう。」

「え、矢張りここは住持が一人なんですか。」

そう言って澄琴は何故か眼を輝かせた。

「今和尚を呼び出しますよ。」

そう言って氏俊は寺の先に吊るされた魚拓の木槌を叩いた。

「さて、澄琴殿の期待に添う住持が現れるかどうか。」

氏俊が呟いた。やがて薄暗い庫裏の奥から中年の僧が現れた。そして氏俊と澄琴の一行を見ると、その賑やかな陣容に何処か暗い印象の表情がぱっと明るくなったのが見てとれた。

「これはこれは二階堂様。お久し振りのご来訪で。皆様ご案内の方々ですかな。」

氏俊は早速澄琴を始めとして、一行を紹介した。

「澄琴殿は今江戸でも評判を上げている、大和絵のご師匠で、鎌倉風景を描こうとあちこちを回られております。今日は遍界一覧亭に上がって往時の五山僧達の詩境を自ら体験したいとのお望みです。」

「それは光栄です。何と言っても当山創建の夢窓国師所縁の場所ですからな。是非お上がりいただき、その絶景をご覧いただきたい。澄琴殿の絵の素材としてもお役に立つのではないですかな。」

「しかし何と言っても今日は若い女人が中心なので、山路の状況は如何ですかな。」

「大丈夫。拙僧が折に触れ踏み固めておりますから、万が一にも危ないことはござらん。拙僧が先ず案内いたしますのでな。ところで折角当寺にお出でいただいた訳ですので、先ずは当寺の由緒についてご説明をさせて頂きます。」

そう言うと僧は一方的に瑞泉寺の由緒について、その創建から滔々と語り始めた。初めは黙って聞いていた一行も、その由緒縁起が延々と続いて中々終わりそうにないのに、若い女弟子達は次第にうんざりとした表情を見せ始めた。

この様子をニヤニヤしながら眺めていた氏俊が、懐から白い紙包みを取り出し、僧に黙って渡すなり言った。

「和尚、先を急ぐのでそろそろ遍界一覧亭の方の案内を頼む。」

僧も氏俊の紙包みを押しいただくと、直ぐに話を切り上げて言った。

「そうでしたな。これはこれは長広舌をいたしまして失礼いたしました。早速一覧亭の方へご案内をいたしましょう。」

「何を和尚にお渡ししたんですの。」

澄琴が聞いた。

「お布施ですよ。何時ものことです。和尚のあのなりをご覧なさい。あの僧衣は多分数年は替えていない。良く見るとよれよれぼろぼろになっている。」

「そう言えば本堂も相当傷みがきている様ですね。」

「ああ言う風に由緒の能書きがしつこくなってくると、要するにお布施をおねだりしていることが分かる。坊さんも寺を維持し食っていくためにはやむを得ない。」

「成る程、さすが二階堂様はその辺りの機微を良く心得ておられますね。」

和尚はすっかり気持ちが軽くなったのか、若い弟子に何やら話しかけながら、先頭に立って十八曲がりの山道を上がり始めた。

一行が山道を進んで行き視界が広がるに連れて、妹と女弟子の若い三人は時々甲高い笑い声を発しながら賑やかに会話を交わしている。空は爽快に晴れた青空で、すっかり物見遊山気分になっている。しかし重い笈を担いでいる与吉はもう既にすっかり額に汗を滲ませ、息を切らせている。それを見て二人の女弟子は可哀想に思ったのか、

「与吉もう少しよ。頑張って。」

などと声をかけている。

そんな和気藹藹とした雰囲気のまま、一行はようやく遍界一覧亭跡のこじんまりとした平地に到達した。そこは半ばは木々に覆われているのだが、芽吹き前の落葉樹が多く、視界は広々と見渡すことが出来た。小高い丘の様な山々の先には若宮大路や鎌倉の町並みが見える。左手に目を向ければ衣張山と周辺の山々との間から海が垣間見える。まさに遍界一覧亭に相応しい絶景である。

その時、どーんという音が海の方から聞こえて続いて更に数発のどどーんという音が聞こえた。一行は耳慣れぬ音に思わず耳をそばだてた。その音の方向は由比ガ浜辺りの近い浜ではなく、少なくとも稲村ケ崎の向こうの七里ガ浜辺りから発する音の様であった。

「お上の大砲稽古ですな。ここのところ時々こんな大筒稽古をやっています。誠に物騒な世情となって来ましたな。異国船を迎え撃とうという備えでしょう。」

氏俊が言い終わるか終わらない内に、今度はぱぱーんという鋭い音がして、鉄砲の射撃訓練が始まったらしかった。こんな風景に氏俊はもう慣れてしまったが、澄琴ら女絵師は言葉も出ず、その音に耳をそばだてていた。

「驚かれましたかな。最早鎌倉も源平や北条・足利のいくさ話だけではない。異国船が由比ガ浜に上陸するとなれば、異国人との戦にもなり兼ねない。その戦は刀や槍は役に立たず、大筒や鉄砲の出番となります。」

そう言って澄琴の表情を伺った。

「私は驚きません。私の元の夫は漢学者ですが、軍学もやっています。友達には荻野流という最近評判の砲術に詳しい人もおります。で、先だっての大塩の乱の時には大分活躍したと聞いています。今日もその方が稽古場に顔を見せているかも知れません。」

澄琴から当たり前の様にそんな話が返って来たので、氏俊は改めてこの澄琴という女絵師を見直さざるを得なかった。一体この女絵師はどういう人物なのか。それはまた当初から氏俊が感じていた予感を裏付けるものであったとは言え、この澄琴という女絵師がどうも普通の女絵師ではなさそうだという印象を改めて感じていた。そしてそれは澄琴に対する興味を損なうどころか、逆にこの人物、澄琴という女をもっと知りたい、もっと何かを見せてくれるのではなかろうかという、ますます増さる興味を掻き立てることにもつながっていった。

「大塩の乱というと、まさか大塩の一味ということではありませんよね。」

「ほほほほ、そうですね。大塩の乱を鎮圧する側で活躍したと聞いております。もっとも、元の夫も二階堂様もご存じでしょうが、陽明学というものをやっておりまして、軍学などと言う物騒なものもかじっておりました関係で、一時お上から何かと疑われたこともあったのですよ。」

「ほほう、えらいところでとばっちりを受けたものですな。陽明学などその影響を受けた者は勿論、その尻馬に乗った者、その切れ端を齧った者等、世の中に数知れずいる訳ですからね。疑い始めたら世の中の漢学かぶれは皆お縄を掛けられてしまうことになりますよ。」

「全くお上もとんだ見当違いを致しております。内の元の夫の様な意気地なしの小心者にあの様な大それたことが出来る訳がありませんものね。ほほほほほ。」

ここでまた氏俊はこんな風に楽しそうに元の夫をけなし倒し、笑い飛ばしてしまう、澄琴という女を改めて眺めて見た。この様に元の夫を一刀両断で切り捨ててしまう様な言いっぷりをする時の女絵師は、面長の青白い様に白い表情を更に青白く見せて、妙に冷やかな美しさを見せてくれるのだ。

氏俊は、こんな表情を見せる時の澄琴は決して嫌いではない。むしろ美しいとさえ思う程である。

「で、疑いは晴れたのですかな」

「ええ、まあどうにか。元の夫の友人で、村上様という与力の方がおられ、この方が大塩の乱で鎮圧に活躍した荻野流の砲術に詳しい人物で、交流のあった元の夫の無実を奉行所に証言してくれて、根も葉もない疑いと言うことで事は収まったのです。」

「成る程、それは良かった。」

「でも、とんでもないおまけが付いてしまったのです。」

「それはまた何ですか。」

「前にも申しましたが、元の夫は私に突然三下り半を突き付けて来ました。」

「そういうお話でしたな。それがこれとどう関係があるのですか。」

不思議に思って氏俊が聞いた。

「元の夫は、大塩とは何の関係も無いと分かっているのに、ただ陽明学を教授していると言うだけで、最早お上の追及は逃れ難いと思ったのか、罪咎が妻子にまで及ぶのを避けようと、私に三下り半を突き付けたのです。そこまで考える元の夫は小心者と言うしかありません。身に疑われる謂れがないのなら、堂々とお上に釈明すればよいのです。」

「うむ、それは確かにそうだが、そんなことは承知の上でその挙に出たのではないかな。元の御夫君は小心者と言うより、むしろ澄琴殿を慮ってそんな手段を取ったと言うことで、思いやりに感謝すべきではないのですかな。」

「そうでしょうか。どうも私は腑に落ちません。」

「ではもう疑いも晴れたことだし、そろそろ復縁をしても良いのでは御座らんか。余計なお世話かもしれませんがね。」

「いえ、私はいやです。夫の方でやったことですので、夫の方から言って貰わないと。私の方から言うべきことではありません。」

こんな風に妙に意地を張っている澄琴のそれを何食わぬ顔でほったらかしている元の夫という二者の関係を氏俊は面白いと思った。むしろ二人はこんな宙ぶらりんの関係を楽しんでいるのではなかろうかと思えた。前に澄琴が夫とは別れているが、仲が良いのだと言っていたことが思い出された。

要するにこんな芸当が出来る、ある意味では洗練された夫婦関係になっているとでも言えるのだろうか。

氏俊と澄琴がそんな話をしている間も、稲村ケ崎の向こうの方から相変わらず大筒稽古の音がどーん、どーんと轟いていた。そして鉄砲の音も間断なく続いている。

若い妹や弟子達は訳が分かってくると、この大筒の音にも慣れたのか、いよいよこの絶景を逃すまいと各々の視点で写生に取り掛かった。澄琴もこの風景をどう絵にしようか、専ら思案の風情になってきた。そして、その間も自分の役割と思ってここぞとばかり、住職は熱心に遍界一覧亭にまつわる話を語り続けている。

しかし絵師達は、そんな話を何処まで聞いているのか、専ら写生に熱中しているばかりである。だから、今は住持の話をとにかく真面目に聞いて、頷いて見たり、感心した風を見せたりしているのは、専ら元番頭の伊助と手代の与吉ばかりと言った仕儀となっていた。

氏俊はと言えば、澄琴の話を聞く内に確かにこの女は絵師である事は確かなようだが、一体今回の鎌倉来訪の目的が本当に屏風絵の作成のためだけだったのか、何か他に目的があるのではなかろうかという想いが頭をかすめるのを如何ともしがたかった。

そんな住持の熱心な話が滔々と続く中、相変わらず遠くから大筒と鉄砲の音が聞こえて来るという時間が暫く続いて、何時の間にか流石の住持も余り反応の無い話に遣る気をなくしたのか、話の種がいよいよ尽きて来てしまったのか、話が途切れ、遍界一覧亭の礎石の一つに腰をおろしていた。そして今度は遠くで大筒と鉄砲の音だけが聞こえるという妙な静けさが辺りを支配していた。

それから誰言うとなく、そろそろ昼の弁当の頃合いではという話になって、折しも大筒稽古の方も昼の休みに入ったのか、ぱたっと大筒の音が止んだのを潮に、ではここで遍界一覧亭からの見事な風景を眺めながら食事としましょうという話が成立した。

早速与吉は手なれたもので、下ろしていた笈を開いて、中から瞬く間に用意した弁当や各自が座る折りたたみ式床几やを取り出して昼食の席をしつらえてしまった。ちょっとしたピクニックである。流石駿河屋という大店が諸事万端怠りなく用意した旅だけあって、全てに抜け目がない心配りが出来ていると氏俊は感心した。と同時に絵師として一家を成しつつある娘の澄琴への駿河屋の主人の思い入れの大きさを感じざるを得なかった。

澄琴達は角屋に用意させた特製弁当を、氏俊は何時もの賄いのお豊に用意して貰っている握り飯を食べながら眼下に展開する風景を眺めていた。

「澄琴殿、何か良い構想が浮かびましたかな。」

「今ちょっと思い付いたのですが、丁度眼下にさっき眺めて来た二階堂跡の田んぼや沼地が見下ろされるのですが、夢窓国師がここから眺め下ろした風景の中には、あの二階大堂がしっかりと入っていたのでしょうね。どんな風景だったのか、色々と想像してみました。」

そう言うと澄琴は懐から折り畳んだ紙と矢立を取り出して、広げた紙にさらさらと何やら描き始めた。氏俊が横から眺めていると、澄琴は巧みに墨の濃淡を使い分けて、たちまち一幅の絵を描き上げた。その絵を見て、氏俊は思わず唸った。流石に今江戸で評判を取りつつある大和絵の絵師である。そこには眼下の二階堂跡の田圃と沼地の辺りに、二階大堂の姿が描かれ、その前には池泉とそこに架けられた太鼓橋が描かれている。そして、その上に描かれた連山の間には、少し薄墨で霞が掛かった山景の中に八幡宮の諸堂やそれを取り巻く建物が極軽い筆使いで描かれていた。

澄琴の描いた絵を見逃すまいと、好奇心で目を輝かせた寺の住持が早速近寄って来て、絵を覗き込んだ。

「ほほー、これは素晴らしい。遍界一覧亭よりの鎌倉観望の図ですな。夢窓国師も確かにこんな風景を見ていたに違いない。流石ですな。江戸一流の絵師となると。結構なものを見せていただいた。」

住持はそう言って感嘆置くあたわざるという風情でこの絵に見入った。氏俊もまた、ここで初めて澄琴の絵師としての画技の一端を見て、矢張り澄琴は絵師には違いないのだということを改めて思い知らされることとなった。

「ほほほほほ、気に入って頂けましたか。でもこれはあくまで屛風絵のための写生、下絵に過ぎませんから。何の価値もありません。ただ思いのままに描き殴ったものに過ぎませんわ。こんなものにそんなに感心されても困ります。この絵を今描いて見たのは、夢窓国師様がどんな気持ちでこの遍界一覧亭から鎌倉の風景を眺めておられたのか。それをもっと知りたいと思ったからなのですね。」

「そこですな。澄琴殿。良い所にお目を付けられた。そこで私がその辺りの所をご説明申し上げよう。」

待ってましたとばかり、住持の熱弁が始まりそうな気配であった。

「国師がこの遍界一覧亭を作り、五山の僧を集め、ここから鎌倉の風景を一望の下に眺めて、何を考えていたのか。拙僧思うに、国師は単に鎌倉の風景に留まらず、天下の形勢を眺めていたと思います。国師はここに時の執権平高時、北条高時ですな。この高時も招いている。そこから眺められているのは、鎌倉の山や海、そして八幡宮と幕府、即ち時の政権の中枢となる建物も眺めていたと思われる。そして、二階大堂です。しかし幕府はこの後、数年を持って崩壊してしまう訳です。最早幕府は風前の灯であった。そんな天下の流れを国師は感じ取り、ここから鎌倉の風景を眺めていたに違いない。これは全く私の私見でございますが。」

住持は自信たっぷりにこう自説を述べた。

「ほう。天下に思いを致す。まさに「国師」ここにありという御説と承った。しかし私はそうは思わない。少々考え過ぎでしょう。夢窓はこの眺めが余程気に入った。そこで詩を賦してみたかった。ただそれだけだったと思います。でも天下を想うというより、天地とこの世界の在り方を想うという、もっと広々とした気分でここに立っていた。天下のまつりごとの行く末は自分とは関係ない世界であるとむしろ考えていたのではないかな。矢張り夢窓は禅僧ですからな。そもそもこの地を紹介したのは二階堂道蘊でしょう。そして夢窓はすっかりここが気に入った。この辺りは住持殿が詳しい所でしょう。」

「そのとおり。二階堂道蘊と言えば、二階堂様と御縁のある方でございませんか。二階堂様も喜連川家即ち足利家に繋がりがあるのですから、そんなことも考えられましょう。」

「はははは、まあそれはずっと昔の話ですから。誰にも分かりません。ところでここの所は絵の作者である澄琴殿に御意見を伺うべきではないかな。」

「私は勿論二階堂様の説に近いですね。夢窓国師は天下の形勢が云々ということより、この場所に立って天地の広がりと壮大な風景とを賞されたと素直に思いたい所ですね。確かに国師様の頭の中には天下の形勢というものは痛い程に入っていたと思います。しかし敢えてそれについては語ることはなかった。国師様のお歌がありますね。『前もまたかさなる山の庵にて、梢につづく庭のしら雪』まさに雪が鎌倉の山々を被っている風景。そこでは天下の形勢も何も俗世間的なものが全て白い雪に被われてしまっている。ある意味では何もない無に近い境地ですね。そこに国師様は感銘を受けたのではないでしょうか。」

「成る程。雪に被われた鎌倉風景。無の境地ですか。いよいよ一幅の屏風絵が出来上がりましたかな。」

「ほほほほほ。氏俊殿もお上手ですはね。でもそう上手く簡単に絵が出来ますかどうか。そこからが難しゅうございます。」

「まあ、澄琴殿なら大丈夫。そこは上手く乗り切っていい絵が描けるのではないでしょうかな。これは楽しみだ。」

七　澄琴と訥庵

暫く静まっていた大砲稽古の音が稲村ケ崎の向こう辺りから再びどーんどーんと轟いて来た。その音を聞いていて、ふとその時澄琴は何故か夫がこの大筒稽古の稽古場に来ているのではなかろうかということに思い至った。まさかとは思うがあり得ないことではない。と言うのは、ここの所夫と会うことは月に一度ある位であったが、つい最近は澄琴の絵の画室を構えている向島の駿河屋の寮に夫がふらっと現れたことがあった。ひどく疲れた表情をしていて、澄琴が聞いてみると、ここ数日夫の訥庵がライフワークとしている陽明学を論じた新解釈本を執筆していて、少々睡眠不足になっているとのこと。気分転換も兼ねて澄琴の顔を見にやって来たという。訥庵の塾がある神田と向島とは大川を隔てて指呼の間ではあるので、散歩がてらにやって来ることは訳もない。

「珍しいことですねあなたがここにやって来るなんて。何か事件でも起こりましたか。」

「相変わらず冷静だね君は。別れたとは言っても、色々やむを得ない訳があったのだから。いい加減心を開いて欲しいものだ。」

「でも、別れるなんて突然言い出したのはあなたの方ですから。あなたの方から何か言っていただかないと、示しがつきませんわ。」

「はははは。強気一方だね。ところで、画業の方は最近どうかな。」

こんなやり取りで、澄琴との間に空いた隙間風を更に広げるような深みに嵌まるまいと、夫の訥庵は軽くかわして話題を変えてきた。澄琴の方も心得たもので、上手くそんな訥庵の心配りに乗って、受け答えは卒がない。

「ぼちぼちですわ。少し弟子が増えたのは嬉しいですけど。」

「それは良かった。俺の方に比べると君の方は誠に順風漫帆だ。」

この向島の寮には、ちょっとした庭があって、澄琴はそこに様々な草花を植えていて、画材にもし、気分転換の場所にもしていた。

「ここの庭は中々良い。今日はここで少し過ごさせてもらうよ。」

「どうぞごゆっくりして行って下さい。冬の庭ですけど、水仙や、万両、千両、南天の赤い実位しか見所はありませんが。冬枯れの庭もいいものですわ。」

「そうだね。少し眺めさせて貰うよ。」

そんな話をしながら、澄琴と訥庵は寮の庭を散策した。四方山の話をする内に、訥庵の話題は息子の仙太郎の話に及んだ。澄琴と夫の訥庵との間には一粒種の仙太郎と言う息子がいて、別れてから後は、駿河屋に預けて祖父母が専ら面倒を見ていた。もう七歳になる仙太郎のことを、訥庵も気にかけてはいたのだろう。

「仙太郎はどうしている。」

「元気でおりますわ。書も読み始め、剣術もやらしています。木刀を振っているだけですがね。」

「そうか。そろそろ、本格的に学問もやらせてやろうかと思ってな。俺の塾へ通わせてみたらどうかと思っている。」

「え、神田の塾へですか。四書五経を読ませようと言うんですか。」

「いきなりは無理としてもな。先ずは手習い位から始めるとして。矢張り漢学者の子として早過ぎるということはなかろうと思ってな。」

「分かりましたわ。考えて置きます。」

そんな話をしている内に、大筒稽古の話になったのである。

「荻野流の村上殿を知っているだろう。」

「ええ、存じています。あなたが大塩の件について、お上から見当違いの嫌疑を掛けられた時、色々手をまわしていただいた方ですよね。」

「うん、そうだ。俺も軍学者として、大筒の稽古位は見ておかねばならんと思ってな。」

そんな話を夫の訥庵から聞いて、それ程関心があった訳でもなかったが、確か春頃から鎌倉の鉄砲の稽古場で大筒稽古があるという話であったことを思い出した。その話をふと今頃思い出して、まさかそれが今日だとは思えなかったが、もしかすると夫の訥庵があの、今轟いている大筒稽古を稲村ケ崎の先で見ている様な気がして来た。

「いよいよ次は花が谷に向かいますかな。」

元の夫のことに思いを巡らせていた澄琴に氏俊がそう話しかけた。

「あ、そうですね、慈恩寺旧跡、足利直冬様の菩提寺ということですね。どんな花が咲いていることやら。」

何処か上の空の澄琴に、氏俊が不思議そうに聞いた。

「あれだけ御熱心に御執心していた、花が谷慈恩寺に向かうのに随分とよそよそしいではないですか。」

「ええ、ちょっと他のことを考えていたものですから。」

「それは絵のことですかな。いよいよ構想が熟して来たということですかな。」

「いえ、そんなことじゃないんです。大筒の稽古の音を聞いていて、少し思い当たることがありましてね。」

「よろしければお聞かせいただきたい。澄琴殿は色々面白いことを隠し持っておられる」

「隠し持っているなんて。そんな変わった人間ではありませんよ。実はふと思いついたんですが、今日元の夫があの大筒の稽古場に来ている様な気がして。」

「え、元のご主人訥庵殿とか申されましたな。漢学者の。何でまたこんな所に。」

「漢学者であり、軍学者でもあり、お上の鉄砲方にも知人がおりますので。或いはと思いまして。」

「成る程、これはまた驚きですな。訥庵殿が鉄砲場に。矢張り澄琴殿は意外なものを隠し持っている。では、もしかすると今夜あたり訥庵殿にお会いできるかもしれませんな。これは面白くなってきた。」

「いえいえ、そうと決まった訳ではありませんから。今の話は忘れて下さいませ。」

「大筒と女絵師か。これはまた風変わりな結び合せですな。花が谷どころではない。」

「もうその話は止しましょう。ところでこれから行く花が谷。どんな所なのでしょう。」

「うむ。私もそう詳しく調べた訳でも御座らんが、まあ何回か通り掛かった限りでは、要するに谷戸の奥に畑があるばかり。葱や麦が植わっている所です。百姓家も無く、納屋の様な物が一軒あるばかりでござった。」

「では、花はまるでない。」

「左様ですな。畑の脇に秋になると小菊が咲いているとか、春には菜の花が一面に咲いているとか、そんなものでしょう。それを期待するのは無理と言うもので。」

「何か花が谷という名にふさわしいものが多少は残っているのかと思いましたが。」

「殆ど全くありませんな。それは、ですから澄琴殿の絵師としての想像力と言うか、絵心で、心の花園を描いていただくしかなかろうと」

「心の花園ですか。二階堂様も中々風流なことをおっしゃること。そうですね。花が実際になければ心の中に描いてみるしかないでしょうね。良く分かりますわ。ほほほほほ」

「まあ、とにかく一見に如かずと言うことで、花が谷と言う所を澄琴殿の目で見て頂き、構想をまとめて頂くしかなかろうと思います。」

八　花ヶ谷慈恩寺跡

一行は遍界一覧亭への十八曲がりを下り、瑞泉寺を後にして花ヶ谷慈恩寺跡へと向かった。相変わらず大筒の音や鉄砲の音が耳を澄ますと聞こえてくる。

「今日の大筒稽古は随分気合が入っているな。」

ぽつりと氏俊が漏らした。

「そんなにしばしば大筒稽古をやっているのですか。」

澄琴が不思議に思って聞いた。

「いや、ここ数日の話です。そんな気がするということかな。多分元の御夫君の訥庵殿が加わっているやも知れないと聞いてそんな風に感じるのかも知れない。」

名越へ向かう途中に花ヶ谷がある。そしてその前に浄明寺から犬懸ヶ谷を経て、釈迦堂切通を抜けなければならない。釈迦堂切通に至って、その巨大なトンネルの様な風景に遭遇して、澄琴の妹や若い女弟子達は驚嘆の声を挙げた。こんな風景は江戸では勿論見られないし、鎌倉ならではの風景だろう。早速弟子達は口々に澄琴にここで写生をしていきたいと言い始めた。そして澄琴の返事を聞くか聞かない内に、与吉をせかして写生道具を下ろさせ、写生に取り掛かった。

まるで畑ばかりでほかに何もない花ヶ谷に至って興ざめになるかも知れないこの若い弟子連中にとっては釈迦堂切通の方がずっと絵心をくすぐる場所であろうと氏俊は思い、先を急ぐ気持ちはあったが、ここで思う存分写生をさせておくに如くはないと心に決めた。

それ程今の花ヶ谷は花というべき花もなく、何もない場所と氏俊は思っていた。そんな弟子達の様子を脇に見ながら澄琴が氏俊に話しかけた。

「ここから花ヶ谷は近いのですか。」

「ええ、もうすぐですよ。しかも下り坂ですから、ここで写生をするぐらいのゆとりはあります。多分若いお弟子さん達は花ヶ谷よりはこの場所の方が絵心をくすぐるのではありませんか。何しろ花ヶ谷は畑ばかりで何もありませんから。澄琴殿もこの場所を描かれたらどうですか。あまり興が湧きませんか。」

澄琴は切通のごつごつとした岩肌のトンネルを見上げながら言った。

「直冬殿がここを通ったという可能性はありませんか。」

「ふうむそれはないでしょう。大体慈恩寺と直冬との関係というのもかなり眉唾の情報ですからな。『太平記』にもある様に直冬は東勝寺の小坊主だったごく若い時から西国へ行き、あちこちの戦乱に巻き込まれて、石見で亡くなっておりますからな。鎌倉に戻っていたという確かな記録はない。」

「でも直冬殿の菩提寺は慈恩寺なのでしょう。」

「うむ、『新編鎌倉志』ではそう記述されているがね。」

「それで十分だと思いますは。四百年以上も昔の話ですからもう真実は誰にも分らないのです。花ヶ谷という地名は残っているのですから。花ヶ谷慈恩寺と直冬殿を結びつけるのは後世の人の自由だと思います。少なくとも私は直冬という人の晩年は花ヶ谷慈恩寺で過ごしたと考えたい。そう考えると色々な想像が湧くのです。」

「まあ、確かに何も残っていない方が想像を掻き立てるには都合が良さそうだ。これはやはり澄琴殿の様な絵師の特権でしょう。」

「よく言っていただきました。さすが氏俊様ですわ。ですから私はその特権を思う存分使わせてもらいますわ。ほほほほほ」

澄琴の得意の笑いが自然とこぼれたので、思わず氏俊もその笑いに引き込まれてしまった。

「はははは。でも盛時の慈恩寺は随分と立派な寺だった様ですよ。花畑の様に色々な花が咲いていたのは勿論、山水を凝らした庭や七重の塔まであった様ですからな。」

『新編鎌倉志』にはそうありますわね。これだけ読んでも色々と想像力が掻き立てられます。この背景と直冬殿が結びつくとどんな風景になるのでしょうかね。」

「さあ、私には及びもつかない。思う存分想像力を掻き立ててください。傑作を楽しみにしていますよ。」

二人は思わず顔を見合わせて笑った。

ひとしきり釈迦堂切通の写生を終えて、いよいよ一行は花ヶ谷へと向かった。ここからは下りの道である。林や切れ切れに現れる畑の中の道を通り、逆川に至った所からまた谷戸に入りこむ道を少し上がるとそこは花ヶ谷である。谷戸の奥にあるのは矢張り一面の畑である。畑には至る所菜の花が咲き始めていて、山裾には梅の花があちこちに咲いている。

これはこれで谷戸の春先の美しい風景である。何も知らない若い弟子達はまたも声を挙げて写生に取り掛かろうという意気込みである。澄琴はと言えば、この風景を眺めながら何やら感慨に浸っている。そんな澄琴の様子を眺めながら、

「何もないでしょう。」

と確かめる様に氏俊が言った。

「何もありませんわ。でも確かにここにかつては七堂伽藍があったのでしょう。一体どのあたりにあったのか。その風景を思い描いています。」

そう言うと再び澄琴は谷戸の風景を見回して何やら思いに浸っている。

「絵が出来そうですか。」

氏俊が探る様に訊いた。澄琴が感慨に満ちた表情から我に返った様に言った。

「色々な風景が浮かびます。華やかな風景、寂しい風景。色々浮かんでは消えていきます。」

「そんなに色々な風景が浮かびますか。さすが絵師だ。私には何も浮かびませんが。」

「ほほほほほ。でもどれが真実の姿だったのか誰にも分かりません。」

「その風景の中に直冬の姿は現れて来るのですか。」

「難しいところですね。でも一回だけちらっと現れて来ました。直冬らしき人物が。それも後姿だけだったので、しかとは顔は分かりませんでした。後姿を見せて、そして消えていきました。」

「ふむ、成る程。直冬らしい現れ方ですね。それなら何か絵になりそうな気がする。後姿の直冬か。」

「ええ。だから私はこの後姿は直冬に違いないと思いました。ほほほほほ。」

「はははは。よく分かります。」

思わず氏俊は澄琴と顔を見合わせた。澄琴は透き通るような細面の横顔を見せて、谷戸の奥の方を吸い込まれる様に眺めた。

「鎌倉は全て幻ですわ。」

澄琴はぽつりと言った。

「鎌倉は全て幻。」

氏俊は何気なく出た澄琴の言葉を自らの中でなぞってみた。すると自らの姿も幻ではなかろうかという思いが氏俊を捉えた。喜連川氏俊という自己のありようが、二階堂氏俊と唱えている内に幻に近いものになってしまっているのではなかろうか。

幻の鎌倉で幻を追い掛けている自分。その姿が澄琴の何気ない言葉と妙にぴたりと重なり合ってきた。

「しかし幻の鎌倉だからこそ、澄琴殿の様な深い絵心を持った方にとっては、自由に思いを描けることになるのではないですか。」

「そうかも知れません。ほほほほほ。」

氏俊の言葉に澄琴は満更でもない満足の表情を見せて相槌を打った。そんな澄琴の姿に、氏俊は今まで感じたことのない女人への想いらしきものが湧いて来るのを感じた。一体これは何だろう。四十年近く生きて来た氏俊にとって初めて感じる女人への時めきに近い心の動きだった。

こんな自分に気付いた氏俊は、何故かこの気持ちをどう始末したら良いのか当惑に近い感情に捉えられた。喜連川を出て、江戸での遊学。そして、鎌倉での案内人の生活。その間を通してこんな感情に捉えられたのは初めてであった。今まで自分は二階堂氏俊という仮面を着けて、世と接していた。それは結局自分を隠して生きることに繋がっていた。だから本当の喜連川氏俊は常には仮面の奥に隠れていたのだ。

澄琴と向かい合うためには、喜連川氏俊として向かい合わねばならないだろう。こんな風に、妙に悩ましい想いに捉えられて、氏俊は花ヶ谷の谷戸の中で所在なく佇んでいた。

そんな氏俊の想いを知らぬ気に、澄琴は谷戸の風景の写生に取り掛かっていた。言うまでもなく澄琴は幻の花ヶ谷慈恩寺と、多分後姿の直冬を描いているのだろう。

幻の花ヶ谷、幻の直冬、そして幻の喜連川氏俊。考えてみると全ては幻である。では澄琴はどうなのか。澄琴は幻ではない。澄琴にとって旧夫の訥庵はどうなのか。大筒の試射場にいるらしい旧夫と会おうとしている。本当に会いたいのか。俄かに氏俊にとって澄琴の旧夫である訥庵が生々しい存在になって来た。すると今まで忘れていた大筒稽古の音が遠くで再び続いているのに気付いた。澄琴が言う様に訥庵は本当に鉄砲場に来ているのだろうか。とすると今夜あたりどこかの旅宿に現れるのだろうか。

氏俊も大筒の稽古を何度か見に行ったことがある。江戸で遊学し、喜連川藩で藩校が作られればいずれは藩主の弟として江戸で学んだ成果を披露しなければならない立場ではある。それは良く分かっている氏俊であるので、鎌倉の鉄砲場で大筒の稽古を実見することはまたとない機会であった。そんな藩の必要性と自らの興味や好奇心も手伝って、何度か鉄砲場の稽古を見たことがあった。勿論ここで喜連川藩を名乗ることはできない。あくまでも表向きは鎌倉案内人二階堂氏俊としてである。

しかし訥庵が鉄砲場に来ていたとしても、確か定宿は藤沢の羽鳥村の宿と決まっていた筈だ。まさか鎌倉まで来て泊まることはあり得なかった。

そんなことを考えて澄琴の方を見ると、澄琴は遠くの広々とした菜の花畑の真ん中に立ってこちらの方を眺めている姿が見えた。氏俊は澄琴が幻の直冬の姿を描いているに違いないと思って、澄琴の方へ歩き始めると、悪戯を発見された子供の様にくるりと横を向いてまた写生を始めた。その時澄琴の表情に笑みがわずかにこぼれたのを氏俊は気付いた。

「絵の出来栄えはどうです。」

と言って澄琴に近付くと絵を覗き込んだ。氏俊は我が目を疑った。そこには一面の菜の花の黄色に、真っ黒な着流しの侍が後姿を見せて立っていた。氏俊は不思議に思って澄琴に問い掛けた。

「一体これは直冬ですかな。直冬が今ここに立っているというのもおかしい。」

「ほほほほほ。失礼しました。これは氏俊様です。菜の花の黄色に黒いお着物が鮮やかで、その後姿もどこか寂し気で、直冬様はこんな後姿ではないかと思いつい写生させていただきました。」

そう澄ました顔で澄琴は言ったが、口の端に微かに笑みがこぼれているのを氏俊は気付いた。

「澄琴殿も冗談がきつい。てっきり直冬を描いているとばかり思っていたが。私の後姿など描いても何の足しにもならんでしょう。」

「ほほほほほ。そんなことはありませんわ。氏俊様の後姿は直冬様を描くのに参考になります。氏俊様のこの姿をお描きして、これなら直冬様を描けると確信しました。ありがとうございます。勝手にお描きしていけなかったでしょうか。」

そう言われると氏俊も満更悪い気持ちもしないので、これ以上言うこともなかろうと思った。

「澄琴殿は意外とお茶目な所があるのですな。私で良ければ何時でも写生して結構ですが、後姿というのはちょっと残念ですな。」

そこで氏俊は直冬も足利の末裔、しかも余り望まれなかった存在。そして自分も足利の末裔でほとんど望まれない存在である所がどこか似ているのではなかろうか。一瞬この言葉が口から出そうになったが、氏俊は慌てて口を閉じた。

「では、慈恩寺と花ヶ谷、そして直冬の絵はどうにか描けそうですかな」

氏俊は話を元に戻して、澄琴の様子を窺った。

「ええ、お陰様で氏俊様のお姿を遠くから拝見し、どうにか絵が出来そうな気持ちになってきました。」

「ははは、そうですか。私ごときがお役に立てれば光栄です。」

「ところで、あの鉄砲場の稽古ですが、明日もやっておりますでしょうか。」

澄琴が問い掛けた。

「まだ始まったばかりの様ですからな暫く続くでしょう。興味がおありですかな。」

「興味という程ではありませんが、元の夫が来ているかも知れませんので、様子を見ておきたいのです。」

「ほう、中々ご主人思いですな。いや失礼。元のご主人でしたな。大筒稽古を絵の材料にしようという訳でもござらんでしょう。」

「勿論ですわ。ただの好奇心です。どうでしょうか、その鉄砲場にご案内いただけないでしょうか。」

「結構ですよ。澄琴殿のご要望とあれば。痩せても枯れても鎌倉案内人の氏俊ですので、喜んでご案内いたします。もっとも鉄砲場へのご案内を求められたのは初めてのことではありますがね。」

氏俊の心は何時になく乱れていた。というより静かだった心の水面に、何やらさざ波が立ち始めているのに気付いた。澄琴は矢張り元の夫と会おうとしている。一方的に三下り半を突き付けられたと言って、まだ夫との間にしこりの様なものを感じるらしい澄琴が、一方では、そんな元の夫と会おうとしている。それに氏俊は戸惑った。澄琴の元の夫である訥庵の存在が生々しいものになって来た。もしかすると先ほど菜の花畑でこんな気持ちからふと深い想いに沈んでいた氏俊の姿を、澄琴は絵師の目で敏感に捉えて、後姿に描いたのではなかろうか。そんな気さえする。だとすると、既に氏俊の心の水面に生じたさざ波、澄琴に対する心の動きを察知されてしまったということなのか。そんな筈はないと否定しようとすればする程、澄琴の元の夫の存在が気になってくる。しかも、その訥庵のいる可能性の高い鉄砲場に、明日澄琴を案内しようとしている。

そんな氏俊の心の動きは全くの一人相撲なのか。あるいはそうかも知れない。氏俊が勝手にそう思い込んでいるに過ぎないとも思えた。しかしそんな心の狭間に入り込んでしまった氏俊には、最早どうすることも出来ない。せめてこれ以上澄琴に自らの心の動揺を読まれない様、平静を保っていくしかなかろうと思った。

「では明日は鉄砲場見分ということにしましょう。お弟子さんの皆様にもその積りでお話し下さい。しかし鉄砲場だけでは勿体ないので、途中長谷や極楽寺あたりを見物しながら、昼過ぎ頃鉄砲場に向かうということで如何ですか。」

氏俊はすっかり表面上は冷静さを取り戻していた。

「ありがとうございます。我儘を言ってすみません。でも明日が楽しみですわ。」

「元のご主人と会えると良いですね。」

氏俊はそんな言葉を言った。

「ほほほほほ。」

澄琴の屈託のない笑いが響いた。

九　鎌倉鉄砲場

その日も春先の暖かく晴れ渡った空の、鷗《かもめ》や海鵜《うみう》の海鳥に加え、時には海鵯《うみひよどり》の様な春先の鳥も鮮やかな深緑の姿を見せて飛び回っていた。

そんな心地よい鎌倉海辺を氏俊以下、澄琴と弟子達の一行は、海風に吹かれながら歩いてきた。

もとより急ぐ旅ではない。既に江の島の向こうあたりからは、鉄砲場の大筒のどかんどかんという腹に響く射撃の音や、その間にぱらぱらと鋭い音を発して、間合いを埋めて来る鉄砲の甲高い音が容赦なく聞こえてきた。

ここまで鉄砲場に近付いて来ると、最早昨日偏界一覧亭で聞いた大筒稽古や鉄砲稽古の音とは異なる、否が応でも体の芯に響く音に変わっていた。

澄琴達の一行は、砂浜をゆったりと広がりながら、先方から轟いて来る大筒や鉄砲の音にひたひたと押し寄せる不気味さを感じながら、一方では左手前方に広がる江の島の風景とその奥に見える富士の絶景に見とれていた。まことに不思議な風景である。

「江の島と富士と大筒の音の取り合わせなんて、ちょっと変わった取り合わせですわね。」

澄琴が感に堪えないといった風に言った。

「そう言われると確かにそうですな。今まで何回かここに来たが、あまりそんな風に考えたことはなかった。流石澄琴殿は絵師ですな。風景に関しては随分敏感な感じ方をされるようだ。」

「そんな難しい話ではありませんわ。折角の江の島と富士山という絶景が、この大筒の音で台無しになってしまっているような気がしただけです。どんな美しい風景も、こんな音の中では帳消しでしょう。」

そんな澄琴の言葉が耳に入ったのか入らないのか、女弟子達は与吉に言って、写生道具を下ろさせている。彼女達にとっては大筒の音など関係なく、とにかくこの江の島と富士という絶景を描くことが最優先ということらしい。瞬く間に写生道具を揃えて写生に入っている。まことにこの女弟子達は気に入った風景の写生に関しては実に貪欲である。まあ、ある意味では大筒稽古に興味があるのは、元の夫君の関係がある澄琴だけで、女弟子たちにとってはただ迷惑なだけなのかも知れない。

そんな写生に熱心な女弟子達に先を急がせるわけにもいかず、澄琴は諦め顔に弟子達の写生姿を眺めるしかなかった。とは言っても、弟子たちの絵を一人ずつ覗き込んで、一言二言助言して回ったりする姿は、さすが一家を成して弟子を集めた澄琴という女絵師の実力を垣間見させるものではないか。氏俊はそんな風に澄琴の姿を捉えて、やはり一家を成した絵師に違いないと思った。

そんな風に弟子達の願いに応えて、江の島と富士の写生に一同が熱中している間に、いつの間にか大筒と鉄砲の音が止んで、急に辺りは静けさを取り戻した。まだ午後の日も高い時間なので大筒稽古は少し昼の休みに入ったらしい。もう、この江の島から大筒の稽古場である角打ち打小屋や鵠沼新田見取場までは、片瀬川を挟んで指呼の間である。その打ち小屋に大筒稽古の幕府の役人達が詰めているはずであった。

「この休みの間に稽古場に行って、澄琴殿の元の夫君のことを聞いてみますか。」

氏俊が訊いた。

「ここから近いのですか。」

「ええ、そこの片瀬川の向こう松ヶ岡の砂丘辺りが稽古場になります。」

一行はぞろぞろと江の島を後にし、富士の方に向かって片瀬川の岸まで至った。そこからは幔幕が張ってあって、橋の手前に役人が数人立っていて、稽古場には入れない様になっている。まさに大筒鉄砲稽古中であるので、かなり警戒は厳重である。

そこから少し隔たりがあるが、小高くなった松が岡の砂丘が見渡せた。そこには何基か大筒が据えられ、その周りに役人達がちらほらと居るが、動いている人は少なく、大部分は午後の休養を取っている様であった。

「元の御夫君がいるとしたらあの打ち小屋の中でしょう。その門番の役人に聞いてみましょう。元の御夫君は下河辺訥庵殿でしたな。」

「というより与力の村上様と言って頂いた方が確かかも。荻野流の名人と承っておりますので、多分ここに来ているはずですわ。」

「そうですか。では訊ねてみましょう。」

片瀬川の向こうには、相模湾に面して茫々たる砂丘が続いている。この砂丘は片瀬川に沿って小高くなった鵠沼松が岡を北に向かっても広がっている。そこが鵠沼新田見取場で、その海沿いの端に角打打ち小屋があった。

「この大筒稽古場はとにかく広いのですよ。この角打ち打ち小屋の他に、更に奥の茅ヶ崎の方へ向けて大筒を打つ町打ち打ち小屋というものがあり、あの右手にある小高い片瀬山にも下ヶ矢打ち場というのがあって、駒立山から川袋の方に打ち下ろしている。元の御夫君がいるとしてもどこにいるか分からない。」

「随分お詳しいんですね。」

「いえ、ちょっと二、三度見分したことがありましてね。武術をもって立とうという喜連川藩のために少しはお役に立てればと思ってのことです。とにかくあの門番に話をしてみましょう。」

そう言い残して、橋の入り口を守っている門番の所に氏俊はすたすたと歩いて行った。やがて門番の所に至ると、門番に向かって頼み込み始めた。しかしここを守る門番は、もとより人を通すための門番ではない。人を入れないための門番である。こんな大筒や鉄砲の稽古場に人を入れる訳にはいかない。そう簡単に通す雰囲気ではもとよりない。何度か押し問答をする内に氏俊は懐から矢立と紙片を取り出すや、何やら書き留めると、門番の役人に手渡した。そして役人はその紙片を懐に、角打ち小屋の方に足早に向かって行った。戻って来た氏俊が言った。

「大分手こづったが、村上殿の名前を挙げて、訥庵殿の話をしたら渋々承知して、話だけはしてみると言ってくれた。大筒稽古の最中だから、守りが固いのは止むを得ないでしょう。」

「ほほほほ、氏俊様はさすがですはね。氏俊様にご案内を頼んで良かったと思いますわ。」

「いや、まだ結果がどうなるか分かりませんよ。これからが正念場ですよ。」

「大筒の稽古場に来るなんてほんの思い付きですから。うまくいかなくって当たり前。どんな所かだけでも見て置きたかっただけですわ。たとえ元の夫に会えなくても、その噂だけでも聞ければ幸いです。先日私共の向島の寮で鎌倉の大筒稽古の話を聞いた時、その時は何ということもなくて聞き過ごしたのですが、後から妙に気になって来て、元の夫の身について色々考えることがあったものですから。」

そんなことを言う澄琴の表情には、遠くの大筒稽古場を眺める虚ろな目に陰りの様なものを氏俊は感じた。元の夫に対していつもは強気の澄琴が見せる不安に近いもの、あるいは哀れみというべき表情に、捉えがたく複雑な感情が隠されているのを氏俊は感じざるを得なかった。

でも心の奥底では、澄琴が元の夫に対して深い夫婦としての思いを抱いていることは間違いなかった。この夫婦の間に一体何があるのか。氏俊が澄琴への関心を深めれば深めるほど、そのことを知っておきたいという思いが強くなった。こんな屈折した感情を抱いて、訥庵との関係を、本当は思い悩んでいるらしい澄琴の姿を見ると、なぜか澄琴との関係をこんな宙ぶらりんのままに放って置く訥庵の方に、何か別の深い事情があるのではなかろうかと氏俊は考えざるを得なかった。

そう考えると、何時も強気を装っている澄琴の姿の中にこそ、その本当の悩みの核心があるような気がしてきた。澄琴は本当は弱い女なのではなかろうか。普段は強気の様子を見せて、そんな自分を奮い立たせているが、本心の本当の所では寂しさに悶え苦しんでいるのではなかろうか。

そう考えると、氏俊は自分の役割は澄琴に三双屛風絵を描かせることだけではなく、むしろ澄琴の心を支えるという役割もあるのではなかろうか。もはやそんな風に考えるまでに澄琴の打ち沈んだ姿を垣間見るにつけ、氏俊の心は澄琴の方に傾いていくのが分かった。

暫くして、角打ち打ち小屋の方から砂丘の松林の中を、門番に先導されて陣笠に陣羽織の一人の役人がこちらに向かって来るのが見えた。

「あの方はもしや澄琴殿のご存じの方かな。もしや訥庵殿か。」

「いえ。訥庵ではありません。あの方は村上様です。村上様が私達のお話をお聞きになってこちらに向かっておられるのでしょう。」

そういう澄琴の表情が少し明るくなった。氏俊にも澄琴にもこれは決して門前払いではなく、村上与力が何かの話をしようとこちらに向かっているらしいことが推測された。氏俊と澄琴は早速門番のいる橋のたもとまで駆け付けて、村上与力の到着を待った。

片瀬川沿いに生えた松林の斜面を下って、村上与力ははっきりとその表情が分かる位に、ようやく近付いて来た。澄琴は村上与力に向かって深々と頭を下げた。氏俊も初対面ではあるが、澄琴に倣って頭を下げた。

橋を渡って氏俊達の面前に遣ってくると、にこやかに笑って言った。

「これはこれは、下河辺殿のお内儀。お久しぶりですな。確か澄琴殿と仰せられたかな。絵師としても売り出されていると伺ったが。」

「お恥ずかしいばかりですわ。それよりも夫の訥庵のことでいつぞやは大いにお世話になり感謝申し上げております。」

「いえいえ、訥庵殿はよく存じておりますし、大塩などと関係のないことはもとより自明の事。誰もそれを疑う者などありません。御安心下さい。」

そして与力は隣に立っている氏俊に向かって軽く会釈した。

「こちらは今鎌倉をご案内いただいております二階堂氏俊様です。」

「私、二階堂氏俊と申す。江戸は市ヶ谷の月桂寺の寺侍でござる。と同時に鎌倉の案内人も致しております。」

「ほほう。市ヶ谷の月桂寺の寺侍。そして鎌倉の案内人もやっている。変わった御仁じゃな。何故また月桂寺の寺侍が鎌倉案内人などをやっておるのかな。」

「いえ、まあ無類の鎌倉好きが高じて、何時の間にか鎌倉案内人で通しております。今は八幡宮前の角屋という旅宿にお世話になりながら、鎌倉案内をさせていただいております。」

「なるほど。角屋か。私もあそこには時々泊まったことがある。どこかでお目にかかっているかも知れんな。」

「ところで村上様。大筒稽古の最中のお忙しい中をお呼立てして誠にご迷惑と存じますが、ここに寄せていただいたのは、外ならぬ私の元夫の訥庵の事でございます。もしやここに顔を出していることもあろうかと思いまして。昨日瑞泉寺の偏界一覧亭に上った時、大筒稽古の音が聞こえていたので、元夫が来ているかも知れないと急に思い立ち、会いたくなったものですから。ほんの思い付きで誠に勝手なお願いではありますがご容赦下さい。」

澄琴が言った。

「それは残念でしたな。実を言うと訥庵殿は昨日までこの角打ち小屋や町打ち小屋の辺りに居られ、見分されておりました。それから藤沢の宿へ戻り、本日は下ヶ矢打ち場を見分したいと申されておりましたな。澄琴殿は訥庵殿のことを元夫と言われたが、失礼ながら訥庵殿と縁を切ったままなのですかな。いい加減元に戻されても良さそうに思うが。」

「そうなのですよ。相変わらず三下り半が生きている状況で、一体どうなっているのか私には分かりません。私はそれでも構わないのですがね。」

「それは知らなかった。では訥庵殿とお話しすることも余りないのですか。」

「ほとんどありません。ほんの二か月程前に私の向島の寮に遣って来て、その時鎌倉鉄砲場の事をちらっと話をして行きました。今その下ヶ矢打ち場という所に元夫が居るのなら訪ねて行けますでしょうか。」

村上与力は少し思案する様子を見せてやがて思い切る様に言った。

「あの片瀬山の上の駒立山という所に下ヶ矢打ち場はあります。まあ山道ですから少ししんどい。小半時は掛かりましょう。行くことはできます。案内の役人を付けますので、行ってみることはできます。ただし場所は場所なのでここにいる方全員というのはご勘弁願いたい。せめて澄琴殿と二階堂殿に絞っていただきたい。」

「ありがとうございます。助かります。早速片瀬山の方へ伺ってみます。」

「訥庵殿は下ヶ矢打ち場を見て、それから藤沢の江川代官の所へ行くやも知れないと言っていたので、今居るかどうかは確約は出来ませんが。」

「いえ、とにかく行ってみます。居なければ居ないで止むを得ませんわ。」

その時片瀬山の方で大筒を打ち始めた音がどどーんと響いた。駒立山から片瀬川の川袋の方へ打ち下ろす大筒稽古である。三人は改めて片瀬の駒立山の方を眺めた。

「お分かりかな。片瀬山の一番先端の突き出た辺りから、川袋という片瀬川の曲がりくねった湿地の方に打ち下ろしています。いよいよ町打ち小屋の方も稽古が始まります。ところで訥庵殿の事ですが、三下り半がそのままということも関わっているのかも知れませんが、お話しておきたいことがあります。お宿は角屋とお伺いしました。まだ暫くそこに居られますかな。」

「ええ、鎌倉の三双屏風の構想が出来るまでですから、まだ暫くはおります。」

「では、数日中にこの稽古が終わり次第お宿にお伺いお話をしたい。もう午からの大筒稽古も始まりますので、ここでは込み入った話は出来ない。案内の役人は戻ってからこちらに差し向けますので暫くお待ち下さい。」

そう言って村上与力はそそくさと稽古場へ戻って行った。

村上与力から差し向けられる案内人を待つ間、澄琴はどこか浮かない表情を見せていた。

「訥庵殿が駒立山にまだ居てくれればいいですな。」

澄琴の表情を眺めながら、氏俊は思わずそんな慰める様な口調で言った。それにも澄琴はまるで上の空の風情で駒立山の方を仰ぎ見た。澄琴にとっては村上与力が分かれ際に言った言葉に妙に引っ掛かかっているのかも知れなかった。例の三下り半に関係して、訥庵に関係して新たな事態が起こっているのかも知れない。そう思うと澄琴の心に言い知れぬ不安が広がり始めた。

訥庵のことは無視しようとすればする程、訥庵に対する気掛かりな思いが湧き上がって来るのが感じられた。

「では駒立山には私と澄琴殿が上るとして、お弟子様達には江の島詣でをしていただいたら如何かな。」

氏俊が言った。その言葉を弾みに、澄琴は憂いに沈んだ顔を上げ、再び女絵師の師匠に戻って言った。

「そうですね。では秀琴殿そして伊助にも頼みます。私と氏俊様とで駒立山に向かい、訥庵殿に会いに行きますので、その間弟子達の江の島詣でを宜しくお願い致します。」

そう聞くと弟子達には明るい表情が戻った。今まで大筒や鉄砲稽古の音が響いている場所で、不安な思いに晒されていた若い秀琴や弟子達それに伊助や与吉にとって、江の島詣では又とない楽しみであった。しかし秀琴は再び厳しい表情に戻って、あの大筒の音が響き始め、砲弾が唸りを上げて川袋の方へ落下して行く様を眺めて、澄琴や氏俊がその只中に入って行くことに改めて不安を感じ始めた。

「お師匠様、くれぐれもご無理をなさいませんよう様お願い致します。氏俊様宜しくご案内お願い致します。」

「お任せ下さい。私も駒立山には上ったこともあります。このあたりの地形は良く分かっております。鎌倉案内人のこの氏俊にお任せ下さい。もっとも大筒稽古場のお役人もご案内下さるのでご心配はご無用。」

氏俊がそう言うと、秀琴以下弟子達もほっと安心した様子になった。やがて案内の役人が遣って来て、氏俊と澄琴は片瀬山を上り、その頂駒立山へと向かって行った。先導する役人は陣笠を被り、陣羽織を着て淡々としかし少し足早に片瀬山の緩い傾斜の草原を上って行った。そこからは相模湾への眺めが次第に広がっていく。と同時にひきも切らず駒立山からは大筒が発射され、唸りを上げて片瀬川の屈曲した湿地帯である川袋の方に次々と落下していく様も見て取れた。

「どうですか、中々の絶景でしょう。」

必死で付いて来ている澄琴に、氏俊が話し掛けた。足元を気にしながらも、氏俊の言葉に改めて下の方に展開する相模湾の方へ目を向けた。長い砂丘、そして松林の連なり、それらがずっと茅ヶ崎の方まで続いていて、その先には富士も見えてくる。そしてその風景の中で、あちこちから大筒の発射音、鉄砲の音、着弾した時の砂煙らしきものが見える。澄琴にとって初めて目にする正に絶景である。

「絵になりますかな。」

氏俊が訊いた。

「大筒や鉄砲さえなければ、本当に絶景なのでしょうが。」

澄琴もこの風景をどう考えれば良いのか少し戸惑っているようだ。

「訥庵殿があの駒立山に居られると良いですね。」

「多分もういないと思いますわ。村上様も居るかどうかは確約できない口振りでしたから。私は期待しておりません。もしいなくてもどこに行ったのか。何をしているのか。噂だけでも聞ければよいと思っています。むしろ私は村上様のお話で何か分かる様な気がします」

「角屋に遣って来る様なお話でしたな。やはり訥庵殿のことについて色々心当たりの事があるのですかな。」

「どんなお話をされるのか。そこが心配です。」

「鎌倉風景の三双屏風どころではないということになりませんか。」

「そんなことはありませんわ。三双屏風は三双屏風。訥庵のことは訥庵。訥庵のことはもう見切りを付けましたので。どんな結果になろうと覚悟はできています。それに三双屏風は氏俊様がご一緒に鎌倉をご案内していただければこれ程心強いことはありません。氏俊様を頼りにしていますのでよろしく。」

何時にもないそんな真剣な言葉が澄琴から発せられたのを氏俊は意外な気もし、だが同時に何故か心の底から湧いて来る嬉しさを抑えられなかった。澄琴がここまで氏俊を頼りにしている、そんな喜びを感じている自分を見出し、我ながら苦笑いをするしかなかった。

道はいよいよ緩い片瀬山の斜面から、駒立山へ向かう急な上りに掛かってきた。ここからは、三人は足元を確かめながらただ黙々と上っていくしかなかった。

駒立山に近付くにしたがって砲弾の発射の音は激しさを増していった。そして山道をかなり上った所に、幔幕で隔てられた場所に至った。そこには道に向かって門番が立っていた。案内の役人は門番に二言三言言うと、

「ここで暫くお待ち下さい。」

という言葉を残して奥の下り矢打ち場の方へ進んで行った。

そこからは見下ろすと、片瀬川が眼下に望まれ、更に目を転ずると相模湾から松林そして広大な砂丘が見渡せた。そして相変わらずあちこちで砲弾の音が轟き、落下した砲弾が砂に落ちて砂煙が上がる様が見えた。

更に相模湾の海の方を眺めると、旗指物を押し立てた軍船と思しき船からも射撃の稽古をしている様が見えた。

「まことに勇ましい眺めですこと。」

澄琴は感心してつぶやいた。

「でも異国船の大筒には敵わないようですよ。ここで使っている大筒は最早異国の大筒に比すると時代遅れも甚だしいと承ったことがある。」

「そうなのですか。これだけでも私などには恐ろしい武器だと思われますが。だとすると異国船の大筒などは想像を絶する凄いものなのでしょうね。」

「でしょうな。私にも想像が付きません。そのあたりは訥庵殿が詳しいのかも知れない。」

暫くして案内の役人が戻って来た。

「お尋ねの下河辺殿ですが、残念ながら午前《ひるまえ》までは居られたそうですが、たった先程藤沢宿の方へ出立したとのこと。もう少し早く参られれば会えたかも知れぬが残念なことでござった。」

澄琴はそれを聞くと予想していたとはいえ、がっかりとした表情を露わにして言った。

「矢張りそうでしたか。もう少し早く来れば良かったということですか。まあこれが運命なのでしょう。で訥庵は藤沢宿のどこへ向かったのでしょうか。お分かりですか。」

「まあ確たることではないのですが、代官所へ行かれるという話を伺いました。」

「藤沢宿の代官所。お代官様は江川様ですね。何の御用なのですかね。」

「さあ、私にも分かりかねます。」

案内の役人はそこで口をつぐんだ。藤沢宿の代官は伊豆に本拠を置き、湘南一帯を差配する江川太郎左衛門であった。そこへ訥庵は向かったというのである。

「藤沢宿まではこの駒立山を下ればさして遠くではない。行ってみますか。まだそう遠くまでは行っていない。追い着くかも知れませんよ。」

氏俊が言った。澄琴は暫く思案していたが、やがて思い切る様に言った。

「止めておきましょう。そこまで訥庵を追い掛ける積りはありません。今日はたまたまこの鉄砲場に訥庵が居れば会ってみたいと思っただけ。あの人はあの人の思いで何かに取り掛かっているのでしょう。村上様がお話をしてくれると思いますので角屋でお話をお伺いするのを待ちましょう。」

そう言って澄琴は冷ややかな表情を見せた。氏俊にはそれは感情を強いて押し殺した様な無表情とも、あるいは度重なる落胆から来る虚ろな虚脱した表情とも見えた。

何れにしろ氏俊は今までにない、澄琴の本心に触れた様な気がした。むき出しになった澄琴の感情や思いがそこには表れている気がした。

駒立山を下り、片瀬山のなだらかな草原の道を歩きながら、澄琴は無言で何か想いに浸っている様だったが、やがて突然、

「ほほほほほ。もうこのことはお仕舞。とにかく三双屏風を描くことが今は大事です。」

と突然何時もの澄ました笑いに戻り、自らに聞かせる様な言葉を発して氏俊を顧みた。その笑いを聞いて、氏俊もやっと安心したのか、

「ははは、澄琴殿はこの笑いがなくては澄琴殿ではありませんな。それを聞いて私もほっとしました。でも、今日の事で澄琴殿の訥庵殿への想いが如何に深いものがあるか、垣間見た気がいたしました。訥庵殿はお幸せだと思いますよ。」

「ほほほほほ、止めて下さい。もう訥庵のことはどうでも良いという気になったのですから。もう早く忘れたいのが本音です。」

「そうですかな。とてもそんな感じには見えないが。」

氏俊が見ても、やはり澄琴の中の訥庵は如何なる形ではあれ、重く残っていることは確かだと思うしかなかった。

「如何ですかな。今夜は実は拙庵に、例の鎌倉中の気の置けない暇人が集って他愛ない話を肴に、

一献傾け合うことになっていますが、澄琴殿もお招きしたいのですが。何、連中はまことに気の置けない御仁ばかりですからな。澄琴殿の三双屏風の構想に良い着想が得られるかもしれない。」

「えっ。そんなところにお招きいただいてよろしいんですか。」

澄琴は一応恐縮の態を示しているが、目は既に好奇心に輝いている。前日二階堂廃蹟で植田孟縉の話をした時に見せた反応に近かった。

「勿論ですよ。何時も男ばかりの無粋な集まりですからな。澄琴殿の様な美人絵師が登場すれば、小宴も大いに盛り上がるに違いない。」

「そうでしょうか。折角のお仲間の会がぶち壊しになったりしませんか。ところでどんな方々がいらっしゃるのでしょう。」

「そうですな、先ずは東慶寺、英勝寺の寺侍、扇ガ谷に住する仏師。八幡宮の伶人。雪の下の商人で自称俳人。それに刀鍛冶もおります。まあ皆さん鎌倉の社寺に関係している面々なので鎌倉のことは良く知っている。大いに頼りになることは請け合います。」

「ほほほほほ、それは結構なことですわ。是非お仲間に入れていただきたいですわ。」

「よしそれで決まった。きっと連中は喜ぶと思いますよ。何と言っても今江戸で売り出しの女絵師の師匠がご相伴となれば。」

「ほほほほほ。私も楽しみですわ。」

澄琴も満更ではないという風に応えた。

十　小庵での酒宴

氏俊と澄琴は片瀬山を下り、江の島で待つ一行の残りと合流し、夕刻には角屋に戻った。小庵には今宵の酒宴に加わる面々が主人の帰りを待ちきれず、既に三々五々と酒杯を傾け合っていた。

こんな風に主人を含めてまことに気の置けない付き合いの仲間ではあった。一体こんな連中が氏俊の小庵に集うようになった経緯はと言えば、ひとえに氏俊という存在が少し素性が定かではないという所もあるが、鎌倉案内人を標榜していて、特に利害の関係がないことがあり、人となりに対する気楽さと安心感がなせる業であると言えた。

彼らにとって氏俊はまことに不思議な存在ではあった。鎌倉案内人とは言ってもそれ程案内業が繁忙を極めているとも思えず、日がな一日帳面と矢立を懐に入れて、鎌倉中を歩き回って何やら帳面に書き込んで過ごすことが多く、たまに案内の客を連れて名所旧跡に姿を見せることがあると言った方が良い。

だから彼らにとっては、氏俊の素性は一体何なのか。こんな何の足しにもなりそうにない生活で、一体暮らしが立つのかが不思議であった。

不思議に思って氏俊にこのあたりを聞いてみると、決まって返って来る言葉は、

「鎌倉案内人はまだまだ見習い中です。本業は今のところ江戸は市ヶ谷月桂寺の寺侍を務めております。」

という答であり、そこからは納得できる正体は相変わらず不明のままである。しかしこんな曖昧な存在である氏俊の鎌倉についての知識の豊富さや、人物の格調の高さの割には人当たりも良く、真っ黒な着流しに差している二本差しも、決して伊達ではなく本物の剣客の風格を漂わせていた。それもその筈、表立って人に言うことはないが、氏俊は神道無念流免許皆伝であって、武芸が盛んな喜連川藩に育って藩主の弟として、やる事と言えば撃剣と学問位しかなかったからである。

そのため、氏俊はいつも着流しに二本差しではあるが、見る人が見れば姿勢や立ち居振る舞いから相当剣術に身を入れて来た人物であるらしいことが見て取れた。そんなどこか秘められた所があり、取っ付き難い学者的雰囲気もあるが、一旦酒の席を共にし、付き合ってみるとこれ程面白い人物はないということを知り、氏俊の周りにいつの間にかこんな人達が集まって来る様になった。

「氏俊殿、お帰りがあまりに遅いので、宿のお豊に頼んで席を設えてもらった。勝手に始めてしまって悪かったかな。」

最初に口火を切ったのは、東慶寺の寺侍石渡氏である。この男は東慶寺が嘗ては喜連川藩と関係があったことから、氏俊に妙に馴れ馴れしい所があった。謂わば勝手に身内意識を持っていたと言

ってよい。

氏俊はそんな石渡を特に毛嫌いすることもなく、むしろ一番頼りになる近しい存在として一目置いてはいた。

「いやいや、帰りが遅くなって申し訳なかった。今日はお客人の希望で鉄砲場に見分に行っておった。」

「鉄砲場に。これはまた驚いた。何でまたあんな所に行かれたかな。それも客人のご案内でか。」

不思議そうに英勝寺の寺侍の寺門氏が訊いた。

「いや私も鉄砲場のご案内を頼まれたのは今回が初めてだ。それも江戸の女絵師で今売り出し中の澄琴殿と言われるお方だ。実はそのお方が今夜この小宴に来られることになっている。是非快く歓迎してほしいのだ。」

「勿論大歓迎だが江戸の女絵師が何でまた鉄砲場に案内を請われたのかな。鉄砲場を絵にしようということかな。」

刀鍛冶の山村氏が訊いた。

「いや、これは女絵師の元の御夫君が関係している話で、澄琴殿本人に後程聞いていただきたい。それよりも澄琴殿は今回鎌倉名所の三双屏風を描き上げようとされている。それを江戸のさる大寺に収めようという仕事で来られた。まだ鎌倉の名勝風景について詳らかではなく、そのために私に案内を頼んで来られたのだが、今日は是非鎌倉に精通された諸氏からもご教示いただければ有難いと申しておられる。」

こんな氏俊の説明に、一同の目が好奇心で輝き始めた。やがて澄琴が現れると、座が一時ざわめいた。中年過ぎの無粋な男ばかりの一座の中に、江戸好みの小袖をきりっと着こなした澄琴は、三十路半ばとは言え、まだまだこの座の中では華やかな雰囲気を作り出していた。

「今宵はお招きに預かりましてありがとうございます。江戸で絵師をしております澄琴と申します。皆様鎌倉にお詳しい方々と氏俊様からお聞きいたしました。是非鎌倉の珍しいお話を承りたいと思っております。」

と言って深々と頭を下げた。

「これはまた恐縮ですな。澄琴殿の様に華やかなお江戸で今売り出し中の絵師から見れば、鎌倉などは田舎で、昔からの生業を相も変わらず繰り返している我等をどうご覧になるか。お役に立てますかな。ところで今日は鉄砲場を見分されたとか。それはまたなぜですかな。」

刀鍛冶の山村氏が早速聞いた。

「ほほほほ。女絵師が鎌倉の鉄砲場を見たいなんて、多分驚かれたでしょうね。」

そう言って澄琴は昨日の瑞泉寺偏界一覧亭に上った時、そこで聞いた大筒稽古の事。元の夫の訥庵の事などを話した。

「それはご心配でしょう。訥庵殿は一体どこへ行かれたのかな。ここのところ異国船が良く出没いたしますからな。鎌倉にも沖の方に現れたことがあった。海の備えがうるさくなってきて、大筒稽古にも熱が入っているのでしょう。ところで三双屏風を描かれるとのこと。それには是非私共の寺のある扇が谷からの源氏山の眺めなどもよろしいかと思いますが如何かな。」

英勝寺の寺門氏が言った。水戸藩と繋がりのある英勝寺らしく、日頃から海防のことに自説を唱えるのが常であった。

「扇ガ谷は良いと思います。私も賛成だ。ここは嘗て関東管領上杉氏も住した場所であり、最も鎌倉らしい場所だと思います。英勝寺、寿福寺はもとより、浄光明寺もあり、ここから亀ヶ谷へ向かう道も風情がある。」

扇ガ谷に住する仏師の後藤氏と伊沢氏が口を揃えて言った。すると、今度は負けじとばかり、東慶寺の寺侍石渡氏が言う。

「亀ヶ谷坂を越えれば、山の内へ入って来る。山の内と言えば建長、円覚、それに東慶寺、浄智寺に至る。ここは外せない所でしょう。」

「皆さん仰ることはご尤もだが、何かお忘れではないかな。鎌倉と言えば八幡宮でしょう。先ずはこの鶴岡八幡宮から始めねば。鎌倉は八幡宮に始まり八幡宮に終わるというべきでしょう。澄琴殿の描かれる三双屏風も八幡宮が無ければ一体どこの風景かが分かり申さぬところではないですかな。」

八幡宮の伶人で笙の名人と言われる大石氏が言った。

「ほほほほほ、皆さんご熱心ですわね。ありがとうございます。本当はそれぞれの場所についてお詳しくお聞きしたい所ですが、楽しい酒の席ですからそうもいきませんわね。勿論皆さんの住されている場所を明日から廻ってみる積りです。」

澄琴が楽しそうに言った。

「ところで、澄琴殿には何か目指す所があるのですかな。もしあればそれをお聞きしたい。」

雪の下置石で仏具屋を営む安斉氏が訊いた。何と答えて良いか少し迷っている風情の澄琴を見て、氏俊が口を挟んだ。

「澄琴殿と瑞泉寺偏界一覧亭跡そして花ヶ谷慈恩寺跡をご案内したが、それらの寺は往時を偲ぶよすがもなく、荒れ果てた様を見せている。慈恩寺跡などは礎石も何も残ってはいない。菜の花が一面に咲いているばかりであった。そんな所でこそ澄琴殿の絵心が燃え上がる様で、何枚か絵を見せていただいた。澄琴殿はだから鎌倉は幻であると仰る。確かにこんな目で朽ち果てた鎌倉の古寺の風景を見れば、最早その風景は幻の中でしか元の姿を現さんのですよ。慈恩寺では澄琴殿が私の後姿を描いて、これで慈恩寺を菩提寺とした足利直冬の後姿を描く参考になると喜んでおられた。まあ、私にとっては当惑の至りですがな。」

「何、氏俊殿を足利直冬を描く参考に。それも後姿をですか。うーむ。でも何か分かる様な気もする。氏俊殿は元から幻に包まれた様なところがある。」

英勝寺の寺門氏が感心した様に言った。

「ほほほほ。私も失礼だったかなとは思っております。でも余りに後姿が私の想像する直冬様の姿にぴったりだったものですから。」

「いやそんなことは構わないのですよ。確かに二階堂殿はどこか幻の様なものを纏っている。正体不明な所が有り過ぎる。でもこれを余り問い質しても仕方がない。むしろそういう所があっても、いや逆にそういう所があるから氏俊殿は我等の酒の相手としては掛け替えのない人物と思っている。はははは。」

東慶寺の石渡氏が面白そうに笑って言った。

矢張りそうだったのか。氏俊は思わぬ所で小庵に集う飲み仲間の自分に対する本音を聞かされた気がした。そのきっかけになったのが、自分の後姿が幻の直冬の後姿に通じるという澄琴の言葉からだった。

あの花ヶ谷の菜の花畑で自分が鎌倉案内人二階堂氏俊を名乗っている内に喜連川氏俊という本当の自分が幻の様な存在になってしまったのではないかと思い始めた。それが、飲み仲間の言葉によって実際に証明された気がして、妙に落ち着かない気分になった。

しかしそれは仕方のないことなのだ。喜連川氏俊を名乗ることはできないのだから。だから、どこまでも自分は幻の様な鎌倉案内人二階堂氏俊を通すしかない。こんなことを氏俊が考えている内に、この辺りから座は盛り上がり始めた。何しろ澄琴は『新編鎌倉誌』を通じ、鎌倉をかなり研究しているし、元の夫から学んだ漢学の素養もあり、一座の人々との話題は尽きることなく続いた。

その晩、宴が果てたのは深更に及んだ。

十一　扇ヶ谷、亀ヶ谷坂、山の内

澄琴という珍客を得て、これまでになく盛り上がった宴席も、ようやくお開きとなり、各々三々五々と小庵の枝折戸を押し開けて、木々の中から往来に出ると、弥生の澄み渡った夜空に皓々たる満月が上っていた。

「澄琴殿、では明日は扇ヶ谷から亀ヶ谷坂、山の内ということでご案内いたしますかな。」

今晩の客人が各々の棲み家を自慢して、澄琴に頻りに語っていた場所を、矢張り一度は訪れてみるのが良いかと思い、氏俊はそう澄琴に別れ際に言った。澄琴も今晩の成行きから、そこは外せないだろうと思っていた様で、

「ほほほほ。そうですわね。あれだけ皆様にご自慢のお話をお聞きした以上、私も異論はござい

ません。明日が楽しみですわ。」

そう言って、澄琴は小庵と軒を接した角屋の宿へと帰って行った。

翌朝はうす曇りではあるが、少し春めいた暖かい朝であった。澄琴は起床すると早速妹の秀琴、弟子の篠と峰の三人に今日の予定を告げた。昨晩は鉄砲場見分の疲れを癒やす間もなく、氏俊の飲み仲間の酒宴に付き合って深更に宿に戻った時は、妹の秀琴も若い弟子達もすっかり寝入っていたので、知らせる機会がなかった。

これから扇ヶ谷から亀ヶ谷坂を通って山の内へ行くという今日の行程を告げると、一様に安心した表情を見せた。何分昨日が鉄砲場見分などという予想外の場所へ行き、大筒や鉄砲の音を聞きながら江の島を見物するなどという落ち着かない一日であっただけに、やっと画材を求めて鎌倉らしい旧跡を巡るらしいことに先ずはほっと胸を撫で下ろしたという趣である。

山の内に向かうということで、澄琴が気になっていたことがあった。それはお篠のことである。山の内というと当然あの松が岡東慶寺を訪れることになる。昨晩は東慶寺の寺侍石渡氏も氏俊の小庵に集うて、山の内や松が岡の事を語っていた。行けば歓迎されるとは思うが、女人しか寺には入れず、氏俊や番頭達は寺役所で寺侍の石渡氏と話をして待っているしかないが。

こんな話をした時お篠がどんな反応を見せるか。それが気掛かりではあるが、とにかくお篠に良く言い含めておくしかなかろうと思った。あくまでも画題として東慶寺を訪れるのだということをしっかりと言っておく必要があった。

何時もの様に氏俊が角屋の玄関に入ると、既に澄琴の一行は準備万端整えて、打ち揃って待機していた。先ずは氏俊が昨夜の礼を兼ねて今朝の調子を問うと、

「昨夜は有り難うございました。鎌倉に詳しい、鎌倉に深いご縁のある皆様に心の籠った掛け替えのないお言葉の数々をいただき、大変満足いたしました。ほほほほ。」

結構昨夜は酒もかなり飲んでいた様に見えた澄琴が、すっかりさわやかな表情でいるのを見て、

「ご気分は如何ですかな。昨晩のお酒はもうすっかり抜けましたかな。」

と氏俊が訊いてみると、

「ほほほほ。美味しいお酒でしたわ。でもすっかり酔いました。それ程お酒は強い方ではないので。」

とさりげなく答える姿に、氏俊はまた感心せざるを得なかった。一行の若い弟子達を見ると、皆一様に晴れやかな浮き浮きした表情が表れている。そんな若い弟子たちの雰囲気を解説する様に澄琴が言った。

「今日の予定はもう皆に話をしました。いよいよ扇ヶ谷から山の内へと鎌倉の中心をなし、名所旧跡を巡るということで、期待に燃えているのですわ。」

一行は角屋を出て岩窟小路を進み、先ずは寿福寺を参拝した。この寺の背後には実朝の墓と称す

矢倉がある。絵描き矢倉とも称し、天井に牡丹、唐草を胡粉で彩色した絵が描かれている。こんな鎌倉らしい矢倉の風景を若い女弟子達は相変わらずの熱心さで写生していた。ここから扇ヶ谷の中心に立ち、泉ヶ谷の浄光明寺に向かう所で振り返って寿福寺を見ると、その上に源氏山が見上げられる。こんな鎌倉の中心の風景を、氏俊の滑らかな語りを聞きながら、女弟子達はしっかりと写生に収めた。澄琴一行を案内しての鎌倉巡りも三日目となり、いよいよ鎌倉の名所旧跡の見所が次々と続くに従って、氏俊の舌は滑る様に滑らかになってきた。

しかもこの若い女弟子達の絵に掛ける熱心さがいよいよ氏俊を刺激して自然に絵の題材ということを意識して場所々々で説明を加えることとなった。最初澄琴に言われた題材を構想するお手伝いとしての氏俊の役割などとても無理だと思っていた自分が、何時の間にか澄琴の言う様に、先ずは名所旧跡を訪れる度に画材として何があるかということを考え、その説明をする様になっていた。知らぬ間に澄琴の願う様な役割に嵌ってしまっている自分を発見することになった。

一体これは何故なのだろう。氏俊はそんな自分を不思議に思った。これは矢張り何時の間にか澄琴の魅力に嵌って行っているらしい自分が、知らぬ間に澄琴の望む通りのことを始めてしまっているからなのだろうか。そんな筈はない。これまで自己流を貫いて、鎌倉案内人としての自負を曲がりなりにも持っていた自分が、そう簡単に澄琴の願う様な自分に変わって行くことはない筈であった。でもどうも結果として次第に澄琴の思う様な自分になって行っていることに氏俊は戸惑った。

しかしそれは必ずしも澄琴のためではないとも思えた。むしろこの若い女弟子達の写生に掛ける熱心さ、絵に対する執念に気付いて、とにかく彼女達の絵心をさらに刺激し、彼女達に思う存分鎌倉を描かせたいという欲求が氏俊の中に生じて来たからとも思えた。

しかし、では澄琴が行く先々の名所旧跡をどう描こうとしているのかは中々摑めなかった。それは氏俊が説明する一通りの内容を既に澄琴は概ね把握していて、澄琴はそこから自分なりの着想で絵を描こうとしているからだった。澄琴の心の中までは読もうとしても中々読めない。でもその心の中を読みたいという思いが逆に氏俊の心を悩ましくして、澄琴への屈折した思いがますます増さっていくのが分かった。

道は扇ヶ谷から泉ヶ谷に入って行く。この辺りは細い谷が深く刻まれた皺の様に入り組んでおり、幾つもの谷戸が扇ヶ谷に繋がっている。途中の道は概ね畑の中を通って行くのだが、その中にぽつんぽつんと生垣で囲まれた中に藁葺の家が建っている。

「あそこにある藁葺の家は、昨日小庵に集っていた仏師の後藤氏の家です。ここから泉ヶ谷の方へ向かう所に伊沢氏の家もあります。」

氏俊が澄琴に教えた。

「この辺りは仏師様のお家が多いのですね。」

「そうですな。今の鎌倉は寺で持っている様なものですからな。その寺の仏像を支えているのが仏師の皆様であるわけだ。」

一行は泉ヶ谷から浄光明寺へと向かった。この寺は寺自体も古いが、むしろ冷泉為相が住したということで名前が通っている。往時は栄えていた様ではあるが、今は阿弥陀堂が残るのみである。

「為相の事はご存じですかな。『新編鎌倉誌』にもあるし」

「勿論ですわ。でも本当にここに住していたのですか。母の阿仏尼は『十六夜日記』も残していて、それを読めば鎌倉に来たことははっきり分かりますが。」

「さすが大和絵のご師匠。よくご存じですな。為相が住んでいたこの裏の谷戸に藤ヶ谷という名前も残っていた様だから、まず住していたことは間違いないでしょう。何しろ立派なお墓まであるんだから。」

澄琴と氏俊がこんな話をしていると、弟子達が阿弥陀堂の裏にある山を刳り貫いて絶壁の様になっているところに刻まれた階段の方に好奇心が湧いたらしく、ここを上って行こうという話で盛り上がっていた。そして石段を上がって行った弟子達が上の方で感嘆の声を挙げて写生を始めたらしい。賑やかなざわめきが否応なく澄琴達にも聞こえてきた。後を追う様にして澄琴と氏俊もその階段を上って行った。

上に上ってみると、そこはかなり開けた場所で、そこから寺の屋根を下に見て、その先には右手の源氏山と左手の泉ヶ谷と八幡宮を隔てる丘の間から、若宮大路に沿って点在する集落が見渡せた。

そして一の鳥居から先には由比ガ浜も一望の下に眺められた。

改めて見ると、その風景は松を中心とした樹木に覆われ、ぽつりぽつりと藁葺の家が見える外は、畑が広がっているばかりであった。

「今の鎌倉はこんな鄙びた場所です。澄琴殿の様に鎌倉に幻を見ないと何ということもない鄙びた村里に過ぎない。どうですか。為相とこの風景。何か絵になりそうですか。」

「ほほほほ。中々難しい所ですね。確かにこの眺めは素晴らしい。為相という人は矢張り直冬とは全く違う存在です。為相は鎌倉に来て武士の力を借りて中納言にまで出世し、訴訟にも勝利した訳で、うまく立ち回った人物のようですね。それが絵になるかどうか。私にはうまい構図が浮かびませんわ。」

「ははは。そうですか。成る程。中々手厳しいお考えですな。澄琴殿の絵にしたい様な好みの材料ではないという訳ですかな。」

「ほほほほ。勝手なことを言ってすいません。でもこの眺めだけは素晴らしいと思います。」

「ところで今日で鎌倉巡覧も三日目となりましたが、三双屏風の構想は多少は纏まりましたか。」

「ほほほほ。三日目とは言っても昨日は鉄砲場で一日終わった様なもの。まだまだこれからですわ。これから向かう山の内が楽しみです。東慶寺には是非行かねばと思っています。」

「承知しました。山の内は見所が多い。そして昨夜の東慶寺の石渡氏も言っておりましたが、ここから亀ヶ谷坂を越せば直ぐですからな。ところで松が岡と言えばご同行のお篠さんと申されるお弟子がおられますな。まさか松が岡へ駈け込んだりはしないでしょうな。」

そう言って氏俊は少し離れて他の弟子達と熱心に写生に没頭しているお篠の方を盗み見た。

「ほほほほ。それは大丈夫。良くお篠には言って置きましたから。むしろ松が岡とはこういう所だと見せて置いた方が良かろうと思っております。」

「成る程左様ですか。そこは澄琴殿にお任せするしかありませんな。あそこは女人の方々しか中門の中には入れませんので、私共は寺侍の居る役所で待っているしかない。」

浄光明寺を出て、一行は亀ヶ谷坂を上がって行った。かなりの急坂であり、両側は山が迫っていて、昼でも木々が道を覆う様に茂っており、ひんやりとした冷気の中を進んで行く。やがて山の内を貫く鎌倉街道に出た。右は焔魔堂で有名な円応寺があり、その先は建長寺に至る。

一行は街道を左へ曲がり、東慶寺へと向かう。途中には鎌倉五山の一画である浄智寺もあるが、先ずは東慶寺へ向かおうというのだ。これには妙に松ヶ岡東慶寺を意識しているお篠という弟子を抱え、先ずここを見せてしまった方がお篠の気持ちも落ち着くだろうと考えた澄琴の配慮と、昨夜氏俊の小庵へやって来て大いに鎌倉について語ってくれた石渡氏が寺侍を務めるこの寺を訪れて昨夜の挨拶をしておこうという氏俊の気持ちとが一致したからでもある。

東海道を戸塚から分かれて鎌倉へ向かう旅人は、鎌倉街道に入って小袋谷から山の内へとやって来る。その鎌倉街道を逆に進んで、一行は木々の深い茂みの中にある浄智寺の山門を横に眺め、東慶寺の門前に至った。先ずそこには街道を挟んで両側に御用宿が建ち並んでいる。建ち並んでいるとは言っても街道の左手、東慶寺の敷地に喰い込んだ様に建っている柏屋という宿と街道に面した反対側には、仙台屋と松本屋という二軒の宿屋があり、全体で三軒の御用宿がある。

一行はそこで厳めしい構えの惣門の前に立った。惣門の右側には門番が立っていて、参拝者達を睨んでいる。ここがあの駆け込み寺、松が岡東慶寺である。若い女弟子達、特にお篠はきょろきょろと興味深そうに周囲を見回している。先ずここで氏俊は松が岡東慶寺のあらましについて説明を加えた。夫から離婚したいという女人がここへ訴え出れば、事情を聞いた上で二年間この寺で修業すれば晴れて離婚できること。夫がそうはさせじと逃げ込もうとした女人を追い掛けて来た時も、ここで持ち物を門内に投げ込めば訴えを聞いてくれること。そのため門前に居る門番の役割は極めて重要であること。そして門前に三軒ある御用宿のこと等を流れる様に説明した。

その情景を門番は珍しそうに眺めていた。勿論お篠も真剣な表情で聞いていた。澄琴もそんなお篠の様子をちらちらと見ていた。

「氏俊様ありがとうございます。若い人たちにもどんな所か知ってもらわなければなりません。早速中に入ってみたいですね。」

「そうですな。ここは中々出入りについては厳しい所で、山門から先は男子禁制ですからな。」

そう言って門番に言伝をすると門番の注進を受けてやがて石渡氏が現れた。

「これはこれは二階堂殿、そして澄琴殿御一行。よく来ていただいた。昨日はまことに楽しい一夜を過ごさせていただき、久しぶりにおいしい酒を飲ませていただいた。江戸で評判の美人絵師と同席し杯を傾け合うなどということ、これ以上の幸せはござらん。まあ今日はゆっくり当寺をお参り下され。もっとも二階堂殿も良くご存じの様に山門から内は男子禁制でござる。しかし観音堂は山門の外でござるので、先ずは皆様をご案内いたす。それから澄琴殿以下妹御やお弟子の方々には山門内に入り、仏殿等をご案内させていただきます。その間二階堂殿以下男子の方はこの脇にある役所の方でくつろいでもらいましょう。」

こんな風にして、一行は先ず観音堂に向かった。ここは普段は誰でも入れるわけではなく、年に何日か諸人に公開されるのみで、参拝するには特別の案内が必要であった。

石渡氏が先導して堂前の階を上がると両開きの所謂観音開きの扉がある。石渡氏はその扉をきしむ音とともにゆっくりと開けた。薄暗い堂の中に観音の姿が浮かび上がった。そこには聖観音立像を中央にして、水月観音木像、そして観音半跏像が安置されている。

一同は外からの柔らかい光に浮かび上がった三体の観音の姿にほうという感嘆の声を挙げた。暫くはその姿に見とれていたが、やがて妹と弟子達は誰言うともなくそれらの観音像を写生し始めた。澄琴はしかしまだじっと眺め入っている。

「聖観音様は尊厳に満ち、水月観音様は優しさに溢れておられるが、艶《あで》やかとも言える様な美しさを持っておられますね。」

と言って感に耐えない風に眺め入った。

「私も同感ですな。何時見てもこんな艶《なま》めかしい観音様は見たことがない。流れの岩上に座して足を水に垂らしたまま、水に映る月を眺めている姿ですな。水月観音とはよく言ったものだ。」

氏俊が少し解説して見せた。

「ほほほほ。成る程そういうことですか。氏俊様は仏像のことにもお詳しいのですね。」

「まあ受け売りですがね。」

「どなたからのですか。」

「石渡殿からですよ。あの方は尼御前から色々と話を聞いている。」

「駆け込みのこともですか。」

「勿論。駆け込みの始末は松が岡役所の正規の仕事ですからな。むしろ詳しいことは石渡殿の方が良く知っているかも知れない。」

「そうですか。それは是非石渡様に後程お聞きしたいところですわ。」

「結構ですよ。山門の中の仏殿を参られた後、松が岡役所でお話を聞けばよろしい。何ならお弟子の方々も一緒にお聞きしたらどうですか。私も漏れ聞いたところですが、松が岡の尼寺での暮らしは中々厳しいものがある様ですよ。まあそこまでして夫から逃れたいという不幸な女人も多いということですかな。この辺りは澄琴殿と全く逆ですな。澄琴殿は三下り半を突き付けられて、むしろ元に戻せと仰っている。」

「ほほほほ。そう簡単なことではありませんわ。ちゃんと三下り半の事情と理屈ははっきりさせて欲しいと言っているだけですわ。私だって生身の女ですから。」

「まあ、この話はむしろお弟子を含めた若い方にお聞かせした方がよろしいですかな。でもまあ若い方々が夫と添い合う前から離縁の話に詳しくなるなどというのも奇怪な話ではありますがね。」

「ほほほほ。そんなことにならない様に祈りたいということに尽きますわね。」

澄琴達が山門の中に入った後、氏俊と伊助と与吉は松が岡役所の中で石渡氏と対していた。話は喜連川家と松が岡東慶寺との関係に及んだ。どちらから切り出すともなく話題はそこに向かう。

「世が世なら二階堂殿が私の代わりにここに座っていたやも知れない。何十年前か喜連川から入寺した尼御前と共に喜連川藩から来ていた人に確か二階堂氏という方がおられたと聞きます。」

「そんな話を月桂寺で尼御前から聞いたことがある。月桂寺は今でも喜連川とは深い関係にある。まあしかし駆け込み女のお世話など私は勘弁願いたい所ですな。石渡殿のご苦労が分かる気がする。」

「はははは。確かに大変な仕事ではあります。しかし今は御用宿というのがあって、寺の前に三軒もあり、駆け込みは先ずここで対応させています。これがまことに大変な仕事ではありますがお陰様で大分助かってはいます。」

「実は石渡殿にお願いがあるのですが。」

と氏俊が切り出した。

「それはまた何ですかな。私で出来ることなら何なりと。」

「今ご案内をしております澄琴殿の弟子にお篠と申す者がおります。どうもそのお篠が当寺への駆け込みに関心がある様で。かなり切実な事情がありそうなのですな。今すぐということではなさそうですが、このお篠、江戸でかなり大きな商家の娘御なのですが、許嫁がいて、いずれはその商家の嫡男と婚儀が約束されている。しかしそこに降って湧いた様に恋仲になった若い男が現れた。そこで澄琴殿の話によるとこの松が岡の駆け込みを利用して、許嫁との婚儀を潰してしまおうとの考えではというのですな。」

「ほほう、それは穏やかならぬことですな。しかし松が岡の駆け込みをそんな風に利用されては困りますな。嘗てはそんな話があったとも聞いたことがあるが。で、私にどうしろというのですかな。」

「つまり、その松が岡に駆け込んでも二年間は修業をしなければならず、ここで暮らすことの大変さについてとっくりとお話をしていただき、そんな企みを思い留まらせていただきたいのですよ。」

「はははは、中々大変な役割ですな。少々際どい話ではある。それは私などよりお篠のことを良く知っている澄琴殿が相応しいのではありませんか。」

「まあ、確かにそうですが。松が岡の実態を良く知っておられるのは石渡殿なので一般的な話としてさりげなくお話をしていただければよろしいのですよ。」

「成る程。特にお篠殿へということではなく、皆さんに松が岡の実態をこの機会にご説明をするという体になりますかな。」

「左様その通りです。そんな感じで宜しくお願いします。」

やがて澄琴達は仏殿の参拝を済ませ、松が岡役所へと遣って来た。

「それでは石渡様、東慶寺のお仕事、入寺された方々のお勤めのこと等、お聞かせ下さい。」

澄琴がそう言って深々と頭を下げると、秀琴と女弟子達も同様に頭を下げた。。こうして始まった石渡氏の話を一同はじっと聞いていたが、お篠の様子を氏俊がちらちらと盗み見ると、食い入る様な真剣な表情で聞き入っている。この話がお篠にどの様な印象を与えたか、その行動にどう反映されて行くかはこれからの澄琴の観察に任せるしかなかろう。氏俊の役割はここまでである。一行が松が岡東慶寺を辞し、山の内の諸寺を廻って、巨袋坂から角屋に戻ったのは早春の陽がどっぷりと暮れ掛かる頃であった。

十二　鎌倉巡歴の終わりと村上与力の来訪

ここまで鎌倉の諸寺、名所、旧跡を廻って来て、澄琴の鎌倉巡歴は佳境に入って来た様である。澄琴の中で少しずつ三双屏風の構想が固まって来た様に見えた。

或る日、『新編鎌倉志』に記載されている寺や名勝を澄琴の求めに応じて廻る内に、氏俊は澄琴がはっきりとは口には出さないが、ある一つの傾向に沿って巡っていることに気付いた。

「いよいよ三双屏風の構想が出来上がって来たのではないですかな。澄琴殿が求めるものが何なのか相変わらず分からないのですが何故かそんな感じがする。」

「そうですか、氏俊様にはそんな風に見えますか。でもまだ私にとっては皆目全体が見えて来ないのですよ。」

「鎌倉の歴史を見て行くと、皆滅びの歴史なのですな。源氏然り、北条氏然り、そして鎌倉公方の足利氏然り。全て滅亡の道を歩んで来た。その間にも比企氏、三浦氏、和田氏、安達氏、畠山氏と数多の豪族が、或いは策略に溺れ、或いは陰謀に陥れられ、次々と滅んで行った。澄琴殿があの慈恩寺跡でふと漏らした様に〝鎌倉は幻〟という言葉はぴったりとここに当て嵌まるのです。澄琴殿はそんな思いに寄り添う場所を選び、その滅びと幻の世界を絵にしようとしているのではないですかな。」

「ほほほほ。氏俊様もさすがですわね。鎌倉について深く極めて来られた方らしいお考えですわね。でもそんなに私ははっきりと深く考えている訳ではありません。大体絵の中でそんなに滅びや幻を現すのは至難の技だと思います。でも氏俊様は私の好みを良く言い当てられている。これからまだ何か所か廻りたい場所があります。氏俊様のご意見も聞きながら残りの巡歴を終えたいと思います。」

それから再び数日に渉って巡歴が始まった。氏俊と澄琴とどちらが言うともなく、巡った場所は阿仏尼と縁のある極楽寺と、住したという月影ヶ谷。化粧坂と海蔵寺。東勝寺や宝戒寺、そして覚園寺や浄妙寺、補陀落寺から光明寺という風に鎌倉を縦横に極めて行った。そこにはどこと言って脈絡がある訳ではない、ほとんど思い付きと言ってもよい組み合わせである。要するに見る人の意識や気持ちでその場所は如何様にも変わるのである。そして光明寺に至った時、ほとんど鎌倉を行き尽くしたという感じに浸る中で澄琴が言った。

「ここまで鎌倉を巡って来て、やってみたいことがあります。最後に鎌倉の全貌を海の方から眺めてみたい。偏界一覧亭から最初に鎌倉を山の上から眺めたのですが、最後は海の上から見渡してみたいのです。一度由比ガ浜の西端の浜から光明寺のなだらかな甍の姿を海辺の上から見えるのを眺めた時感じたのです。一度前浜の遠くに繰り出して、そこから鎌倉の風景を見てみたいと思いました。氏俊様、これは可能でしょうか。」

思いも掛けない澄琴の言葉に氏俊は少し戸惑った。海の上からの鎌倉風景とは氏俊も眺めて見たことはなく、そういう着想自体初めて聞いたからである。少し考えてから氏俊が言った。

「やってみましょう。そんなに難しい話ではない。」

「ほほほほ。そうでしょうか。出来ますでしょうか。さすが氏俊様です。お任せします。」

氏俊は早速近くの漁師の小屋へ行き、釣り船を三艘借り、和賀江島に運ばせ、そこから氏俊と澄琴、秀琴と女弟子二人、そして伊助と与吉を各船に乗せ、漁師の櫂で沖合へと繰り出した。

女弟子達は最初は不安気にしていたが、海から眺められる背後の山々の麓に松の林の奥に所々見える寺々や家々の藁ぶき屋根の眺めに歓声を上げ始めた。女弟子達は早速夢中になって写生を始めた。

海の上にたゆたう船からの鎌倉のゆったりと東西に広がる風景は実に穏やかで静かである。

「静かですな。」

氏俊が言った。

「そう言えばここのところ鉄砲場の大筒や鉄砲の音が聞こえませんね。」

「そろそろ大筒稽古が終わった様ですな。となると村上与力が角屋にやって来てもおかしくない。」

「海からの鎌倉の姿を眺め、三双屏風の材料が一通り揃い、村上様のお話を聞ければ鎌倉でやり残したことはありません。」

「ということは江戸に帰るということになる訳ですか。澄琴殿と別れるのは少し寂しい気もする。がしかし止むを得ないことですな。」

「それは私もですわ。氏俊様には良く鎌倉を案内していただき、いろんな所で助けていただきました。三双屏風の目途が立ったのも氏俊様のお陰です。」

こんな言葉を澄琴から聞き、不意にささやかな感慨に打たれた。何と言ったら良いのかわからない感慨が湧いてくるのと、抑え切れず澄琴の方に目をやると、澄琴も氏俊を眺めていて、そこで目が合った。少し寂しさを湛えた澄琴の目に思わず見入ると、澄琴はかすかに笑って目を逸らした。

「氏俊様は相変わらず良く分からない所があって、でもそれが氏俊様の素敵な所かも知れない。ほほほほほ。」

澄琴が呟いた。

「分からない所とはいったいどんな所ですか。」

「それはどうして私にこんなに優しくしてくれるのかという所ですね。ただの鎌倉案内人の務め以上のことを何時もなさってくれていると思います。」

そんな澄琴の言葉を嚙みしめながら、氏俊は再び前に広々と横たわる鎌倉の海辺の穏やかに広がる風景と緑の山々の連なりを眺めた。そこに点在する藁ぶき屋根と時たま混じる寺社の瓦屋根の風景を眺めた。

実は氏俊にも昨夜、ある便りが届いた。それは喜連川からのもので、藩主の彭氏《ひろうじ》の署名があった。江戸の月桂寺を経由して氏俊の下に届いた。勿論表向きの宛名は二階堂氏俊となっている。月桂寺の尼御前が気を効かせてくれた様だ。鎌倉で氏俊が喜連川を名乗らず、二階堂氏俊で通していることを知ってのことだ。内容はと言えば、氏俊に対する喜連川への招喚の話である。藩ではいよいよ藩校を作ることになった。貴公が江戸や諸国で培った学識、経験を藩校の設立で生かして欲しいというものであった。

喜連川を出てからもうかれこれ十数年になる。その間江戸の月桂寺を軸にして鎌倉へ足を伸ばし、そこが第二の拠点からむしろ鎌倉案内人として落ち着き始めた時であった。氏俊の本心としてはあえてここで喜連川へ戻るということは考えられなかった。しかし藩主である兄が藩校の設立のために氏俊を必要としていると言われれば戻らねばならないという気持ちもあった。だが本当に氏俊が喜連川に戻って、居るべき場所があるのだろうか。そこに一抹の不安があった。決断をするにはもう少し落ち着いて考えてみる必要があった。

「氏俊様。あの辺りが偏界一覧亭のある尾根の頂でしょうか。」

澄琴が感慨深そうに、右手の方の山陰の一画を指さした。ひと際高い天台山が聳え、そのすぐ下に偏界一覧亭があった。

「そうですな。その辺りでしょうな。こうして見るとまことに鎌倉は山の連なりですな。」

「偏界一覧亭の眺めから始まり、この海からの鎌倉の一望に至って鎌倉巡歴はいよいよ締め括りを迎える訳ですね。」

「澄琴殿の三双屏風の構想はいよいよ確かなものに固まりましたかな。」

「ほほほほ。どうでしょうか。と言うより何とか三双屏風を描くための取っ掛かりが出来た位でしょうか。江戸に帰ってから向島の寮で制作に取り掛かる積りです。絵が完成したら是非氏俊様にも向島にいらして下さい。」

長閑な日和である。船は若宮大路が真正面に見える場所に至った。真っすぐに伸びた若宮大路の先には八幡宮が見えている。石段を下り、一の鳥居を経て二の鳥居を進み、由比ガ浜の手前に立つ大鳥居に至る。そして若宮大路の両側には、松の大樹が隙間なく並んでいる。波間に揺蕩《たゆた》う船から鎌倉の中心を眺めていると、澄琴の言った〝幻の鎌倉〟がまるで蜃気楼を見ている様に氏俊の脳裏に現れては消えて行く。

「氏俊様は何を考えていらっしゃるのですか。夢を見ている様なお顔をして。ほほほほ。」

澄琴が可笑しそうに笑った。

「いや、こうして揺蕩う船から若宮大路を真正面に見て、鎌倉を眺めていると、澄琴殿の言う

〝幻の鎌倉〟が浮かび上がって来る様に思えたのですよ。」

「確かに素敵な風景ですね。」

「絵になりそうですか。」

「ほほほほ。心に止めておきましょう。描いてしまうと幻が消えてしまいそうですから。」

そう言ってお茶目に笑って見せた。

こうして一行は鎌倉巡歴の最後を舟からの観望でしめくくると、夕刻には角屋に戻った。それから暫くして、氏俊が予感した様に村上与力が澄琴の部屋に現れた。

「随分お待たせしてしまいましたな。ようやく大筒稽古も終わりましたので、お伺いすることができる様になりました。」

「お役目お疲れ様でございます。大筒の音が聞こえなくなったので、そろそろお出でいただけるかとお待ち申し上げておりました。」

「稽古は一昨日に終わったのですが、後始末が色々とありまして、遅くなってしまいました。ところで澄琴殿の例の何でしたかな、屏風の作成の方は終わったのですかな。」

「お陰様で今日で鎌倉での仕事は終わりました。後は江戸の私共の向島の寮で制作に掛かるばかりです。」

「それは良かった。最早江戸に戻られてしまったかと心配していたのですが、丁度間に合ったわけですな。」

「いえ何があっても村上様のお話をお聞きしてから江戸へ戻ろうと思っておりました。あるいはその気持ちが通じたのかも知れません。」

「ははは。中々お上手ですな。そう言われると私もここへ来た甲斐がある。」

「如何ですか。その後何か動きがありましたでしょうか。」

「早速ではその辺りのお話をいたしましょう。実は御夫君訥庵殿とその後藤沢の私共の宿でお会いしました。その後のことからお話を申し上げましょう。」

そう言って村上与力はそこで一息、息をついた。

「少し長くなりますが、一通り先ずお話をいたします。藤沢の宿で訥庵殿が来られてこんな話をされた。訥庵殿は江川坦庵殿と接触をしたとのこと。江川殿はご存じの様に藤沢の代官を務められ、本拠は伊豆の韮山にあり、武蔵、相模、伊豆の各所で代官を務められている。大筒についての学識が深く、最新の砲術を取り入れようとされていた。ご存じの様に訥庵殿は軍学者として砲術について研究をされていてそれが縁で私共荻野流ともお付き合いすることとなった。そこで先ず大塩の一件が起こり、これは全く訥庵殿は大塩とは無関係であることが明らかとなり、一件は落ち着いたのです。ここまでは澄琴殿も良くご存じの所でしょう。それから例の蛮社の獄という事件が起こった。まあこれは渡辺崋山殿や高野長英殿等の蘭学者が幕府のお咎めに遭ったという事件だった。これには実は鳥居耀蔵殿という蘭学嫌いの人物が関わっていたというのが通説ではある。この時も多少訥庵殿はこの蘭学者の人々と接触していたこともあったらしい。この事件が発生して訥庵殿は自分にも手が廻るのではなかろうかと例の用心深さで大分警戒したようだ。しかしこの事件は訥庵殿とはほとんど関係がなかった。この鳥居耀蔵殿は蘭学とかなり相性が悪い。

この頃高島秋帆殿が長崎から江戸に来て、徳丸ヶ原で西洋砲術の試射をした。これには老中以下幕府もかなり期待した。まあ私共伝統的砲術家から見ると少々肩身の狭い思いもあったが、時代の流れであり、止むを得ない所ではあると思います。これにより訥庵殿は高島流砲術にかなり興味を持たれた様ですな。訥庵殿は高島秋帆殿と交流のある江川殿に紹介を頼んだようですな。しかし蘭学と相性の悪い鳥居殿は高島殿に対してもかなり厳しい対応をされている。でもそれにも関わらず訥庵殿はあくまでも高島殿から洋式砲術の伝授を受けたいと思っておられる様だ。訥庵殿のこのあたりのこだわりはかなりのものに見えた。それにより鳥居殿からあらぬ嫌疑を掛けられることとなったとしても覚悟を決めた様です。まあこんな所が今の訥庵殿の状況と言えるでしょう。」

ここまで聞いて澄琴はため息を付いた。

「大体様子は分かりました。相変わらず訥庵は自らの身の安全に不安を持っている。そしてそれも覚悟の上で洋式砲術を極めようとしている訳ですね。暫くは矢張り三下り半がそのままということになるのでしょうね。」

「その辺りは澄琴殿と訥庵殿との関係ですので私には何とも申し上げられません。ただし訥庵殿が最後に澄琴殿へという言伝をいただきました。」

「え、私に訥庵がですか。訥庵が何を言っていたのですか。」

「必ず時が来れば三下り半は取り消すので、それまで待って欲しい。ただしこんな私に愛想を付かしたのなら、私のことは忘れてくれ、ということでござった。御夫婦のことを私がお伝えするのも妙であり、中々言い難いのでご自分で言われたらと言ったが、『今は三下り半を出した以上、赤の他人なのでそれは出来ない。』とのことであった。中々訥庵殿は難しい御仁ですな。」

そう呆れた表情で笑った。

「ほほほほ、そうなのですよ。呆れた夫ですの。いや元の夫ですけどね。矢張り忘れてしまうのが良い様ですね。」

と言って澄琴はため息を付いた。こんな訥庵のことだから、また忘れた頃に向島の寮あたりにやって来て、何事もなかった様に話して帰って行くかも知れない。改めて澄琴はこんな関係でも良いのかも知れないと思った。全て承知の上でまるで赤の他人の様に付き合う。それが今の二人には一番ぴったり来るのかも知れないと思った。

村上与力が帰った後、澄琴は何か収まらない思いのまま、氏俊の庵の戸を叩いた。明日はいよいよ江戸に帰る日なので別れの挨拶と今日の村上与力との話を誰かに打ち明けたいという想いが重なったからである。

晩酌を終えて少し顔に赤みがさした表情に笑みを浮かべて、氏俊は澄琴を庵室に迎え入れた。

「明日はいよいよ江戸へお帰りになりますかな。澄琴殿が居なくなると思うと何やら寂しくなる。」

「ほほほほほ。そう言って下さるだけでも嬉しいですわ。先程村上与力が来られまして、元夫の訥庵のことを話して行きました。」

「ほう、江戸へ帰ろうという前日に丁度図った様に来られた訳ですか。どうでしたかお話は。吉報でもありましたかな。」

「相変わらずですわ。でも村上様に私に伝えてくれと言って、いずれは三下り半を取り消す積りなので待っていて欲しい。でもこんな私に愛想が尽きたというのなら、私のことは忘れてくれという言伝があったと言うのです。」

「ほほうそれは良いことではないですか。訥庵殿の本心が現れている様な気もするが。そしてどんな状況で三下り半を書いたのか分からないが、自分のことを忘れても構わないというのは、どんなことがあっても澄琴殿に未練は残さないということではないですかな。しかし訥庵殿はそんなに妻想いなのに何が訥庵殿の行動を阻んでいるのですかな。」

「その辺りも村上様からお話をお聞きしました。訥庵は砲術への傾倒がますます嵩じて、いよいよ西洋砲術の方に関心を深め始めております。そしてこの間長崎から江戸へやって来て、江戸で砲術の稽古をお上にお見せしたという高島様という西洋砲術の名人に弟子入りしたいと言っている様です。しかしそこに洋学嫌いの鳥居というお役人が立ちはだかっていて、場合によっては大塩の時の様にお上の詮議を受ける羽目になるかも知れないと思っている様です。」

「成る程。それで相変わらず三下り半は取り消しできないという訳ですな。」

「そういうことなのです。まことに嘆かわしい限りでして。もう一層本当に完全に別れてしまった方がどれだけ気持ちが楽になるかとも思います。失礼とは思いますが、氏俊様の様な方と暮らしていれば、どんなに毎日が楽しかったろうと思います。氏俊様にはこの鎌倉巡歴でご案内いただき三双屏風に取り掛かる準備も出来、本当にありがとうございました。」

そう言うと澄琴は顔を俯けたまま、感に耐えずこぼれた涙を懐紙でぬぐった。しかし氏俊にとってはふと漏らした澄琴の言葉が、天にも昇る様な喜びを与えた。しかしそんな喜びばかりにも浸っている訳にはいかなかった。いずれは言わなければならないことがあった。それは二階堂氏俊とは仮の姿であり、実は喜連川氏俊が真の自分であること。そして今は兄の藩主から、喜連川に戻ることを求められていること。それを今この時に話さざるを得なかった。それが更に澄琴に辛い思いをさせることは明らかであった。しかし今言うしかないのだ。曖昧なままここで別れてしまう訳にはいかない。それが氏俊の今の想いであった。

「実は澄琴殿に話しておかなければならないことがある。こんなことを別れ際にお話しするのはまことに辛いのだが、もしかするともうこれでお会いすることはないかも知れない。だからお話ししておかねばならない。」

そう言って氏俊は息を詰めた。

「ほほほほ。随分かしこまって、何時もの氏俊様らしくないですわ。」

澄琴の表情も軽く笑ってはいるが、不安の気持ちが見て取れた。

「これまで私は二階堂氏俊と名乗っていたが、実はこれは仮の姿なのです。私の本当の名前は喜連川氏俊と言います。」

「え、喜連川氏俊様というと、喜連川藩の藩主のお血筋の方ということになるのですか。」

驚いた表情の澄琴は確かめる様にそう聞き返した。

「そう言うことです。今の藩主は彭氏と言いますが、私は藩主の弟になります。しかし部屋住みの身でして、今は兄の藩主の命を受けて藩校の設立のために江戸で遊学していることになっています。」

「そうですか。そういうことだったのですか。」

澄琴はまだ信じられないという表情で氏俊をじっと見つめた。

「そう言えば氏俊様にはどこか分からない所がありました。何か隠れたものを持っている様な気配がありました。でもそこが氏俊様の魅力ではないかと私は思っていました。今その話をお聞きすると、成る程と納得する気もします。でも矢張り驚きです。」

澄琴は暫く複雑な気持ちのまま、どう自分の中で消化すれば良いのか戸惑っていた。

「江戸での遊学の筈が鎌倉を何度か訪れ、鎌倉好きが次第に高じて、こうして鎌倉案内人になってしまったのですが、それもどうもこの辺りで一旦廃業せざるを得ない事態になりました。」

「それはまた何故ですか。この話は聞かなかったことにしますので、またお続けになって下さい。二階堂氏俊様のままで居て欲しいのです。」

「実は昨夜兄の彭氏から手紙が参りまして、いよいよ藩校を設立するので、喜連川に戻れと言う知らせがありました。私も本当は鎌倉でまだ案内人を続けていたいのですが、藩主である兄の意向であるので、戻らざるを得ないかなと思っています。しかし今戻っても部屋住みの身ですから、私の居るべき場所が喜連川にあるかどうかは分かりません。もし居場所が無いとしたら、また鎌倉に戻ってくることになるやも知れません。」

「そうですか。藩主であるお兄様のご指示とあれば止むを得ませんわね。でも寂しいことですね。是非また鎌倉に戻っていただきたいわ。三双屏風が出来上がったら向島の寮にもいらしていただいて、ご覧いただきたいと思います。」

「分かりました。私も完成した屏風を見てみたい。」

「でも氏俊様のご案内で巡歴をした鎌倉は楽しかった。偏界一覧亭から始まり、花ヶ谷、鉄砲場、そして東慶寺。氏俊様のお友達との宴にも加わらしていただきました。最後は海からの鎌倉の眺めも無理を言って実現していただきました。考えてみますと、氏俊様が喜連川様のお血筋というと、ご先祖は鎌倉公方の足利様に繋がる訳ですね。すると鎌倉公方の足利様のご子孫である氏俊様が鎌倉案内人をやっておられるということになりますね。そんな方に鎌倉を案内していただいたというのは私にとってはこれ以上にない幸せだと思います。」

「いやいや、お恥ずかしい限りです。私も澄琴殿の様な今江戸で売り出しの美人絵師のご案内をできて楽しい思いをさせていただいた。」

「今日の様な話を氏俊様からお聞きするとは思わなかったのですが、実はお持ちしたものがございます。」

と言って澄琴は布の包みの中から色紙に描いた絵を取り出した。それを見ると花が谷で満開に咲いた菜の花畑を背景に氏俊が黒い着流しの後姿を見せて物思いに耽る様に佇んでいる絵が置いてあった。

「どうぞよろしければこの絵を記念にお持ち下さい。」

「ははは。澄琴殿はどこまでもお茶目ですな。この絵を記念にいただけるのですか。」

じっとこの絵を眺めている氏俊に向かって澄琴が言った。

「考えてみると氏俊様は足利の御子孫ですから、あの時この後姿は直冬様の後姿になると思ったのは当たっていたのかも知れませんわね。ほほほほ。」

「おっしゃる通りだ。この絵を花が谷でちらっと見た時私も同じ思いをいたしました。澄琴殿のお茶目はただのお茶目ではない。実は真実を突いたお茶目なのかも知れませんな。」

そう言うと氏俊は背後の和綴じ本の詰まった書棚の一画から真っ白な色紙を取り出し、脇にある書き机に置いた。

「では私も澄琴殿にこれを書いて差し上げようと思う。」

そう言って墨痕鮮やかに次の様に書き記した。

鎌倉は幻であり
二階堂氏俊も幻である。
氏俊

この書をじっと眺めていた澄琴が言った。

「ほほほほ。この句の前半はどこかで聞いた様な言葉ですわね。」

「ははは。気付かれましたかな。これはあの花が谷で澄琴殿が漏らした言葉ですよ。後半は、それを私が拝借したものに過ぎません。」

夜は既にとっぷりと暮れていた。

「そろそろおいとましなければなりません。」

「明日出立は早いのですか」

「ええ。夜明けと共に出立いたします。」

「いよいよお別れですな。」

「きっとまた氏俊様に鎌倉でお会い出来ると思っています。その日を楽しみにしております。では。」

澄琴はそう言って氏俊の小庵を退出した。

翌朝、氏俊が目覚めた時、既に小庵の外は明るくなっていた。小庵にやって来た宿の主人に澄琴一行のことを聞くと、

「皆様夜明けと共に出立されました。澄琴様は、お陰様で三双屏風を書き上げる準備ができたと言って、まことに晴れ晴れとしたお顔でございました。今頃は一行は鎌倉街道を戸塚に向かって歩まれていると思います。」

「そうか、それは良かった。」

そう言ってから、氏俊は自分もそろそろ喜連川に帰り、喜連川氏俊に戻るべきかなと思った。

廃都地霊彷徨

一、鎌倉海浜ホテル

七月も半ば、長い梅雨が明けて、鎌倉に暑い夏がやってくる頃、賀茂渉はこの海岸通りにやって来た。これまでも何度もこの海岸通りにやって来ては、そこに建ち並んだ別荘の主を訪ね歩いて来たのだが、いよいよ夏本番となると普段は東京の本宅に住んでいる別荘の主達がここに戻って来て、長い夏を過ごすこととなるので、賀茂渉の仕事も忙しくなる季節である。

そんな予感に満たされると、渉の気持ちは思わず高まり、快い緊張に満たされて来た。渉は、由比ガ浜通に面した古い商店の二階の一室を借りた、鎌倉新報社の狭苦しい事務室から和田塚の前を通って海岸通りへとやって来た。

途中畑や松林の中にあちこちにぽつりぽつりと洒落た洋館や数寄屋風の別荘群が現れてくる。多くの家は木々や松林に囲まれ、主屋に至る長いアプローチを持っている。そしてそのアプローチも凝ったタイルや石材で舗装されていて、工夫を凝らした門柱と鋳鉄の扉の向こう側に静かに佇んでいる。

そして、海岸通りの真ん中辺りまで来ると、左手の木々に囲まれた深いアプローチの奥に、ハーフティンバーに覆われた壮大な洋館の姿が現れて来る。海浜ホテルである。周囲は松を中心とした木々や芝生の広々とした敷地が取り巻き、その敷地は由比ガ浜までも続いているように見える。

海岸通りの両側に並び建つ別荘群はこの海浜ホテルを取り巻くように広がっているのが見て取れる。

社長の鳴門辰巳が『鎌倉新報』を鎌倉の地で始めてから五年、かつて同じ東京の都新聞社に籍を置いていた好《よしみ》で、賀茂渉が鎌倉新報社に入社してから三年余、その間毎年この地に別荘を建てる人々は増えていった。

横須賀線が鎌倉を通って横須賀へ至り、江ノ島電鉄も鎌倉から江ノ島へと通じるようになると、鎌倉に別荘を建てる人々は加速度的に増えて行った。それは鎌倉の地価を押し上げ、特にかつては不毛の地と言われていた海沿いの前浜と呼ばれた砂地が、逆に海に近い海水浴に絶好の場所として持て囃されることとなった。そこに海浜院が建てられ、その後ホテルに変わったが、その存在が大きな影響を与えた。

こんな状況の中で、朝野の貴顕紳士、上は華族から政治家、実業家、軍人、官僚に至るまで、次々と海岸通りを中心として海岸に近い長谷や材木座辺りに別荘を構えた。

もともと社長の鳴門辰巳が鎌倉などという寂しい田舎町で地方紙を起こそうなどと思い至ったのは、『都新聞』を退社して、乞われて入社した横須賀の新聞社時代に、横須賀の何人かの軍人達と取材を通じて懇意となり、この軍人達で鎌倉に住している人が結構多いことから、鎌倉という町に関心を抱き始めたことに起因している。

それから鎌倉について調べてみると、鎌倉に住する軍人は横須賀に通勤する、言わばサラリーマンで、厳密には別荘族ではなく本当の別荘族の方が多数を占め、むしろこれらの人々の増加が著しいことが分かった。しかもこれらの別荘族は、皇族も含めて、華族、政治家、実業家、文学者や画家等多士済々で、当代を賑わす話題の人々もかなり含まれていることを知った。こんな所で地域の話題を発掘する新聞を発行してみたら面白かろう、そう思い立ってにわかに『鎌倉新報』なる新聞を起こすことに意を決した。

そんな話を渉は社長からこれまでも何度も聞かされていた。渉は社長と同じ『都新聞』に籍を置いていたが、『都新聞』の鎌倉通信部の記者であって、渉の方が鎌倉に精通していた。しかももともと駿河台の大学で歴史をかじっていて、鎌倉についての興味も社長より強かったとさえ言えたので、鳴門社長が『鎌倉新報』に渉を勧誘したのも自然の成り行きともいえた。

渉は『都新聞』鎌倉通信部記者の頃は勿論のこと、駿河台の学生時代にも度々鎌倉を訪れていた。渉は岡山の出身で、この賀茂という姓は先祖を辿って行くとどうも陰陽師と関係があったような話を父や祖父から聞いたことがあった。

そんな陰陽師の遠い祖先の血が、鎌倉という場所へ自分を惹きつけているのかも知れないと考えることもあった。

渉は海浜ホテルの前を過ぎ、海岸通りを江ノ電の由比ガ浜駅の手前を左手に曲がった。この辺り一帯も一面松林で、その間に別荘がパラパラと建っている。そしてその先に夏の光に輝く海が見える。この道を通って来ると道の左側が盛り上がっていて、海辺の砂丘地帯を横切っていることが分かる。この辺りはかつて江戸時代以前は前浜と呼ばれていた。鎌倉時代には葬送の地であったという。ここには行き場のない死者が無数に埋められ、時には捨てられた。戦乱で死んだ者、刑場として使われ、斬首された者、地震や津波や火災で死んだ者、道端に捨てられた死骸、そういう死霊に満たされた場所だったようだ。

そんな記述をいくつかの歴史書で読み、ここにやって来た時、理解しがたい強い感慨に襲われたことがあった。それは多分、かつての自分の先祖の陰陽師としての痕跡がこんな所に現れて来たのかもしれなかった。

明治以来、この場所に海に近く海水浴に絶好の地だということで、海浜院が建てられ、それから続々と貴顕紳士達の別荘が建てられて来た。しかしその砂地の下には、鎌倉時代以来の無数の死霊達が埋まっているのだ。

この場所にやって来る度、渉は不思議な感覚に襲われた。建ち並ぶ別荘群の砂地の下に埋まる非業の死を遂げた死霊の群れという構図である。しかしそんな歴史を知らぬ気に貴顕紳士達はこの別荘群の中で優雅に暮らしているのだろう。

そんなことを取り留めもなく考えながら、渉は既に海水浴客で賑わい始めた由比ガ浜を左手に海浜ホテルを眺めながら歩き過ぎ、再び松林を横切って、海岸通りの方へ戻った。海浜ホテルを囲むように建ち並んだ別荘群をぐるっと一回り巡ってみた感じである。そして海岸通りに至る途中に松林の中にゆったりと佇む瀟洒な洋館の前に立った。そこは渉がこれまで何度も訪れた、陸奥伯爵の別荘である。というより伯爵は既に鎌倉の地を安住の地として定めていたから、陸奥伯爵邸というべきだろう。

玄関のドアをノックすると、既に顔なじみになっている何時もの女中が現れて

「『鎌倉新報』の賀茂様ですね。少しお待ち下さい。今取り次いで参りますので。」

そう言って奥へ向かった。鎌倉の別荘族と付き合うには先ずは住み込みの女中と仲良くすることが肝要と先輩の記者にも『鎌倉新報』に移ってからは社長にも口を酸っぱくして言われていたので、それなりの努力をしている内に各別荘の女中連とは否が応でも親しくなり顔なじみになった。それが当たり前であり、そうならなければ通信部記者も地方紙の記者も勤まらないと言われていた。

広い芝生とその先の松林が眺められる応接間に通された。何時も渉が伯爵と相対する部屋である。この芝生と松林を眺めると、渉はゆったりとしたエキゾチックな気分に満たされる。外交官として活躍していた陸奥伯爵らしく、海外それもヨーロッパの雰囲気が内装にも凝らされていて、そこには日本離れした気分が充満している気がしたからだ。

やがて伯爵が和服を着て、くつろいだ雰囲気で現れた。普段は専らイギリス仕込みの洋装で外へ

出かける伯爵だが、家に居る時は和服で過ごすことが多いようだ。

「君は『鎌倉新報』の賀茂君だったね。新聞はどうですか。読者は増えていますか。」

伯爵はそんな風に切り出した。渉は伯爵がしっかりと自分の名前も新聞のことも覚えていてくれたことに安心すると同時に少し感激する位の気持ちさえ抱いた。

「お陰様で順調に読者は増えているようです。それも伯爵の設置された鎌倉同人会のご活躍を大分記事にさせていただいており、地元の方も別荘の方々も結構興味を持っていただいているようで。」

「そうですか。それは良かった。考えてみると賀茂君がここに来るようになったのは、私が外交官を辞めて、同人会に力を入れ始めた頃だったね。『鎌倉新報』ができてそこの記者になったという挨拶に来た。その前はどこに居たっけね。」

「よく覚えていていただいてうれしいです。私は新聞記者駆け出しでたまたま『都新聞』の鎌倉通信部の記者をやってました。しかしあの頃は鎌倉には大した事件も起きず、毎日暇を囲っていました。矢張り大正に入ってからですかね。別荘熱が過熱して伯爵の鎌倉同人会ができた頃から色々話題が豊富になって来ました。」

「そうだったかね。ところで賀茂君は確か陰陽師の血が流れているという話を聞いたことがあったね。」

「確かに前にそんな話をさせていただいたことがあったかもしれませんが、私の先祖、それもかなり昔、室町時代頃まで郷里の岡山の方でかかわっていたという話を聞いたという程度のことです。全く陰陽師には関係ありません。」

「そうかね。しかしそういう昔の話を聞いているということだけでも何か血が騒ぐというか、賀茂君だからこそ感じることがあるのではないかね。」

そんな話が伯爵から突然出てきたので、ここにやって来るまでに考えていた砂地の中に埋まっている死霊達の話をしてみたい誘惑にかられたが、誤解を招きかねないと感じ思い留まった。

「陰陽師の話は別として、私は元々歴史好きなものですから、鎌倉にはどこを歩いていても惹きつけられる何かがあって、鎌倉時代からの古い空気の残滓が漂っている様な感慨に打たれることがあります。そういう意味では血が騒ぐというより、心に染み入る何かを感じることがあると思っています。」

そんな話を渉がすると、伯爵は何か納得した様に続けた。

「そこまで鎌倉好きでないと、『鎌倉新報』の記者は勤まらないだろうね。ある意味で賀茂君は適任と言えるかな。ところで今日は私の所へやって来たのは何かまた目的があるのだろう。」

やっと本題を話す場面になってきたかなと感じ、渉は思わず気を引き締めて切り出した。

「実はちょっと先日、町役場の方で小耳に挟んだのですが、某財閥の巨頭が由比ガ浜を埋め立ててホテルを建設する計画を抱いて、近々県に埋め立て認可を求めるらしいということを聞き及んだのですが、伯爵はご存じですか。」

渉がそう言うと、伯爵はにわかに苦々しい表情を見せて言った。

「勿論知っているよ。しかしまだ噂の段階だからね。由比ガ浜埋め立て計画の首謀者は浅野と安田の両財閥だということもね。私としてもこれが本当だとすれば反対する積りではある。しかしまだ様子を見ている段階だ。本気で動き出せば勿論同人会を挙げて反対する積りだから安心したまえ。」

そう言い切ると伯爵は悪戯っぽく渉ににっと笑って見せた。

「それを聞いて安心しました。初めてその話を聞いて、あの美しい由比ガ浜を埋め立ててホテル建設なんて悪夢の様な話だと思って、伯爵は何かお考えがあるかも知れないと思って早速伺ってみた次第です。」

「そういう情報は私の所にはいち早く入るからね。何しろ町は勿論、県からも、警察からも、国鉄からも場合によっては国の方からも同人会には情報が入る。」

そう言って伯爵は自信たっぷりな表情を見せた。

「情報が入るだけではないでしょう。同人会のここ数年の活躍を見ていると、鎌倉駅の改築にしろ、郵便局の昇格にしろ、街灯の設置、段葛の改修にしろ、立て続けに成果を上げておられる。これすべて町から県、国に至るまでの同人会、中でも伯爵の当局への交渉力の強さによるものなのでしょう。」

「はははは。私の力というより、これは同人会の諸君の力というか、努力の賜物だと思っている。私にはもうそんな力はない。外交官として世界を股に掛けて動き回る体力も気力も失って、すべてから引退をしたわけだからね。」

そこまで言ってから伯爵は急に息苦しそうに咳き込んだ。それが暫く続いた。

「大丈夫ですか。伯爵。」

心配になって渉が伯爵の様子をうかがった。

「いや、大丈夫だ。僕は喘息持ちでね。いや何時ものことだからね。ここのところこんな病気とお付き合いでね。気にしないでくれ、すぐ収まるから。」

それが収まると何事もなかった様に伯爵が話し始めた。

「ところで一つ聞いていいかな。この春頃の君達の新聞に出ていたが、歌人の木下君とか、文士の長与君などが鎌倉に引っ越して来たそうじゃないか。あの記事を面白く読ませてもらったよ。」

「そうですか。ありがとうございます。伯爵は文学の方々もご存じなのですか。」

「いや、知っているよ。木下君は世が世なら確か備中足守の大名になっている人だろう。確か子爵だったね。そして長与君は父上が長与専斎、あの海浜院の生みの親であり、鎌倉を海水浴場として広めた大恩人だからね。そんな人達がここに住むようになったというのも、それも文学者としてやって来たというのも何かの御縁なのかね。」

「ええ、確かに文学者の方々が鎌倉に大分住んでおられます。木下子爵と長与様は『白樺』という雑誌を中心に活躍されておられますので、文壇では近頃白樺派として売り出されている様です。これからも私共の新聞はこういう文士でも歌人でも詩人でも文学者の方々の動向をお知らせしていこうと考えております。」

「そうかね。どちらかというと私には疎い分野だから、そういう方々の動向も知りたいところだ。そしてどんどん鎌倉が良い町になって行く様、我々同人会も努力したいと思っている。」

そんな快活な表情を見せた伯爵を渉も嬉しそうに眺めていた。

そして庭の方を何気なく見ると、イギリス人の奥さんのエセル夫人と息子の陽之助が楽し気に話しながら、庭から家へ入って来た。そして伯爵がそれに気付いて応接間のドアを開けると、渉の前にエセル夫人と陽之助が立っていた。

「グッドモーニング。おはようございます。」

エセル夫人はにこやかに英語と日本語で渉に挨拶した。

「グッドモーニング。おはようございます」

渉も同じ様に英語と日本語で挨拶した。そしてちょうど帰る潮時だと思って、

「では私はそろそろお暇致します。」
そう言って夫人と伯爵に挨拶すると立ち上がった。

二、土御門敏麿

伯爵邸を出ると、渉は再び由比ガ浜の方へ歩き始めた。海の方の海水浴客の賑わいがまた増えた様に思えたからだ。伯爵との会話を振り返りながら渉は海の方へと歩いて行った。少し海からの風が出て来て、心地良かった。

海水浴客は大変な賑わいで、色とりどりの水着や日よけのパラソル等で太陽の光と相まって、真に眩しいような賑わいに満たされていた。

そんなきらびやかな賑わいの中に、渉は濃い茶色の羽織袴姿の奇妙な人物を発見した。この華やかな明るい色彩の中にあって、その人物の姿だけが異様な雰囲気を周囲に与えていた。

その人物は砂浜に佇んで、海水浴客に殆ど興味なさそうに海の方を眺めたり、材木座の方へぶらぶらと歩いて行ったりしていた。どこかで見たことのある様なその羽織袴姿の男はやがて海の方に背を向けて、渉が居る松林の方へ歩いて来た。そして渉の姿を見つけると、表情が少し緩むのが見えて、渉の方へ足早に進んで来た。どうも相手は渉を知っている人物の様に思えた。

間近にやって来たその男は、渉に向かい合うと、

『『鎌倉新報』の賀茂さんですよね。」

と硬い表情の中に笑みを作って言った。

「ええ、賀茂ですが。」

渉はそう答えながら、自分のことを知っているらしいこの男のことを記憶の中に探し出そうと思いを巡らせた。そして特徴のあるこの男のことを直ぐに気付いた。

「お忘れかも知れませんが、私土御門と言います。つい先程から浜を歩いていたら松林の中で賀茂さんをお見掛けしたので、ご挨拶する機会を待っていました。」

確かにこの男は半年ほど前に鎌倉新報社を訪れて来て、土御門と名乗った人物であった。その時は背広にソフト帽という恰好だったので、羽織袴姿のこの男があの時の男だとは気が付かなかった。

その時貰った名刺にK雑誌社社員の肩書に土御門敏麿という名前が記されていた。思わずその時、この男の顔を改めて見直した。渉の頭には自分の名前の賀茂がかつてそうであったらしいのと同じ様に土御門とは江戸期まで陰陽師として知らぬ者のない存在だったことが浮かんだのである。

今また羽織袴姿の土御門敏麿を見て、いよいよ陰陽師登場かという様な驚きを一瞬抱いた渉であった。

「お見かけしたところ陸奥伯爵のお宅に取材ですか。何か収穫はありましたか。」

土御門敏麿は興味深そうに渉に言った。

「いえ取材という訳ではありません。久しぶりに挨拶に伺って雑談をして来ただけです。地方紙の記者なんて言うものは、情報源を大事にして、何もなくても時々はご機嫌伺いをして、顔をつないでおく必要があるんですよ。」

「いや、伯爵邸から出て来た賀茂さんが、妙に浮き浮きした表情をしていたので、てっきり特ダネでも摑んだかなと思いましてね。」

「陸奥伯爵は何といっても今鎌倉で恐らく一番目立った活躍をされている方だと思います。数年前に鎌倉同人会を立ち上げられて、ようやく軌道に乗ってきて、鎌倉の町が日に日に変わって来た感じがします。」

「ほほう。伯爵の活躍について知りたいものですな。一つさわりだけでも教えてくださいよ。」

「それは私共の『鎌倉新報』を読んでいただければ分かります。まだ読んだことはないんですか。よろしければ定期購読の手続きを致しますよ。」

「まあそれは考えておきます。何回か読んだことはあります。それであの由比ガ浜通の貴社に一度伺った訳ですから。」

そう言うと土御門は渉から目を逸らして、何か落ち着かない表情で松林の奥に建つ夏の陽光に輝く海浜ホテルを眺めた。

「海浜ホテル、立派ですなあ。日本の風景ではないみたいだ。賀茂さん入ったことあります。」

「一度だけね。陸奥伯爵に関わる取材で入ったことはあります。」

「ほほう、羨ましいな。私も一度入って、しかも泊まってみたい。出来れば文士としてね。」

「文士として。」

突然出て来た文士という言葉に、思わず渉は探るように問い掛けた。

「ははは、あくまで夢ですがね。自分で言うのもなんですが、私は文学志望なんですよ。今は雑誌社の原稿取りをしていますがね。」

「土御門さんは文学志望ですか。私はまたてっきり羽織袴でおられるから、鎌倉で占いでもやるお積りかと思った。土御門家と言えば、江戸時代には立派な陰陽師の家柄でしたよね。」

「ははは、占いはやりませんよ。昔は確かに羽振りの良い時代もあったらしいが、明治以後はすっかり過去の話になってしまいました。ところで賀茂さんこそ陰陽師と関りがあるんじゃないですか。」

「いや、土御門さんに比べれば大したことじゃありませんよ。この話はここらで止めましょう。もう忘れて下さい。」

渉はここで土御門と昔の陰陽師の話で張り合っても何の足しにもならないと思ったからだ。しかし改めて土御門の羽織袴姿を見ると、黙っていれば陰陽師そのものだなと感心した。土御門はかつての陰陽師とはこんな雰囲気と姿をしていたのではないかと思わせるものがあった。

しかしこの海水浴場の賑やかさの中では、仮装パレードの一員の様な違和感もあった。勿論それに負けない風格と言えるものも確かにあったが。

「それにしても今日羽織袴姿というのは何か訳があるんですか。先日当社に来られた時は洋装だった様に記憶しますが。」

「鎌倉を散策する時はこの格好であちこち廻ることにしているのですよ。仕事では勿論洋装ですがね。この格好で鎌倉の神社仏閣を歩いていると、鎌倉時代や室町時代の空気そのものを感じて、時空を超えた錯覚に入り込めるんですよ。鎌倉に漂っている地霊の様なものを感じられるというか、その時代に帰った自分に浸っていることが出来るのですよ。いわばタイムスリップのための衣装と言えなくもない。」

「さすが文学志望の土御門さん。ロマンチックですな。と言うより、むしろ陰陽師としての血がなせる業なのですかね。」

うっかり渉がそんな風に言ってしまったので、

「また陰陽師ですか。もう止めましょうよその話は。」

今度は土御門がすげなく否定した。しかし渉はその時土御門がふと漏らした地霊の様なものという言葉に、密かに驚きを感じていた。自分も鎌倉のあちこちを歩いて、この地霊という言葉にぴったりする様な雰囲気を感じることがあった。その時これは矢張り自らの陰陽師としての先祖から知らず知らず引き継いだものなのかも知れないと思ったことがあった。

もしそうだとすると、この土御門敏麿という男も、先祖の陰陽師としての記憶を何処かで引き継いでいるのかも知れないと思った。しかし、そこまで考えて渉はその思考を慌てて否定した。その時渉はふと気が付いた。この男は文学志望と言っている。鎌倉に来て専ら神社仏閣を散策していると言っているが、今『鎌倉新報』が記事のジャンルを広げようとしている、鎌倉にやって来た、または何がしかの理由で鎌倉を訪れて来る文学者達、文士であれ詩人であれ、歌人であれ、こういう人々に興味が無い筈はないだろうと思い至った。

「どうですかね土御門さん。『鎌倉新報』を定期購読しませんか。しつこいようですが。というのは土御門さんが文学志望だと伺って、これは『鎌倉新報』を読まれると何かと参考になることが多いのではないかと思ったのですよ。」

「え、それはまたどういうことですかな。」

土御門は少し怪訝そうな、しかし興味深げな表情を見せて問いを返した。

「実は『鎌倉新報』も、今まではどちらかというといわゆる別荘族の貴顕紳士の方々を読者のターゲットとしていたのですが、ここの所文学者の方々も鎌倉は創作をするのに良い場所ということに気付かれた様で、続々と鎌倉に移住される方々が増えてきたのですな。そこでこういう方々の交流の場として、『鎌倉新報』を育てようじゃないかという方針が出て来たのですよ。」

「ほう。それは面白そうだ。それでどういう方々が鎌倉に来られているのかな。」

「そうですね。今年に入ってからは、長与善郎、長与専斎の息子さんですね。そして歌人の木下子爵も住まわれています。このあたり、いわゆる白樺派の方々はこの方達を訪ねて良く集まられています。そして広津和夫、柳浪父子、歌人の吉井勇。この人はお父上は元々鎌倉に別荘があった。そんなご縁からでしょう。少し変わった所では葛西善蔵が建長寺門前の商人宿に良く滞在したりしています。」

「ほう、中々多士済々の方々ですな。」

「是非『鎌倉新報』の定期購読を。」

もう一度念を押した渉の言葉に、

「まあ考えておきましょう。」

素気無い土御門の言葉だった。そして何を思ったか、

「また貴社に伺ってよろしいですか。」

という言葉に、渉は少しむっとした調子で答えた。

「いくら会社に来られても、情報はありませんよ。それには『鎌倉新報』を読んでいただくに限ります。」

少しむきになった様な渉の言葉だった。

「ははは、そうですか。確かにそれはそうでしょうな。よく分かりますよ。」

この男にからかわれているのではないかと思い始めた渉は、これを潮時として、

「私はそろそろ社に戻らねばなりませんので、失礼します。」

そう言って松林を海岸通りの方へ歩き始めた。

「分かりました。定期購読の件考えておきますので今後ともよろしく。」

土御門は慌ててそんな取ってつけた様な言葉を残して、これも浜伝いに材木座の方へ袴の裾を翻して歩き去って行った。

三、鎌倉新報社

渉は賑わいに満ちた海水浴場を後にして、松林を抜けて行った。海岸通りまで来ると、海水浴場の喧騒は去り、静かな別荘地帯の佇まいの中に入る。まるで別世界の様にそこは静まり返っている。渉は今日午前中の出来事を振り返ってみる。陸奥伯爵から由比ガ浜埋め立てについて情報を得たことは貴重だった。埋め立て構想、情報が既に伯爵に届いていたのは、考えてみれば当然とは言え、さすが伯爵の情報吸収能力に舌を巻いた。この人の情報源としての価値は貴重であると改めて思っ

た。しかしその後気分良く訪れた由比ガ浜海水浴場での土御門敏麿の出現については、正直言って違和感を感じさせた。先ずは海水浴場に羽織袴という出で立ち自体異様だった。どこか取り澄ました威圧的とすら思える自信過剰に近い雰囲気に不快ささえ感じた。渉に妙に関心を抱いているらしい割には、親しめないものを持っているこの男に、違和感を感じた。そして社にもまたやって来たいと言うのも気に食わなかった。自分と同じ陰陽師の血筋を過去に持っているらしいことは、自分を見透かされている様な落ち着かない気持ちを渉に与えた。しかも自ら文学志望で、文士として海浜ホテルに宿泊したいなどと言うのにも驚いたが、これからもどこかで渉の前に現れて来そうな予感を感じた。まあこの男とはある程度適当な距離を置いて付き合うしかなかろうと自らに言い聞かせた。

やがて由比ガ浜通に面した社の事務所に至った。この事務所は古い商店の二階にあって、一階は洋装店と家具屋を兼ねていて、この所増えてきた別荘族の需要に応えるべく、次々と改装を重ね様々な商品を詰め込んでいた。

商店の脇に張り付いた階段を上がって行くと事務所に至る。社長の机と渉の机と事務員の藤代紫の机の都合三つの机と、手前に来客対応の応接セットがあるだけのこじんまりとした事務所である。

ドアを開けて入ると、机の前に座って何やら本を読んでいた藤代紫は慌ててその本を机の引き出しにしまい込んで、

「賀茂さんお帰りなさい。」

とことさら大きな高く通る声で渉を迎えた。社長は営業で回っていて居ない様なので、藤代紫は何時もの様にこの時とばかりライフワークと称している『源氏物語』をこっそり読んでいたのだろうと察しが付いた。

「陸奥伯爵如何でしたか。」

冷えた麦茶をコップに入れて出しながら藤代紫が聞いた。

「いやあ今日は良い情報を聞いたよ。例の由比ガ浜の埋め立ての件。ちゃんと伯爵も情報を把握していて、問題の財閥は浅野と安田だということも知っていた。まだ噂の段階なので本気で申請をしてきたら、同人会を挙げて反対するから大丈夫だよとおっしゃってくれた。」

「そうでしたか。それは素晴らしいじゃないですか。さすが陸奥伯爵は頼りになる方だわ。」

「しかしね、その後がね。ちょっと引っ掛かることが起こってね。」

「え、何かあったんですか。それは陸奥伯爵のことですか。」

「いや。陸奥邸を気持ち良く出て、由比ガ浜の海水浴場へ行った時の話なんだ。藤代さんも知っているかも知れないが、一度内の社にやって来た土御門という人物が海水浴場に居てね。しかも羽織袴姿という出で立ちだ。一体こいつは何者だと思ったんだがね。あの土御門敏麿とかいう人物なんだ。」

「土御門敏麿。聞いたことあるような気がするわ。」

そう言って藤代紫は自分の記憶を探り出そうとしていたが、

「あっ、思い出したわ。春頃に社を訪ねて来た人でしょ。土御門敏麿という名刺を置いて行った人でしょう。私この土御門という名前を見て、『紫式部日記』の有名な冒頭の文章を思い出した訳。〝秋の気配の入りたつままに、土御門殿の有様言わん方なくおかし〟っていう名文よ。」

「さすがだね。『源氏物語』研究をライフワークとしている人は。その土御門なんだよ。まさに。しかしこの土御門は陰陽師だったんだな。」

「どういう事かしら。『紫式部日記』の土御門殿というのはそこに道長の屋敷があって、道長の娘である中宮彰子に仕えていた紫式部が、出産のために実家に宿下がりした中宮にかしずいていた時に書いた日記だからよね。この時中宮は天皇の子を産むという晴れがましい瞬間をここで暮らした訳だから、土御門殿の屋敷は秋の庭も含めて、すべてが期待に輝いていたのよね。この文章にはその雰囲気が表れている。そこに何故陰陽師が現れて来るのかしら。止めて欲しいわよね。」

「道長の頃らしいが、安倍の清明などという実力派陰陽師が現れて、何故か土御門辺りに屋敷を構えた。そこで後世、名前を土御門と名乗ったらしいな。」

「でも何か土御門という名が汚された様な気がするわ。」

「まあ『源氏物語』と紫式部にとことん惚れ込んでいる藤代さんの気持ちも分からないではない

がね。でもこの土御門敏麿、何故か文学志向で、これからもどこかでお付き合いすることになりそうだ。また当社に来たいなどと言っていたからね。」

「ふうんそうなの。今度来たら良く顔を見てやろう。」

「うん、まあ性格は悪そうだが、顔は良い方じゃないかな。藤代さんの好みだったりするかも知れないよ。」

「止めて頂戴よ。土御門なんて、その名前だけでも気に食わないわ。」

そんな話をしているところへ、ドアが勢いよく開いて、社長の鳴門辰巳が帰って来た。鳴門辰巳は小太りの体を重たそうにゆさゆさと揺すりながら、自分の机の前のゆったりとした椅子にどさりと腰を下ろした。汗かきの鳴門は顔中から汗を滴らせて、それをハンカチで拭いながら、

「藤代君冷たい麦茶を頼むよ。」

と開口一番に言った。

「どうでしたか、広告の首尾は。」

鳴門が麦茶を一気に飲んで、少し落ち着いた所を見計らって渉が聞いた。

「長谷の柴崎牛乳店だがね。広告を取るまで散々苦労させられたが、三度目にしてようやく取れたよ。まああの辺りも別荘が増えてきて、もう牧場もあすこでは出来なくなって、新しく牧場の適地を探していたらしいんだが、やっとその目途が立ったらしい。」

「まあそうでしょうね。あんな所で牧場なんてもう無理だ。で、どこに作るんです。」

「七里ガ浜に牧場を確保する目途が立ったそうだ。」

「それは良かった。これだけ別荘が増えれば、お客さんも増えるでしょうからね。」

「その後に下馬の小町園に行った。ここはもう一息というところだ。午後は大町の方の洋服屋とかを回る積りだ。」

「社長頑張って下さい。『鎌倉新報』はこの広告がどれだけ入るかに掛かってますから。」

「うん分かっているよ。ところで君の方はどうだったかね。陸奥さんからは何か情報はあったかね。」

「ありましたよ。さすが陸奥さん。由比ガ浜埋め立ての話は早速把握していて、首謀者は浅野と安田の財閥コンビだということも承知していて、もっと具体的になれば同人会としても反対をするので安心していて欲しいというお話でした。」

「そうかね。それは良かった。他に何か言っていたかね。」

「それがね、春頃に特集を組んだ記事に大分興味があったようで、例の白樺派の文学者の方々、長与さんや、木下子爵の記事を面白く読ませてもらったと言ってました。こういう方々が鎌倉に住んでくれるのは大変心強い。同人会としても更に鎌倉を良い町にして行かねばならないと仰っていました。」

「なるほど。『鎌倉新報』の文学者路線がいよいよ読者に受け入れられて来たということか。これは更にこの路線を推し進めねばならんということだね。」

「そう思います。そして次はどの文学者に焦点を絞って動向をお知らせして行くかということになると思いますか。」

「そこだよ。賀茂君はどの辺りに焦点を当てるべきと考えるかね。」

「そうですね。先ずは白樺派の人達は目立つ存在ですから、読者の関心も高いだろうということで、引き続き取材していくということにして、次に注目しているのは矢張りこれも白樺派ですが、有島三兄弟の動向ですね。元々この三兄弟は長与さん等と同じで父上が鎌倉に別荘があったということで、非常に鎌倉に縁がある。いずれ鎌倉に戻って来る人々だと踏んでいます。

それと、所謂奇蹟派と言われている広津和郎が八雲神社の参道に住んでいるし、葛西善蔵も建長寺門前の商人宿に良く滞在しているという文壇情報があります。この葛西善蔵はちょっと変わった方らしいですがね。」

「葛西善蔵。それはどういう人物かね。僕は良く知らんが。」

「ちょっと破滅型の私小説作家ですがね。自己の破滅をネタに小説を書いている。自分の破滅をその通り書いているから嘘がない。基本的には酒と女と借金ですがね。」

「ほほう。そんなのが建長寺に住んでいるのかね。それも面白いかも知れんな。賀茂君に任すから一つやってみてくれんかね。」

涉の口から次々と出て来るアイデアに、鳴門社長は楽しそうに目を細めた。

四、萩原朔太郎

考えてみると、涉がこういう文学者を探訪する取材を思い付くきっかけとなったのは、三年程前『都新聞』の鎌倉通信部記者から『鎌倉新報』記者に移った頃だった。この頃萩原朔太郎と日夏耿之介が鎌倉にやって来て、そこに芥川龍之介も鎌倉に住まう様になったとの文壇情報を聞き知って、取材に向けての機会を窺っていた。

そんな或る日、十二月の冬寒の頃であった。これも文壇情報であるが、日夏耿之介が療養のために鎌倉に来ているということと、萩原朔太郎が長谷の海月楼に詩集の編纂のために来ているということが分かった。しかしこの二人の詩人に接触する手段が差し当たりないため、涉はぶっつけ本番で取材を試みようとしたのである。

長谷から坂の下の海月楼の辺りを例の様にぶらぶらと歩いていると、海月楼から出て来た二人連れの男が坂の下の方へ歩いて来た。洒落た洋装にソフト帽という恰好。もう一人の男は黒いマントを羽織っていた。二人は何やら話しながらこちらに向かって来たが、話に夢中になっていて一向に渉の方には無関心であった。渉はこの二人、特にソフト帽の男が前に写真で見た萩原朔太郎に似ていて、もう一人のマントの男が日夏耿之介に違いないと思って、暫く二人の歩いて行った坂の下の方へ方向を変えてそれとなく様子を窺いながら付いて行った。二人は浜辺へ下りて行く際の石積みに並んで座って、暫く話していたが、ソフト帽の男が急に沈黙して遠くを眺める様な虚ろな表情を見せ始めると、黒マントの男も話を止めて、二人の間に沈黙が訪れた。こんなぶっつけ取材に慣れている渉は、好機到来とばかり、如何にも通り掛かりに気付いたという風に、

「もしかして詩人の萩原朔太郎様と日夏耿之介様ではありませんか。」

と声を掛けた。二人は最初驚いた様な表情を見せていたが、すかさず渉が話し掛けた。

「私はご存じないかも知れませんが、『鎌倉新報』という鎌倉の地方紙の記者をしている者ですが、お二人有名な詩人の萩原朔太郎様と日夏耿之介様ではないかと思い、お声をお掛け致しました。」

そして、二人に渉の名刺を差し出した。

「『鎌倉新報』というのかね。初めて聞いたね。」

日夏が言った。

「ええ、まだ始めて三年というところですから。有名な詩人のお二人ですから、取材をさせていただきたくてお声をお掛け致しました。」

「取材。突然だね。」

日夏がそう言って萩原の方に顔を向けた。

「取材される様な事は何もないがね。」

『月に吠える』の詩人は面倒くさそうに渉にボソッと言った。

「文壇情報によりますと萩原様は新しい詩集を編もうという目的で鎌倉に来られたというお話ですので、是非その新詩集についてお話願えればと思います。」

「それは確かにそうなんだがね、中々まとまらなくてね。それよりも僕はこうして海などを眺めてぼうっとしている時間が必要なんだよ。」

「萩原さんはね、詩人中の詩人だからね。散歩していても人の姿は全く目に入らないし、時には道に迷ってしまうこともある。鎌倉の道は路地が多いからね。毎日外へ出るとあちこちで迷って、やっと夕方宿に帰ることもある様だ。そういう時に色々想が沸いて、詩が浮かぶらしい。ねえ萩原さん。」

日夏は萩原に遠慮もなく勝手にそんな説明をした。そんな日夏の話振りにも、萩原は苦笑いを漏らすだけで、ぼーっと遠くの海を眺めていた。そこからは暫く日夏が一方的に話すばかりで、萩原はほとんど無関心で、海の方を眺め続けた。

「萩原さんはね、立体写真が好きでね。色々気に入った風景があると立体写真を撮って、それを飽かずに眺めているのが良いらしい。それに萩原さんは手品も上手い。色々道具も持っているらしくて、僕も一度見せてもらったけれど、中々素人離れした鮮やかな腕前だった。ねえ萩原さん。」

日夏は相変わらず関心なさそうに海を眺め続けている萩原にそう話し続けた。日夏のそんな言葉に触発されたのか、萩原が突然話し始めた。

「随分子供じみた趣味を持っていると思うだろう。でもね立体写真を見ていると、物体その物に過ぎない写真の先の奥の方に何かが見えて来る様に思えるんだよ。その何かに僕は吸い込まれて行くんだよね。それは何かというより、むしろ僕の心の中の感情その物なのかも知れない。しかしその感情そのものと戯れているのがたまらなく良いんだよね。」

そんな風に萩原は饒舌に話した。

「萩原さんは今マンドリンにも凝っていてね。マンドリンの楽団を作って演奏会などもやっている。マンドリンについては恐らく日本一じゃないかな。」

日夏が次々と萩原のことについて語るのを萩原はほとんど黙って聞いていた。渉は日夏の話で萩原朔太郎という詩人について、短い間に随分あれこれと聞けたことに思わぬ収穫を得たと思った。しかもその話は詩についてというより萩原朔太郎という詩人についての人間的な面白さについて色々語ってくれたのでこれはむしろ『鎌倉新報』の読者向けには興味深い材料ではないかと思った。

「今日は随分面白いお話を伺いました。このお話記事にさせていただいてよろしいですか。」

早速渉が萩原と日夏にそう聞くと、

「僕は構わないがね。今日の話はほとんど萩原さんに関わる話だからね。どうですか萩原さん。」

日夏はそう言って萩原の方を向いた。言われた萩原はまた海の方をぼーっと眺めて何か物思いに耽っている様で、ほとんど会話に関心がない風に見えたが、

「さっきも言ったけど、読者は僕のことを随分子供じみた奴だと思うんじゃないかね。しかしこれがきっかけで僕の詩に興味を持ってくれれば良いでしょう。詩人だということは忘れずに書いて欲しいね。」

「勿論です。分かりました。取材へのご協力ありがとうございました。」

渉の挨拶が終わるか終わらない内に二人は立ち上がって、由比ガ浜の砂浜を歩き始めていた。


そんなことを渉は思い出していた。

「考えてみるとこういう文学者取材の始まりは、三年前の萩原朔太郎と日夏耿之介が最初だった様な気がしますね。あの時はぶっつけ本番で無我夢中でやりましたがね。」

「そうだったね。あれは早速記事にしたが、結構評判が良かった。出発したての『鎌倉新報』としては、中々のスクープだったと思うよ。」

「そう言っていただけると嬉しいですね。しかしその後は中々チャンスに恵まれなくて、空振りが多くなった。そしてどんどん増えて行く別荘族の話題や、設置されて活発に活動し始めた鎌倉同

人会の話題が多くなった。その頃から陸奥伯爵への取材が頻繁になって来た。」

「まあそれはそれで読者に有益な情報を提供して来た訳だからね。ところでこれから鎌倉へやって来る文学者が増えると思うかね。」

鳴門社長が探る様に渉に問い掛けた。

「増えると思いますよ。白樺派の連中がやって来てますからね。そして有島三兄弟も鎌倉に出たり入ったりしてますが、次第に鎌倉に落ち着く様な気がします。それ以外にも鎌倉にやって来る文学者は増えると思います。何と言っても類は友を呼ぶと言いますからね。」

「余り付和雷同の輩が増えるのも困るがね。」

「文学者達はそれぞれ名のある人達ですから、別荘族や海水浴客等より安心出来る人達だと思いますよ。陸奥さんも期待している様な口振りでしたし。」

「しかし鎌倉の何が文学者達を惹きつけるのかね。今一つ分からない所があるがね。」

「やはり自然の多い風光明媚な場所であること。そして神社仏閣が多くて歴史を感じさせる所。それから文学者達は何故か病気がちな人が多いせいか、療養に来るというケースも多いですね。」

「ふむ、分からんでもないがね。」

「そう言えば今日由比ガ浜で会った土御門という人物。社長もお会いしたことがあると思いますが、海浜ホテルを眺めてあそこに文士として泊まりたいなどと突然言い出されて驚きました。この男文学志望だと言うのですよ。」

「覚えているよ。春に当社にやって来た男だよね。あの男と由比ガ浜で会ったのかね。」

「まあ偶然ですがね。でも向こうの方は私が陸奥伯爵の所から出て来たのを見付けて話し掛ける機会を窺っている様でしたね。」

「やはり鎌倉に文学の匂いを嗅ぎつけてやって来るのかね。」

「春に来た時は社長に何か言ってましたかね。」

「うん、文学の事はおくびにも出さなかったが、土御門などという名前だから、京都の公家出身の人かと思って聞いてみたが、公家というより陰陽師と昔関わりがあった様なことを言っていた。しかし今は全く関係ないとも言っていた。何しろ我が社の購読者のことや、経営のこと、今後の展望のことなど、色々根掘り葉掘り聞いて来たので、適当に答えて追い払ったがね。陰陽師ということは占いでもやろうということかね。」

「私もそれを聞いたんですがね、何しろ羽織袴姿で由比ガ浜をうろうろしていたので、こいつは何者だと思ったのでね。占いはやらない。羽織袴で鎌倉の神社仏閣等を散策していると、鎌倉や室町の昔にタイムスリップした様な気分になる。鎌倉を歩いていると、そこに漂っている地霊の様なものを感じると言うのですよ。」

「やはり、陰陽師の血が為せる技ではないのかね。そう言えば賀茂君も先祖を辿ると陰陽師とご縁があったと聞いたことがある。」

「はっきりはしないのですが確かに昔の話としてそんなことを聞いたことはあります。まあそれはそれとして、陰陽師の栄えた平安時代には土御門と賀茂が二大勢力として張り合っていたらしい。まあ謂わば宿敵同士という関係であったらしい。安倍晴明が現れてこの人は道長にも仕えた有名な陰陽師だった訳ですが、道長の屋敷のあった土御門に屋敷を構えた。それで後世に土御門氏を名乗った様ですね。」

「ほう、賀茂と土御門の宿命の対決か。何か面白くなりそうだな。」

社長が楽しそうに言った。

「でもね、土御門殿は道長の屋敷で、紫式部が中宮彰子に仕えて、『紫式部日記』や『源氏物語』を書いた場所でしょ。それが安倍晴明だか何か知らないけど、同じ土御門を名乗るなんて気に食わないわね。」

話を聞いていた藤代紫が口を挟んだ。

「成る程、『源氏物語』と紫式部ファンの藤代さんから見るとそういうことになるのか。いよいよややこしいことに成って来たね。」

社長は面白そうに言った。

「まあ暫くはこの土御門敏麿なる人物から目が離せないということかね。」

こんな話に付き合いながら、渉はこれからの文学者取材を、どう進めて行くべきかを考えていた。白樺派については既に春頃に長与善郎と木下利玄の取材を行い、記事にもして、一通りの読者への手応えを感じた所であったが、一つ気になっていたのは、有島武郎の存在であった。

五、有島武郎

話は少し前になるが、木下と長与の取材の少し後の四月頃、円覚寺松嶺院に有島武郎が籠って『或る女』の後編を書いているという情報が入った。『或る女のグリンプス』をかなり手を入れて前編としてまとめて、既に三月下旬に出版されていた。だから出版社も後編の出版を急いでいて、原稿の完成を急ぐ必要があった。そのため円覚寺の塔頭に籠って書き上げるという事態になっている訳で、真正面から行ってはとても取材などに応じてもらえそうもなかった。こうなると残された手段はぶっつけ本番で本人に当たってみるしかなかった。

渉は萩原朔太郎の時の様に、円覚寺松嶺院を連日訪れて、有島武郎が松嶺院の外に現れる機会を窺うこととした。幾ら松嶺院に籠って執筆に精を出しているとは言っても、気分転換に外へ出て散歩することはあるだろうというのが渉の見通しだった。これは萩原朔太郎の時も同様だった。執筆で疲れた頭を気分転換で回復し、再び書き続けるための集中力を取り戻すには、絶対に必要なことだと考えた。

こんな態勢で待機すること二週間が経った。有島武郎は一向に外へは現れなかった。もっとも渉もこの取材だけをしている訳にもいかず、他の本来の仕事の手すきを利用して足繁く円覚寺に足を運んだ。一度は一か八かで塔頭の玄関で寺僧を呼び出して、有島武郎への取材面会を取り次ごうとしたが、執筆中のため一切面会はお断りしているという素気ない返答であった。余程の重要な相手でない限り、面会はしないという方針なのだろう。となればこちらも辛抱強くチャンスを窺うしかなかろう。

しかし待ちに待ったそんな瞬間が意外に早くやって来た。二週間を過ぎた翌日の夕方頃であった。松嶺院の玄関から有島武郎と思しき人物が現れたのだ。その人物は四月に入って暖かさの増した春盛りの夕暮れ近い静かな日差しの中を、少しうつむき加減に着流しにソフト帽という恰好でこちらに向かって歩いて来た。

少し先の一点を見つめながら、まだ執筆中の意識の集中から完全には抜け出ていない緊張感を漂わせて、周りの風景にはほとんど注意を払わずやって来た。三月末に刊行された前編を既に渉は読んでいた。六年ほど前に『或る女のグリンプス』というタイトルで『白樺』に連載されていた時は特に注意も引かず、読んだこともなかったが、出版されたばかりの前編を読んでみて、ヒロインの早月葉子が婚約者である木村に会うためアメリカに渡航したにも関わらず、船内で事務長の倉地と恋愛関係に陥って、木村との婚約を踏みにじりそのまま倉地と共に同じ船で日本に帰ってしまう所までが前編であった。

一体その後日本に帰ってからどうなるのか。その後編を今有島武郎がこの塔頭に籠って書いているのだと思うと渉は抑え難い程の興奮に包まれた。何としても有島武郎に取材し、生々しい、今出来つつある『或る女』の内容について聞きたかった。とにかく相手を捕まえるしかない。そのまま渉を無視して行き過ぎてしまいそうな有島武郎をどう捕まえるか。躊躇せず何らかの行動を起こすしかなかった。行き過ぎて行こうとする有島武郎を遮る様に横から寄って行って、先ず深々とお辞儀をした。

「有島様ですか。」

目を上げながら先ずはそれだけを言った。

「はい有島ですが。何か御用ですか。」

最初は当惑した様な表情だったが、すぐに落ち着いたにこやかとさえ見える表情に変わった。取り敢えずは話を聞こうという雰囲気である。

「私鎌倉新報社の賀茂と申します。有島様は『或る女』の前編を出版されて、今後編を書かれているということをお聞きしまして、執筆でご多忙とは存じますが是非取材をお願いしたいと思い、失礼ながら機会をお伺いしておりました。」

涉はそう言って鎌倉新報社の名刺を差し出した。

「『鎌倉新報』。ほうこんな新聞が出来たのですか。私も子供の頃鎌倉で育って、その後も何度も来ていますが、鎌倉にはこんな新聞はなかったと思っていましたがね。鎌倉も随分変わったもんだ。」

有島は意外と気持ち良く話に乗って来たので、涉はここはどんどん質問を畳み込んで話を引き出すに限ると思った。

「私共『鎌倉新報』は発足してまだ五年ですが、今鎌倉に住まわれているとか何かご縁のある文学者の方々を取り上げ、取材させていただいております。一か月程前には作家の長与善郎様、歌人の木下利玄子爵を取材させていただきました。有島様はお父上の時代から鎌倉にご縁のある方で、今までも是非取材させていただきたいと思っておりましたが、ちょうど『或る女』前編を出版され、後編をここ円覚寺の塔頭で執筆をされているとお聞きして、これは何としても取材させていただきたいと思い、やってまいりました。」

「そうですか。『鎌倉新報』は五年前に出来たのですか。まだ出来立てのほやほやだね。ところで『或る女』の前編読んでいただけましたか。」

「勿論です。発売と共に読ませていただきました。」

「ほう。うれしいね。今長与君とか木下君も取材されたと言っていたが、もう五～六年前に『或る女のグリンプス』を『白樺』に連載した時は彼ら白樺の連中はほとんど興味を示さなかった。でどう思いましたこの前編を読んでみて。」

「感心しました。このヒロインの早月葉子が自由奔放に生きる姿に驚かされました。こんな生き方のまま、アメリカから日本に戻って来て、この倉地という人物とこの先一体どうなって行くのか、後編が楽しみになりました。」

「そうですか。ありがとう。今日本の女性の生き方は中々難しい。女性を巡る社会の拘束というか、仕来りというか、伝統の重みが彼女達にのしかかっている。その中で早月葉子の生き方はどうなって行くのかそれを描こうと思ってね。」

今将に小説を書いている有島武郎の心の中が見えて来た様に思えた。渉はすっかり話に乗って来た有島に、もっと聞いてやろうと思った。

「まあ立ち話も何だから、そこに腰掛けて話をしよう。」

そう言って有島は塔頭の門を出た脇にある石造の五重塔を示して腰掛けた。

「ところでこの小説の登場人物はモデルがあるんでしょうか。」

「うむ。あると言えばある。ないと言えばないという所かな。実を言うと前編についてはかなりモデルに沿って書いたんだがね。種を明かせば、国木田独歩と佐々城信子がモデルではある。それは確かだが、後編はもはやモデルから離れてしまっている。ここはほとんど私の創作と言って良いと思う。だからこの後編を私なりにどう進めるか、そしてどうまとめるか、今悩んでいるところなんだよ。」

「そうですか。そうすると今まさに私は作家の執筆の現場に立ち会っているということに成りますね。何だか興奮を覚えます。ヒロインは一体どうなるんですかね。」

「賀茂君だったかね。これはあくまでここだけの話だけどね。早月葉子の余りにも自由な、ある意味で我儘な生き方に日本の社会は黙ってはいないのだよ。当然ながら色々な圧迫を受ける。それとどう立ち向かうのか。浮き上がるのか、はたまた沈んで行くのか。今その際どい瀬戸際に来ているのだね。どう話を進めるべきか、どういう結末を迎えるのか、日々散々頭を悩ましている状態なのですよ。最後は早月葉子は死ぬかも知れない。そこまで考えています。」

信じられない程舌が滑らかになって来た有島武郎に、渉は更にここぞとばかり聞いてみた。

「ところで国木田独歩に『鎌倉夫人』という小説がありますが、これは鎌倉に住むある数学者の話としていますが、どう見ても国木田独歩自身の話と思えます。その中でこの数学者が海岸橋の下で釣りをしていると、橋の上を通った昔の恋人が情人を連れていて、橋の下の数学者に声を掛ける話がありますが、そんな話は後編の中に出て来るのですかね。」

「ははは。賀茂君は良く知っているね。まあそこは後編が出た時の楽しみにしてくれたまえ。今日は少し話をし過ぎたかな。」

そう言って有島武郎は口をつぐんだ。そんな風に沈黙に陥った有島を見て、そろそろ潮時かなと渉は思った。

「今日は突然の取材なのに色々お話をお伺い出来て有り難うございます。この取材、記事にさせていただいてよろしいですか。」

有島は少し考えていたが、

「構わないけれどね。新聞に出すのは後編を出版した後にしてくれないかな。今日は大分口が滑ってしまったからね。」

「分かりました。後編は何時頃出版なのですか。」

「今一生懸命原稿を書いているところだからね。六月か七月頃かな。もう少し待って下さい。ではよろしく。」

そう言って立ち上がると有島は総門の方へ向かって歩き始めた。その後ろ姿は渉には並々ならぬ決意に満ちている様に思えた。

六、藤代紫

秋も深まる頃、季節は既に十月の末となっていた。そんな空気の変わり目を感じ、藤代紫は泉ヶ谷に一人やって来た。ここに来る時は何時も先ず扇ガ谷の寿福寺を散策する。この源氏山の麓に位置する古刹には、深い樹木の中に深々とした中世の空気が立ち込めている。そして古い御堂を抜け、裏山の中世の矢倉に位置する墓地群を眺める。

そこから源氏山に登る細い、草深い道があり、そこに上がると寺々の屋根の向こうに、山襞を通して鎌倉の町が見下ろせる。ここに上がると何時もこの風景は以前に訪れた京都の嵯峨野辺りの風景に似ていると感じる。全てが中世の空気に覆われている。

寿福寺を出ると、英勝寺の脇に建つ阿仏尼の墓を詣でて、足は扇ガ谷からこの泉が谷へ向かうのがお決まりのコースである。この道を藤代紫が何時も辿るのは、ここが阿仏尼と冷泉為相の所縁《ゆかり》の地であるからだ。そして、阿仏尼と冷泉為相は、歌道を鎌倉の武士達に広め、定家が重んじた『源氏物語』をこの地に伝えることに努めた。

『源氏物語』に嵌まっている藤代紫にとって、阿仏尼は鎌倉において殆ど唯一注目すべき存在であった。ここ泉が谷に何度やって来たろう。『鎌倉新報』に入社して四年。季節の変わり目の折々にここにやって来て、浄光明寺を訪れる。何時も殆ど人影はない。静まり返った境内を散策し、寺の背後の切岸の様な岩に刻まれた階段を上がって、更にその上の冷泉為相の墓を訪ねるのだ。この墓は長い歳月の重みを感じさせる、どっしりとした宝篋印塔である。鎌倉の町の方と反対側の藤ヶ谷との間の尾根の上に墓は建っていて、両側を睥睨《へいげい》しているかの様に見える。

この藤ヶ谷には冷泉為相の邸宅があったらしい。ここに阿仏尼が居たという説もある。阿仏尼の『源氏物語』への入れ込みは深いものがあった。入れ込むと同時に『源氏物語』を書写した。阿仏尼が定家の後継である為家と恋に落ち、結ばれるに至ったのも、『源氏物語』を通じてであった。定家の時から冷泉家は『源氏物語』を守り、普及させることに努めた。そして阿仏尼は鎌倉でも『源氏物語』を鎌倉の武家に講義し、それを広める仕事をした。

そんな歴史を尋ねて行くと、藤代紫の阿仏尼への思い入れは深まって行った。しかし元々藤代紫は阿仏尼や為相に縁のある場所として鎌倉にやって来た訳ではない。勿論『鎌倉新報』に入るためにやって来た訳でもない。

仙台に生まれ育った藤代紫にはそこで知り合った画家志望の恋人がいた。滝沢志郎というその男は、地元の師範学校を中途で飛び出し、絵を学ぶために東京へ出た。それを追いかける様に藤代紫も東京へ向かった。二人はやがて東京で一緒に暮らし始めた。しかし、滝沢志郎は、元々体が弱かったためか、仕事をしながら絵を学ぶという過酷な生活が原因で肺結核を患った。

暫くは通院をしながら自宅で療養し、藤代紫が看病に当たっていたが、住んでいた東京、それも下町の借家は空気が悪過ぎた。そこで、空気の良い湘南の地、それも鎌倉で暫く療養に務めることとなった。その頃、『都新聞』で事務員をしていた藤代紫も、以前『都新聞』に居た辰巳社長の縁で、発足したばかりの『鎌倉新報』の事務員の職を得て、そこに勤めながら滝沢志郎の看病をすることとなった。

滝沢志郎は若宮大路に面した鎌倉養生院に入院し、療養の生活を送った。藤代紫は由比ガ浜通に近い下宿を見つけて、『鎌倉新報』の仕事と滝沢志郎の看病に鎌倉養生院を訪れる日々を暮らした。

この暮らしを始めて既に四年程が流れたが、滝沢志郎の病状は一向に回復せず、一時回復したかに見えてもまた悪化し、命まで危ぶまれる状況になったこともあり、一進一退を繰り返してここまで来てしまったのだ。

そんな生活の中で、藤代紫は阿仏尼と冷泉為相を見出した。京から訴訟の解決のために鎌倉にやって来て、『源氏物語』と和歌に関わって長い歳月を鎌倉で暮らし、そこで亡くなった阿仏尼と為相の生き様に何処か自分の境遇と似たものを感じ、二人を偲ぶ場所を訪ね、鎌倉のあちこちを彷徨した。

月影が谷も何度か訪れた。ここは『十六夜日記』に、鎌倉の住居として記述されており、海に近い、波の音や、松の木をかすめる風の音が、夜になると阿仏尼の一人寝の寝床に届いた。

京から鎌倉という異郷へ一人やって来た阿仏尼にとって、この場所で暮らすことの心細さ、寂しさがこの日記からは伝わって来る。ここにどの位住んでいたのか、この日記からは分からないが、ここに暫くは居たのだろう。阿仏尼の思いを想像しながら、月影が谷を訪れると阿仏尼の頃と同じ様に海の音が稲村ケ崎から届く。まるで中世の風の音を聴く様な錯覚に襲われる。

二〜三年前に、一時体調が回復した滝沢志郎を鎌倉の町に誘い出したことがあった。滝沢志郎は折角鎌倉を歩くのだからと、スケッチブックとパステルを持って、若宮大路から由比ガ浜へ向かった。丁度今日の様な十月の末の秋の風が流れていた。海水浴客も居ない人影のまばらな秋の海である。

そんな由比ガ浜を歩いていて、ここで絵を描きたいと滝沢志郎が言うので、砂浜の中にあった防波堤の残骸の様なコンクリートの塊の上に二人で並んで座った。滝沢志郎はスケッチブックを取り出して海を描き始めた。

「秋の海って寂しいわね。そうだ、こんな和歌を知っている。〝見渡せば花も紅葉も無かりけり、浦の苫屋の秋の夕暮れ〟っていうのよ。」

「何か寂しそうな歌だね。誰の歌なのかな。紫のことだからまた『源氏物語』の歌かな。」

「そう。志郎の絵が何か寂し気な秋の海の風情に見えたので、この歌を思い出したの。定家が『源氏物語』の明石の巻の明石の海に題材を取って歌ったのよね。」

滝沢志郎は絵を描き終えると藤代紫に見せて言った。

「その歌の感じが出ているかな。もし定家の歌のイメージにぴったりならその歌を絵の脇に書き込んでくれないかな。」

確かにこの歌の雰囲気を良く出していると思えるので、藤代紫は絵の隅に〝見渡せば花も紅葉も無かりけり、浦の苫屋の秋の夕暮れ。〟と書き込んだ。

それを見て滝沢志郎も満足気な表情を見せた。その絵は今も藤代紫の下宿の部屋の壁に貼ってある。

そんな事があった。

その頃は滝沢志郎は少し体調を回復し続けた様に見えたので、藤代紫は体に障らない様に一月程何度か志郎を寿福寺や浄光明寺、そして月影が谷という何時も紫が散歩していて、時々志郎にそこでの印象を話して聞かせていた場所へ連れ出した。志郎も紫の話を聞いて何時も自分もそこへ行ってスケッチを描いてみたいと言っていたからだ。

寿福寺の裏山、源氏山の中腹にも登ってスケッチを描いた。叢の中を上がる道は志郎にはかなり厳しい山道だと思えたので、

「ここは志郎には無理だよ。もっと元気になってから上がろうよ。」

という紫の言葉を押し切って、

「いや、今ここに上れないともう上れないかもしれない。紫が見た風景を僕も見たいんだ。」

と言って、紫に手を引かれながらどうにか上がって、そこから眺める鎌倉の風景をスケッチにしたためた。

そのスケッチも紫の部屋の壁に貼ってあるが、矢張り何時見ても嵯峨野の風景と何処か似ているのだ。嵯峨野は定家、そして阿仏尼の夫の為家が暮らし、歌を詠んだ場所だった。『源氏物語』の講義もそこで行った。その時阿仏尼は何時も『源氏物語』を読み上げる役割をしていた。もしかすると阿仏尼は嵯峨野の風景と何処か似ているこの場所を気に入って住居としたのではないかと紫は思った。

しかしそんな一時の楽しい日々が過ぎて、志郎の体調は急に悪化した。矢張り十月から十一月の寒さが増す時期に志郎をあちこち連れ出したことが祟ったのだろうか。冬に入るとともに、更に志郎の病は進んで、何度も血を吐き一時は命にも関わる重体となった。しかし春に近付くとともにどうにか回復して、一応の安定を保つ様になった。

そんな或る日、枕元に座った紫に向かって、志郎がポツリと言った。

「このままじゃ俺はもう駄目だ。こんな俺に紫を縛り付けておくのは余りに気の毒だ。だからもう俺のことは忘れて欲しいんだ。その方が俺もすっきりする。」

紫には余りに辛い言葉だった。

「そんなことは言っちゃダメ。志郎は絶対治るから諦めないで頂戴。」

紫はそんな風に言うのが精一杯の言葉だった。そして、志郎の回復のためにも自分がずっと付いていて、力になって行くしかないと思った。そんな息苦しい日々に唯一救いとなるのは、矢張り阿仏尼と縁のある鎌倉の何時もの場所を散策し彷徨することだった。

七、賀茂渉

藤代紫が泉ヶ谷を散策していた頃の同じ秋の或る日、賀茂渉もまた久し振りの休暇を得て、一人覚園寺の境内を彷徨していた。渉は良くこの寺にやって来る。深い谷戸の奥に位置するこの寺には、その背後に無数の矢倉が控えていた。そこには中世の空気が漂っていて、地霊が満ちている場所であった。

では地霊とは何なのか。それは渉にも分からなかった。何か説明出来ないものであった。音もない、色もない、ただ静かな重い空気の様なものである。崖に穿たれた矢倉。多分死者の眠る墓地。そして樹齢何百年とも分からない大樹。古く苔むした石塔や墓石や墓碑。そういったものが醸し出す空気なのである。そこに地霊が満ちて来るのだ。

そう言えば以前萩原朔太郎に坂の下で取材した時、詩人が語っていた言葉。立体写真を見ていると、そこには何も無い筈だが見入ってしまう魅力がある。それはそこに何かがあるのではなく、自分の感情そのものを見ているのかも知れない。その感情そのものと戯れているのが楽しいのだと言っていたが、まさにそういうことなのかも知れなかった。

そんな場所を鎌倉のあちこちに探し出して、渉は地霊探訪の彷徨を続けた。そんな場所はこの覚園寺の他にもあちこちにあった。谷戸の奥や崖に穿たれた矢倉や、切通しといった所にはそんな場所が潜んでいた。例えば海蔵寺や、光則寺、寿福寺や浄光明寺。そういう谷戸の奥に位置する寺。名越切通しや曼陀羅堂や大切岸。釈迦堂切通しや亀が谷切通し。化粧坂。鎌倉という都市は、周辺の谷戸を抉って寺や墓が作られたから、そういう場所があちこちにあるのは当然と言えば当然であった。しかしそういう場所が中世の時期に突然政治の中心地であることを止め、廃都となった時からそこに地霊が満ちて行ったのではないか。

渉はそんな風に考えた。ある意味ではそこは中世が封印された場所と言えるのではなかろうか。まだ紅葉には遠いが、少しひんやりとした秋の空気と、早々と落葉を始めた木々も見える辺りを通り、右手に仏殿を眺めながら、更に谷戸の奥へと進んで行く。この寺は深い谷戸に位置していて、境内を進んで行くとまるで森の中に入り、深山幽谷を行く様に、中世そのままの空気の中に入り込んで行く。辺りには地霊が満ちて来る。

そして朔太郎の立体写真の世界の様に、渉の感情そのものが地霊と戯れているのが分かる。それが堪らなく心地良いのだ。全ては感情の世界の出来事に違いない。そして、谷戸の行きつく先、山裾にぶつかった場所に、削り取られた崖の所々に無数の矢倉が穿たれている。百八矢倉とは良く言ったものだ。余りに数が多くてとても数えてみようという気にはならない。

そして、辺りを眺めてみると無数の地霊が何かの声を響かせている様にも見えるのだが、しかし矢張り音はしない。全く静かな森の中に居るに過ぎない。矢張りこれは心の中の感情の戯れなのだろう。

暫くその地霊の満ちて来る様をじっと眺めて、それから渉は元来た道を引き返した。覚園寺彷徨はこんな形で何時も終わる。

さてこれから何処へ向かおうか。何時もは大体覚園寺を見て、それから釈迦堂切通しを抜けて大町の方へ出て、それから名越切通しや曼陀羅堂、そして大切岸といった場所を彷徨するのだが、今日は扇ガ谷から泉ヶ谷の方へ向かおうと心が動いた。藤代紫が時々季節の変わり目の折々に触れ、良くやって来るという場所である。もしかすると今日辺り藤代紫もその辺りを散策しているかも知れない。

ここから扇ガ谷の方へ向かうとすると、一旦八幡宮の前へ出て、そこから巌谷不動の前を通り、大きく鎌倉の中心部を若宮大路の西側へと周る道を行くことになる。鎌倉の都市構造は、中心を南北に貫く若宮大路を軸として、東西に大きく分かれていて、南は由比ガ浜、そして北側は鎌倉を取り巻く山々に至る。そして山々に向かって無数に入り込んだ谷戸の中に、寺々や家々が位置している。その谷戸の奥の山々の裾に無数の矢倉が穿たれていて、そこに中世の地霊が満ち満ちているのだ。

そんなことを考えながら、渉は若宮大路の西へと進み、横須賀線の線路を渡り、扇ガ谷へと至った。寿福寺を眺め、英勝寺を訪れ、化粧坂を横手に見て、海蔵寺にも足を伸ばしてみた。そして、そこから再び横須賀線のガードを潜り、泉ヶ谷へと向かった。

阿仏尼や冷泉為相と所縁のあるこの辺りを藤代紫が良く訪れるという話を聞いていた。もしかすると藤代紫もここに来ているかも知れない。そんな気持ちも心の片隅にはあった。久し振りに浄光明寺の山門を潜ると、そこは人一人居ない静かな境内になる。一渡り寺の風情を眺めていた。木々はまだ殆ど紅葉はしていないが、何処か落魄の気配を帯びている。初秋の風景と言って良い。多分藤代紫が来ているとすると、この奥の崖の上の階段を上って山の頂の為相の墓を訪れているに違いない。

堂宇を横目に見て、崖に刻まれた階段を上る。鎌倉石を切り出した様な崖を見ると、年代を経た中世の岩肌の中に、数限りない地霊が封じ込められているのではないかと見える。そんな息苦しくそそり立つ崖に囲まれた空間を上がりながら、その上に開けた平地の様を眺める。そこには矢張り人影はない。ここから下に見える堂宇の屋根の向こうに鎌倉の町が見渡せる。

渉は暫くその眺めを見ていた。そして為相の墓石に至る階段の方へ向かった。久し振りに為相の墓を見てみようと思ったからだ。すると階段の上からコートを着て黒いロングスカートをはいた若い女性が下りて来るのが見えた。しかも一人だけで連れは居ない様だった。

この為相の墓へ詣でようという一人歩きの女性、しかも若い女を見るということは滅多にないことだった。女は物思いに沈みながら、階段を下りて来た。

藤代紫だった。矢張り紫はここに来ていたのだ。紫も階段を見上げている渉にすぐ気づいた。物思いに沈んだ顔から少し笑みを含んだ顔に変わり、渉に軽く会釈した。

「藤代さんは矢張り秋になるとここに来るんだね。」

「賀茂さんこそ、ここに来るなんて珍しいわね。下宿で寝ているかと思った。」

「いや、今日も何時もの様に秋の覚園寺を歩いて来た。何時もはそこから釈迦堂切通しを通って名越の方へ行くんだけど、今日は何故かこの泉ヶ谷が思い浮かんでね。藤代さんももしかすると来ているかも知れないと思って。」

「覚園寺からここまでやって来たの。さすが健脚の賀茂さんね。どうでした例の地霊は。」

「何時も言っている様に地霊は見えないし、音もしないんだよ。萩原朔太郎が立体写真を眺める時、そこに写る何かを見るというより、それを見ている時の感情と戯れるのが好きだと言っていたけれど、地霊を感じているという感情と戯れているのが良いんだよ。」

「難しい話ね。私には良く分からない。」

「ところで藤代さんの愛人、滝沢氏だったたね。彼の所に行っていなくて良いのかい。」

渉の言葉に紫の表情が少し陰った。暫く考えていたが、思い切る様に言った。

「朝病院に行って来た。殆ど眠ってばかりいるのよ。もうあまり長くないみたい。」

「もう回復の望みはないってことかい。」

「本人も弱気になっている。だから自分のことはもう忘れてくれなんて言っている。」

「それはいけないね。まさか見捨てる積りじゃないよね。」

「勿論よ。でも本当に回復するのかどうか。私も分からなくなってきた。」

「こういう時こそ藤代さんの力が必要じゃないかね。重要なことは気持ちを強く持つことだよ。」

「そうなのよ。それは良く分かっているのよ。でもどんどん気持ちが弱くなってきている。二年程前にもそんな志郎を励まそうと思って志郎を外へ連れ出して、由比ガ浜や寿福寺やこの寺にも連れて来てスケッチをしたりしてたけど。結局それで無理をして病状が進んだということがあったのよ。だからそういう気分転換ということももう出来なくなった。……もうよしましょうこの話は。」

沈黙が流れた。紫は虚ろな目を遠くへ向けて、ぼーっと暫くそこから見える鎌倉の町の風景を眺めていた。

「それよりも賀茂さんの追及している文学者取材の方は今後どうなって行くの。この春から長与善郎、木下利玄、そして有島武郎と、所謂白樺派を中心に取材して来た訳でしょう。次はどういう方向に行くのか。陸奥広吉さんの同人会もどうなって行くのか、興味がある所よね。」

「ああ、色々考えている所だけどね。一つは鎌倉に来ている文学者達の間で、今言った白樺派の人々と、それと少し毛色の違う流れの人達、所謂〝奇蹟派〟という人達が居るんだけどね。次はこの人達を少し追及しようとしている所だ。例えば広津和郎とか、葛西善蔵とかだ。この人達は一癖も二癖もある人達でね、少し取っ付き難い所もあるんだが、でも一旦懐に飛び込んで仕舞えばどうにかなりそうな気もする。」

「広津和郎と葛西善蔵って、この前社長に説明してたよね。一体どんな人なの。現代の文士のことはからっきし分からないから。」

「まあ藤代さんは専ら紫式部や阿仏尼ファンだからね。」

「でも興味はあるのよ。一体どうして鎌倉にこういう文学者達が集まって来るのか。そこが不思議な所よね。例えばこの広津和郎さんとか、葛西善蔵さんって鎌倉のどこに住んでいるのかしら。」

「うん、意外と近くに住んでいるんだよ。広津和郎は八雲神社のすぐ前、謂わば参道みたな所にある古い一軒家に住んでいる。そうだ春に行った木下利玄のすぐ斜向かいに住んでいる。そして葛西善蔵は建長寺の門前の商人宿に良く泊まっているらしい。八雲神社も大町だからね。我が社から行っても十分掛かるかどうかだろう。」

「なるほど、矢張り文学者達は神社とか、お寺とか、鎌倉の古い雰囲気を持った場所に住もうとするのかしら。有島武郎も確か円覚寺の塔頭で執筆していたんでしょ。」

「そういうことなんだろうね。この辺り今流行りの別荘族達の行動とは違う所だと思う。別荘族はむしろ海岸に近い所、強いて言えば海浜ホテルという一等地の周辺を中心に、そこに近い所に住むことに憧れ、そこをステイタスの象徴にしている訳だからね。」

「そこよ。だから『鎌倉新報』の読者も、多くの別荘族と文学者達と、定住している一般住民という三種類の人達に分かれるということよね。そういう点では文学者達は寺とか神社とか古い鎌倉の雰囲気を好んで住み始めたということなのかしら。だからこれは賀茂さんの地霊彷徨と共通するものがあるんじゃないかしら。」

「まあそこまで言ってしまうのは言い過ぎだと思うけどね。地霊彷徨はあくまで僕の趣味だからね。」

「ところで、その奇蹟派の文学者の広津和郎と葛西善蔵を何時頃取材する予定なの。」

「うん、今のところ広津和郎は年内に訪ねたい。そして、葛西善蔵は来年になってからかな。」

「私も一緒に行って話を聞いてみたい位だけど、まあそういう訳にも行かないから、結果を楽しみに待っています。」

そんな話をしながら、二人は泉が谷の浄光明寺を後にした。渉は少し落ち着いて来た藤代紫を眺めながら、ほっとした気持ちになって、扇ガ谷で紫と別れた。

八、広津和郎

その年の暮も押し詰まった頃、十二月の下旬に渉は八雲神社の参道に面した広津和郎の家を訪れた。その家の斜め向かいには、木下利玄の住居がある。ここにこの春、渉は一度取材に訪れた。相手は子爵なので初めての取材要請でもあるので予め手紙を出して置いた。木下子爵は色々気を利かしてくれて、子爵家を訪れてみると長与善郎も居て、一緒に白樺派の話を聞くことが出来た。長与善郎と木下子爵とは、年来の学習院からの付き合いがあり、長与善郎の結婚式を木下子爵が仲人したこともあるとのことで、良く行き来をしているらしかった。木下子爵の家は、相対する広津和郎の家よりかなり敷地も広く、大きい家で門構えもずっと立派だった。しかしそれでも子爵の話だと、今は本宅を名越の方に構える予定で、その準備をしているとのことで、ここはあくまで仮住まいなのだと話していた。

広津和郎の家を訪ねるに当たっても、取材要請を予め手紙を出して置いた。広津和郎の父柳浪と同居しており、和郎は東京に行っていることが多いと聞いていたからだ。渉は、木下子爵の家と比べるとずっとこじんまりとした入口の門柱を入り、玄関の引き戸で来訪を告げた。暫くして、

「どうぞお入りください。」

という声がして、引き戸を開けて中に入ると、少し厳めしい顔に笑顔を作って、老人が迎えた。

父の柳浪であった。

「和郎は中に居ます。どうぞお入りください。」

玄関を上がると三畳の程の畳敷きになっていて、その襖を開けるといきなり座敷になっていた。その座敷の中央に火鉢を据えて、その脇で火鉢に片肘を持たせ乍ら、広津和郎が本を読んでいた。そこからは縁側を隔てて小さい庭が見え、隣家の塀との間に少しばかり庭木が植えてあった。この辺りも木下子爵の家の座敷が広い庭に面していたのとはかなり対照的ではあった。

父の柳浪が火鉢を挟んで和郎の脇に座り、渉は二人に相対する形で座った。

「私、『鎌倉新報』の賀茂と申します。今日は取材の機会をいただき有り難うございます。」

先ずそう挨拶をして、二人に名刺を渡した。

「ほう、『鎌倉新報』ね。初めて聞いたね。最近出来たのかね。」

「はい、五年前に発足いたしました。小さい地方紙ですが、鎌倉中心に地域情報を鎌倉の読者の皆様にお届けしております。初めは別荘の方々や、地元の方々に町の情報をお知らせすることが中心でしたが、最近は鎌倉に遣って来られる文学者の方々を取材し、その動向をお知らせする特集に力を入れております。この春には、このお向かいにお住いの木下子爵と作家の長与善郎様を取材させていただきました。」

「えっ、そうですか。木下君と長与君を取材したのですか。白樺派ですね。彼らは我々貧乏人とは違ってお金持ちだからね。見ての通り門構えだって木下君の家と我が家とは向かい合わせてはいるが、格段の違いだからね。まあそれはいいとしても、白樺派の人道主義、トルストイ主義で一致団結しているのとは全く違って、我々奇蹟派は皆てんでんばらばらで、己の個性に従って自由にやっている。まあ隣り合って住んでいるとは言ってもまるで違うんだよ。」

広津和郎はそんな風に、一見ニヒルな相貌とは裏腹に、江戸っ子らしい闊達さで話し出した。早速渉はその流れに乗って話を聞き出すこととした。

「ところでその奇蹟派の皆様も広津様を中心に葛西善蔵様も最近活躍されてますよね。」

「まあ奇蹟派などというのもあってない様なものでね。『奇蹟』という雑誌自体も半年で潰れてしまったし、残っている連中は学生時代のクラス会みたいなもんだからね。」

「ところで広津様の出世作と言って良いのでしょうけれど、『神経病時代』ですが、私も読ませていただきましたが、主人公が新聞記者ということで、私自身の経験に照らして、大いに身につまされた所がありました。あれはモデルはあるのでしょうか。」

「まあ強いて言えば私自身の経験がかなり生きているんだがね、決してそれだけではあの小説は書けないよ。」

「そうでしょうね。ところで何時も感心するのですが、広津様は翻訳もやれば評論もやり、そして小説も書かれるということで、その多彩な活躍に感心しているのですが。」

「有り難う。良く私の本を読んでくれているようで。まあ器用貧乏というのかね。私も元々は、先ずは評論で売り出したのだが、これだけでは食えなくてね。小説は学生の頃から書いていたし、小説にもウェイトを掛ける様にしたのですよ。そうだ、評論と言えば先程話しがあった長与君とちょっと事件があってね。私はロシア文学については、チェホフが好きでね、トルストイの人道主義というのが鼻につく、チェホフの自由な所が良いという様な文章をある雑誌に載せたら、それを読んだ長与君が大分腹を立てたらしくて、まあ白樺派はトルストイを神様の様に信奉しているからね。トルストイを貶すのは怪しからんという文章を別の雑誌に載せたのですよ。そこでお互いにちょっとした論争になってね。それだけならいいんだが、或る日長与君が木下君の家に遣って来て、たまたま私が家の門を出たら長与君が木下君の家の門から出て来たところでね。長与君が私の方を睨みつけていた。全く挨拶のない、睨み合いで気まずい雰囲気で終わったのだがね。隣同士ということが災いしたのか、そんなことがあったね。まあその後別の所で会ったりしている内に大分親しくはなったんだがね。」

「そうですか。面白いお話ですね。ところで、所謂奇蹟派のお仲間で、最も注目されている方はどなたですかね。」

「それは矢張り、良い意味でも悪い意味でも葛西善蔵だろう。」

「良い意味でも悪い意味でもですか。」

「ああそうだ。確かに彼は才能はあるだろう。しかし問題点が多過ぎるのだ。先ずは筆が遅過ぎる。そして寡作だ。だから題材に困り筆が進まなくなると、奇蹟の仲間の文士を誰彼となくモデルにして、悪口三昧を書き並べる。しかもモデルが誰だか分かる様にあからさまにだ。私も大分これをやられた。そして酒癖が悪い。だらだらと際限なく飲む。そして何時も金に困っていて、誰彼となく借金を迫って、殆ど返さない。そういう男なんだ。彼と何回喧嘩したか知れないよ。

こういう遣り方は読者に取っては面白さがあるのかも知れない。でも本来の文学の在り方ではないと僕なんかは思うのだがね。葛西の所にも取材するのかね。」

「ええ、考えています。」

「何時頃ですか。」

「まあ年を越して来年早々位に取材をお願いしようと思って。」

「何だったら紹介状を書きましょうか。彼は私のことを恐れているからね。まあ敬意を払っているとも言えるかも知れない。」

「宜しければお願いいたします。」

「その方がいいと思うよ。中々難しい男だからね。僕から彼に丁寧に対応する様に添え書きをして置くから。」

そう言って広津和郎は隣室に入って紹介状を書き始めた。するとそれと入れ替わりに、途中何時の間にか席を外していた父の柳浪が戻って来た。この父も明治期に活躍した大小説家で、尾崎紅葉と並び称されたこともあった人物である。この人にも取材して置くべきと渉は思っていたので早速聞いてみた。

「失礼乍らお父上は最近は新作は書かれるのですか。」

「ははは。私はもう小説家は引退だよ。息子に任せたからね。和郎はまだ小説家としては駆け出しだから。記事にする時は和郎の事を巧く書いといて欲しいな。」

そんな風に言う柳浪を見て、渉は噂通り息子思いの父親なのだなと思った。

「勿論ですよ。取材の機会を我々に頂いて、今日は色々舞台裏の話まで含めて貴重なお話をお聞きして、感謝しております。おまけに葛西善蔵様への紹介状まで書いて頂けるということで、ありがとうございます。」

「葛西善蔵の所へも取材に行くのかね。あの男は気を付けた方がいいよ。人の悪口を平気で小説に書き込んで平然としている男だからね。まあ慎重に取材するに越したことはない。賀茂君だったかね。これを機会に気楽に我が家にも遊びに来給え。」

そんな気さくな父柳浪の言葉に送られ、和郎からは葛西善蔵への紹介状を受け取り、渉は意気揚々と広津邸を退出した。

九、再び土御門敏麿

年が明けて早々、まだ正月の気分が残っている一月の終わり、賀茂渉はひんやりとした朝の空気の中、建長寺の広い境内を歩いていた。確かに寒いことは寒いが、小春日和と言って良い様な冬晴れの朝である。境内のあちこちには初詣客とも言える様な着飾った老若男女の姿があった。建長寺の前の車溜りには人力車の姿が何台か見えた。この時代、まだ横須賀線に北鎌倉の駅はなかった。

賀茂渉は総門を入ると左手の方にある宝珠院の方角に向かって歩き始めた。来週にはかねてより予定していた葛西善蔵への取材が実現することとなっていた。広津和郎から貰った紹介状を付けて、葛西善蔵に送った取材要請の手紙の返事が来て、快諾するとのことであった。昨年の暮広津和郎に取材に訪れた時、葛西善蔵がここ建長寺に引っ越して来たという話を聞き、広津和郎に紹介状まで書いて貰っていたからだ。

宝珠院はすぐ見付かった。山門の左手、急な階段を上がった場所に、境内を見下ろす様に建っていた。その後ろは崖の様になっていて、この寺を取り囲む山々の中の谷戸に建つ建長寺を象徴する様に、背後の山腹を抉り取った様な場所に建っている。建長寺の場所も元々は刑場だった所ということで、矢張り地霊が満ちている場所であるに違いない。

一通り宝珠院を眺めて、その様子が分かったので、一先ず辺りの寺の建物を見て廻ることにした。

宝珠院の前の道を行くと、そこは建長寺の奥の院と言うべき半僧坊の方へ至る。その手前には何軒かの茶屋が並んでいた。半僧坊に上る人、そこから帰る人達が一服をして休憩する場所なのだろう。その前を通ると、店の若い娘達が競い合うように黄色い声を張り上げて客引きをしている。そんな賑やかな様子を眺めながら、渉は一先ず引き返して寺の仏殿やその他の諸々の建物を見て廻ることにした。

仏殿の方へ向って行くと、仏殿に入って行こうとする茶色の羽織袴姿の若い男と、その横を歩いている華やかな洋装の若い女が目に入った。まるで銀座の街から抜け出して来た様な今時のモダンガールの衣装で参道を歩いている。臙脂のロングスカートのワンピースにピンクのバラの造花を胸に付けていて、鍔の広い帽子も被っている。そして、羽織袴の男に何やら話し掛けながら、時々楽しそうに笑っている。何処かで見たことのある羽織袴の男は驚いたことに、あの土御門敏麿ではないか。由比ガ浜海岸では陰陽師の化石の様な雰囲気の土御門敏麿が、今はこれも相手のモダンガール風の女ににこやかに笑い返している。疑いもなく土御門敏麿であった。

初め渉は見てはいけないものを見てしまったかの様に声を掛けるのを躊躇った。しかし向かう方向は同じなので、自然の歩みのまま近付いて行ったので、距離は瞬く間に縮まって来た。そして、土御門の方も近付いて来た渉に気付いて、そこで目が合った。

土御門も初めは少し驚いた風であったが、すぐ渉と分かるとにこやかな顔に変わった。最初に声を掛けたのは土御門であった。

「今日はまた建長寺で取材ですか。」

「まあその様なものですかね。」

正確に言うと来週予定されている葛西善蔵への取材の準備の様なものだが、そこまで説明する必要はなかった。

「ほう、何か訳ありの感じですね。」

そんな土御門の言葉を無視して渉は言った。

「ところで、そちらの女性はお連れですかな。珍しいですな。土御門さんが妙齢の女性を連れてお散歩とは。」

「そんなに珍しいですか。私としては珍しいことではないんですがね。大体賀茂さんとお会いするのはまだ三回目ですからね。」

渉と土御門と連れの女性はそのままの流れで、先ずは仏殿に入った。三人は言葉も交わさず黙ったまま巨大な仏像をじっと眺めた。そしてそのまま仏殿を出た。

「どうですか、その先の茶屋でお茶でも飲みませんか。こちらの女性も賀茂さんにご紹介したいですからね。」

土御門はそう言って、半僧坊の方へ行く道を指差した。先程渉が宝珠院の様子を確かめてから、半僧坊への道を行った先に建ち並んでいた茶屋である。

土御門の後ろから付いて行くと、すぐに茶屋が連なる一角に至った。相変わらず店の若い娘達が盛んに客引きの声を張り上げている。そんな茶屋群を眺めながら土御門は奥行きがあって一番落ち着いた雰囲気の茶屋に入って行った。

席に着くと、早速土御門が話し始めた。

「こちら石田萌さん。お父さんが海浜ホテルの副支配人をやられている。そのため一家を挙げて鎌倉に引っ越したばかりでね。私が鎌倉に不案内な萌さんをあちこち連れ廻っている訳です。

こちらはね、賀茂さん。『鎌倉新報』の記者でね、ここの所鎌倉にやって来ている文学者達の取材をしている。結構面白い話を色々知っていると思いますよ。そして鎌倉にも詳しい。何てったって『都新聞』の鎌倉通信部記者もやっていたからね。」

「へえ、それは素敵ですね。鎌倉にやって来る文学者なんて結構センスの良い方達なんでしょうね。私あんまり文学のことは知らないけど。」

「こんなことをお聞きするのは失礼かも知れないけれど、石田さんは土御門さんとはどういうお知り合いなんですか。というのはこの土御門さんも中々文学にこだわりのある方の様ですよ。将来は文士を目指しているというお話ですから。」

そんな風にいきなり渉が言ったので、土御門の表情が少し強張った様に見えた。

「えっ、どういう知り合いって、まあ言ってみれば仲の良い友達ってとこかしらね。」

石田萌が当り障りのない言い方をすると、土御門が言った。

「彼女は私の学生時代の友人の妹の女友達でたまたまその友人の家でその妹の所に来ていた萌と出会ってね、それがきっかけだったね。その時萌の父親が鎌倉海浜ホテルの副支配人になって一家が鎌倉に引っ越すという話をしていてね。しかも鎌倉海浜ホテルで父親の仕事を手伝う事になっているると聞いたんでね。じゃあ僕が萌に鎌倉を案内するよと言ったら、萌もすっかりその気になって、去年の秋からあちこち鎌倉を一緒に散策することになったんだ。そういう極めて健全なお友達付き合いではある。」

その時、夏に由比ガ浜で会った時、土御門敏麿が海浜ホテルを憧れの眼差しで見ていて、何時かは文士として海浜ホテルに泊まりたいと言っていたのを思い出した。

「そうですか。では土御門さんもいよいよ憧れの海浜ホテルに御縁が出来そうじゃないですか。」

「あの時はただ海浜ホテルの威容を建物や周囲の外観からだけ見て感心していただけだったけれど、色々萌さんから今の海浜ホテルの賑わいを聞くと、益々驚くことが多くてね。とにかく今の海浜ホテルは外国人の宿泊が多い。アメリカ人、イギリス人、ドイツ人、そして革命が起きたロシアから亡命して来た白系ロシア人といった人達が遣って来て、ホテル自体も相当儲かっている様だね。」

「ほう、そうなんですか。外からでは外国人の宿泊客が多いかなという位で、余り中の様子はわからないですけどね。」

「だから、今ホテルは客室を二十四室増築している。益々外観の威容は高まる様ですね。そこへ来て、昨年はユリアナ・パブロワ、ナデジダ・パブロワという亡命ロシア人のバレリーナが公演をして大盛況だった。アメリカから有名な奇術師を呼んで公演させたりしている。あちこち広告も出したりしている。そうだ、『鎌倉新報』にもこの際広告を出してもらったらどうですか。何だったら私が萌を通じて副支配人に話を通してもいいですよ。」

そんな土御門敏麿の海浜ホテルの関係者の様な口振りに、渉は苦笑いを禁じえなかった。しかも着ているものと言えば何時もの茶色っぽい羽織袴なのだ。

「ではもう何回か海浜ホテルに泊まったりしているんですか。土御門さんは。」

「いや、泊まるところまでは行っていない。中々お高い所だからね。まだまだ日本人には高嶺の花でしょう。一度だけ萌とレストランでランチを食べた位かな。しかし鎌倉に別荘を構えて居る所謂貴顕紳士の皆さんなら十分可能性はある。どうですか広告料をたっぷり取ってホテルの広告を『鎌倉新報』に載せて貰ったら。」

土御門はそんなことを嬉しそうに話した。渉はそんな土御門の姿が不思議だった。夏に会った時のこの男は何処か陰気で、鎌倉の神社仏閣を羽織袴姿で廻って、中世の空気を感じるのが好きだなどと言っていた、文学志望の何処か皮肉っぽい男という印象とはすっかり変わって顔色も良く、石田萌の華やかな雰囲気に染まったのか、或いは憧れの海浜ホテルが身近になったことに有頂天になってしまったか、何処か浮ついた気分を振り蒔いていた。

そんな事を渉が考えていると、土御門が言った。

「ところで建長寺で何か御用があったとお見受けしたが、若し良ければお聞きしたい所ですな。」

渉が何か情報を持っているに違いないと、矢張り文学の匂いに敏感な土御門がそこを嗅ぎ分けて来たに相違なかった。ここで葛西善蔵のことを話すのは少し躊躇ってはいたが、土御門がどんな反応を示すか確かめてみたいという誘惑に負けて、渉は話し始めた。

「葛西善蔵って知ってますか。最近文壇に登場して、個性的な作品を発表し始めている、所謂奇蹟派の作家ですがね。」

「葛西善蔵。聞いたことあるな。まだ作品は読んだことないけど。かなり苦労人の作家でしょう。借金で苦しんでいるとかいう話を聞いたが。」

「その葛西善蔵ですよ。来週取材することになった。」

「えっ、何処でですか。それが建長寺と関係あるんですか。」

「彼は昨年の暮から、今上って来た半僧坊参道の上り口辺りの崖の上にある宝珠院という塔頭に住み始めた。そこに取材に行くのですよ。」

「ほう。これは驚いた。こんな所に住み着いたのですか。それは矢張り生活苦からですか。」

「それは知らないけど、彼は元々一時建長寺門前の商人宿に泊まったりしていたこともあるし、奇蹟派の連中で鎌倉に住んでいる作家もいるし、矢張り鎌倉は文学者を引き寄せる何かがあるんでしょうね。実は彼がここに引っ越したというのも、昨年の暮ですからね。偶々その頃広津和郎の取材に行った時に聞いたのですよ。広津氏は紹介状まで書いてくれてね。」

「広津和郎ですか。『神経病時代』ですよね。あれは中々良い小説だった。八雲神社の近くに住んでいるんですよね。一度行ってみようかと思ったこともある。今度紹介して貰えませんか。海浜ホテルの広告と引き換えに。どうですか。」

「広津和郎に会ってどうするんですか。」

「いやね、僕の原稿を見て貰おうと思って。彼なら僕の小説を正しく評価してくれるのではないかと思ってね。葛西善蔵には興味が無いけど、広津和郎はいいんじゃないの。」

「そうですか。まあ広告のことは有難いけど、社長に相談して見ます。広津和郎の件は考えさせて下さい。確かにあの人は面倒見の良い人らしいですから。」

土御門と渉が二人で話し込んでいる間、石田萌はすっかり退屈した雰囲気で、落ち着かない様子を見せ始めた。ここの辺りが別れる潮時かと思って、渉は「これから社に戻らなければなりませんので。」という言葉を残して茶屋を後にした。

十、葛西善蔵

土御門敏麿と偶然会った日から一週間後、もう二月に入った日の午後、指定された時間に渉は建長寺にいた。その日はすっかり正月気分も抜けて、境内には人影も疎らで寒々とした北風の吹く日であった。日差しは殆どない、侘しい真冬の日である。或いはこんな日こそ葛西善蔵を訪れるには相応しい日なのかも知れないという考えが渉の頭をよぎった。

総門を潜って、半僧坊へ向かう参道に至る道の左手斜面の上に宝珠院は建っている。その奥には切り立った崖が控えているのが見える。急な階段を上り詰めて、玄関に至る。来訪を告げると、中から応答があって、

「どうぞお入り下さい」

という声を受けて引き戸を開けると、老僧が立っていた。

「葛西さんはまだお休みになってますよ。よろしければご案内しますよ。お声を掛ければ起きられると思いますが。」

白髪の老僧は痩せて、枯れ切った仙人の様な風貌である。

「お休み中、失礼になりませんかね。」

渉が聞くと、

「大丈夫、何時もこんな調子ですよ。あの方は、昨日もかなり遅くまで飲んでいた様ですよ。半僧坊へ行く参道の茶屋の娘にお酌をさせて。」

「あそこの茶屋の娘が夜遅くまで葛西善蔵の酒のお酌に来ているのですか。」

渉は先週、土御門と偶然出会って、石田萌と三人で入った茶屋のことを思い出した。そこで賑やかに客引きの声を出していた茶屋の若い娘達の姿を思い出した。

「葛西さんは内の下宿人ですが、お食事は出せませんので、あそこの茶屋に三食の食事と、まあお酒も頼んでいるということです。大体毎日遅くまで飲んでますから、起きるのもこんな時間です。今日は葛西さんにお時間は言ってあるんですか。」

「ええ、葛西様からの指定の時間に来た積りですがね。」

「そうですか。その辺りがかなり曖昧ですから、あの方は。まあ声を掛ければ起きると思いますよ。」

渉は住職との話で、先ずは葛西善蔵という男の一端を垣間見た様な気持ちがした。広津和郎に紹介状を書いて貰って置いて良かったという風にも思った。でもこれは少々骨が折れるかも知れないという予感を感じた。

「葛西さん。お客様がお見えですよ。」

住職が声を掛けてくれた。

「ああ、もうこんな時間か。忘れとったな。今起きるからね。」

そう言って何やら布団から起き上がる気配がして、やがて襖を開けて葛西善蔵が現れた。

「どうぞ入って下さい。こんなむさ苦しい所ですがね。」

葛西善蔵の部屋は庭に面した廊下に住職の部屋と並んでいて、その奥にあった。部屋に渉が入ると少しまだ昨晩の酒の匂いが残っている様な気がした。酒杯や、徳利や、つまみを載せた器が卓袱台の上に散乱していて、片付かないままになっているのがそんな気にさせたのかと思った。

「私、『鎌倉新報』の記者の賀茂と申します。今日は取材宜しくお願いします。」

「ああ、広津からの紹介状貰ったからね。良く分かっている。広津は私のこと何か言っていたかね。どうせ悪口を散々言っていたのだろう。で、私から何を聞きたいと言うのかな。」

「広津様からお聞きしましたが、葛西様は所謂奇蹟派の中では最も注目している作家だと仰っていました。そこで葛西様のお口から今後の抱負などをお聞きしたいと思いまして。」

「抱負ね。抱負なんて言われてもね。とにかく良い作品を書きたいということに尽きるだろうね。私は書けない作家なんだよ。広津も言ってなかったかな。つまり筆が遅いんだよ。作家は皆そこが悩みだろうけど、僕は特に書けない。書けなくなると全く書けなくなるんだよ。しかし雑誌社は容赦なしに原稿取りに来るからね。もっとも原稿が書けないと稿料も入らないから、僕も困るんだけどね。」

そうひとしきり呟く様に話して溜息をついた。渉はこの人はまだ昨晩の酔いが残っているかと思われる程に、本音の言葉を吐露した。

「しかし葛西様の小説は読者の人気がある様ですし、その個性的な作風については定評がある様にお聞きしますが。」

「そこだよ。僕も本当の事、真実を書きたい。それが出来なければ本当に良い小説は書けないと思っているからね。小説をいい加減に書くことが出来ない性格なのだよ。だから時間が掛かると言うことも出来る。いよいよ書けなくて原稿取りが押しかけて来ると、僕はとにかく逃げることにしている。暫くこの家を抜け出してあちこちほっつき歩いて、時には何処かに旅をして、そこで書くということもある。」

「なるほど、でもそんなことが続くと経済的に厳しいということはないのですか。」

「勿論だよ。さっきも言った様に、自分で自分の首を絞めている様な所があるのだ。いよいよ金が無くなった時は誰かに借金を頼むしかないのだがね。そんな風にしてどんどん自分を厳しい状況に追いやって行くと、その厳しさの中で、逆にその事を書くことが出来るという悪循環を繰り返しているのだね。」

「まさに葛西様は体を張って、というか人生を掛けて小説を書いておられるということですね。

感心します。」

「読者は作家を良く見ているからね。小説に真実があるかということを敏感に感じ取るのだよ。僕は人と話していて、相手の言うことが気に食わないと、取っ組み合いの喧嘩をすることもある。そういう取っ組み合いの喧嘩を小説に書くと、読者は面白いと思うのだ。しかしそれがいい加減な虚構では決して読者の関心を惹かない。真実味が無ければならない。僕は喧嘩をする時は本気で取っ組み合いの喧嘩をするからね。それが矢張り読者に伝わるのだ。」

そう葛西は滔々と話した。少しずつ前夜の酔いは抜けて来た筈だが、まだ余韻が残っているという気がした。

その時襖の外で人の気配がして、

「葛西様、お昼食を届けに参りました。」

という若い女性の声がした。

「有り難う。どうぞ入って下さい。」

葛西がそう答えると、

「丁度良い所に来た。紹介するよ。そこの半僧坊の参道の脇の招寿軒という茶屋の浅見ハナさんだ。何時も三度の食事を運んで貰っているんだ。」

浅見ハナは茶屋の娘らしく、愛想を含んだ素朴な笑顔を作って渉に挨拶をした。

「招寿軒の浅見ハナと申します。葛西様に何時もお世話になっております。」

「あの参道の茶屋の娘さんですか。先週あそこでお茶を頂きました。私、『鎌倉新報』の賀茂と申します。」

そんなやり取りの後、浅見ハナは昨晩の酒の名残の卓袱台の上を片付けて、葛西と渉にお茶を入れてから帰って行った。

「これから昼食ですか。」

渉が聞くと、

「起きるのは何時も今頃だからね。この時間になるとあの娘が昼食を運んで来る。晩は何時も晩酌に付き合ってくれるんだよ。」

「あの茶屋の娘がですか。」

「ああそうだ。優しくって良い娘なんだ。僕に惚れているんだろう。」

葛西は自信たっぷりにそう言った。確かに葛西は細面の痩せ型で、一見頼りない感じはするが、そのちょっと寂し気な所が女心をくすぐるのかも知れない。

「最後に一つだけ言って置きたいのだがね。広津は何か僕の事を言っていたかね。まあ僕に対する苦言っていう様な事だがね。」

「まあ、一般的な話として、作家仲間をモデルにして小説を書くのはどうかという様な事を仰ってはいました。」

「まあね。昨年私が広津をモデルにして書いた小説が広津のご機嫌を損ねた様でね。新夫人と結婚したての広津の家を訪ねた時、新夫人が遊動円木を上手く乗りこなせたのに、広津が何回やっても跳ね飛ばされている姿を『遊動円木』という小説に書いたんだがね。それが気に入らなかった様でね。しかしこういう作家仲間をモデルにする小説は実は読者が喜ぶんだよね。いよいよ題材が切れた時はどうしてもこういう題材に跳び付いてしまうんだ。僕だけがやっていることではないよ。皆やっていることだ。」

そんな弁解がましい葛西の言葉を聞いて、昼食を待たせるのも拙いと思った渉は、

「色々今日は面白い話を伺い有り難うございました。これからご昼食の様なので、そろそろ失礼します。」

と言って葛西善蔵の部屋を退出し、宝珠院を後にした。

十一、滝沢志郎の死と藤代紫

建長寺宝珠院の葛西善蔵を取材して、賀茂渉が社に戻ってみると、社長が一人落ち着かない表情で何か考え事をしている様だった。何事も楽観的な辰巳社長がこんな姿を見せることは余りないの

で、渉は少し不安な気持ちに捉われた。しかも何時も席に居る藤代紫が居ないのだ。そして葛西善蔵の取材から戻って来たばかりの渉に何時もなら取材の内容に飛び付く様に聞いて来る社長が相変わらず考え事に沈んでいた。

「何かあったんですか。」

思わず渉は社長に聞いた。やがて社長が重い口を開いた。

「藤代さんの愛人、滝沢志郎がもう危ないらしい。昨日もそんな事を言っていたが、昨夜は徹夜で看病していたらしい。今日朝出社して来てね、もう今日辺り危ないと言われていて、これから病院に詰めさせてもらいたいと言うのだ。仙台へも電報を打って両親が鎌倉に向かっているということだ。」

「そうですか。いよいよ駄目ですか。」

前からもう駄目だろうと紫から聞いていた渉であったが、改めてそんな深刻な状況を聞くと衝撃を感ぜざるを得なかった。ここで滝沢志郎が亡くなってしまうとなると、藤代紫は一体どうなってしまうのか。或る意味で紫が『鎌倉新報』に勤めているのも、鎌倉にやって来たのも、すべては滝沢志郎の看病のためであり、それがすべてであると言えた。阿仏尼の事も、為相の事も、結局はそこから派生して来たものに過ぎない。

多分滝沢志郎の居ない鎌倉は、紫にとってはたちまち全く意味の無い場所になって仕舞うのではないか。当然そういう結果が考えられるのは火を見るより明らかではあった。しかしかと言って滝沢志郎が居ないという事実は動かせない事実であり、鎌倉を去ったとしても何処にも拠り所はないことも確かであった。

「まあ、滝沢志郎の容態がどうなって仕舞うのか。我々にはどうにもならないからね。兎に角様子を見ているしかなかろう。もし滝沢志郎を失ったとしても、藤代さんが他に何処に行くという当てもなければ、鎌倉と『鎌倉新報』に留まるしかないのではないかな。折角これだけ我が社と我が社の仕事に馴染んで来たのだからね。」

社長が独り言の様に言った。

渉にとっても今は社長と同じ様な事しか言えなかった。

「まあ、まだ亡くなった訳ではないからね。今の時点でどうこうという事は何も言えないからね。」

社長の独り言の様な話でこの話は一旦終わった。

「ところで葛西善蔵の所に行って来たのだろう。どうだったかね、結果は。」

社長が思い出した様に言った。

「矢張り噂に違わず個性的な方ですね。この方は建長寺の宝珠院という塔頭に住まわれているんですが、そこの主はかなり御年の老僧の方でね。まるで仙人の様な雰囲気と風貌を持っていて、淡々と親切に対応して頂きました。しかし葛西さんは時間通りに伺ったのですが、昼過ぎなのにまだ寝ているのですよ。坊さんもまた何時もの事かという感じで、何も言わないんですね。聞いてみると毎日こんな感じで、前日も夜遅くまで酒を飲んでいて、大体起きるのはこの時間だと仰っていました。しかもその時間まで近くの半僧坊への参道の茶屋の娘にお酌をさせて飲んでいるということでした。住職が葛西さんを起こしてくれましてね、どうにか話を聞くことが出来ました。部屋に入ると卓袱台の上には前夜の酒の徳利や銚子や酒の肴を入れた器とか散乱していて、少しまだ酒の匂いが籠っている様な感じがしました。」

「成る程、この人物は噂通りということかね。他には何か印象に残ることは無かったのかね。」

「まあ、兎に角話は良くしてくれました。まだ前夜の酒が残っているかと思わせる様な率直な話をするので、そこは有難かったところです。自分は書けない作家だと仰る。だから原稿取りから逃げ出して、何処かへ旅に出て仕舞うこともあると。その代わり原稿料も入らないので、金に困った時は、親戚や友人に借金をするしかないというお話でした。」

「成る程、先ず酒と金は評判通りということらしいね。後は女ということかな。」

「女は強いて言えば、真夜中まで酒のお酌を付き合うという茶屋の娘ということになります。葛西さんはその娘は僕に惚れているんだなんて言っていましたが確かにちょっと優男で、頼りなさそうで寂しげな感じが女心をくすぐるのかも知れません。それからもう一つ、喧嘩っ早い所ですね。

しかもとことん取っ組み合いの喧嘩をするらしい。そしてそれを小説に書き込む。最後は広津さんも言っていたが、他の作家をモデルに小説を書いて、その作家の悪口を平気で書き込む所ですね。」

「ほう、色々あるね。当に個性の宝庫だね。しかし良くそれで小説家が務まるものだね。」

「だから私も葛西さんに、あなたは当に人生を掛けて小説を書いておられますね、感心します。と申し上げましたが、満更でもない感じで、小説は真実を書かなければならないと仰っていました。この方は命を縮めるのではないですか。」

「うん、そうだろうね。でもそういう姿勢で書いているということを読者も分かっているから、読者は彼の書くものを期待して読むのではないのかね。」

「多分そういうことでしょうね。広津さんも、色々悪口は言っても、葛西さんの才能については評価を置いている様です。」

「広津氏と言い、葛西氏と言い、中々話題豊富だね。よし、春季特集号として奇蹟派の作家達というタイトルで載せていこう。」

「ところで葛西さんに取材する一週間前に、例の土御門敏麿に建長寺で偶然会ったお話をしましたね。海浜ホテルの事を色々言ってましたけど、あの件どうでしょうかね。」

涉は土御門敏麿が言っていた、海浜ホテルの広告掲載と、広津和郎を紹介することの交換取引の話を社長にも話していたが、結論について改めて聞いてみた。

「その話だけどね。まだ賀茂君には話して無かったけど、実は昨日突然土御門が社にやって来てね。海浜ホテルの広告の件は、その石田萌さんの父親の副支配人にも打診してあって、十分いけそうだという話でね。まあ後は広津和郎への紹介を賀茂君にやってもらえるかということになって来るのだよ。」

「良かったですね。それは。私は土御門の話は半信半疑だったんですが、そこまで話が進んでいるとすれば、もう大丈夫だと思います。矢張り『鎌倉新報』にとって、広告収入の確保が生命線ですからね。先ずそこが最重要な所で、広津氏への話はどうにでもなると思います。広津和郎は東京に行っていることが多くて、いきなり行っても、中々会えそうもない様ですが、父親の柳浪氏は中々愛想の良い人で、何時でも遊びに来てくれなんて言ってましたから、柳浪氏に頼めば何とかなると思います。」

「柳浪さんも作家なんだろう。」

「まあ、そうです。でも半分過去の人ですね。今は小説は息子に任せて、自分は書いていないと言ってました。この人は中々息子思いで、何時も息子の事を心配している様ですね。明治期には、中々の作家だった様ですが、もう引退して暇を囲っている様ですね。」

「では、それは賀茂君に任すとしよう。兎に角海浜ホテルの広告が取れるということは、我が社にとっても大進歩だろう。海浜ホテルも賑わっている様だし、先が楽しみになって来たね。」

そんな話をしている内に、夕方になって来た。一体滝沢志郎はどうなったのだろう。話にかまけて、忘れていたことが、また意識の中心に戻って来た。今日辺りが危ないと医者に言われているということなので、何も藤代紫から連絡がないということは、良い方向に考えたらいいのか、悪い方向に考えたらいいのか、どちらとも言えない不安な状況が続いていた。

不安な気持ちのまま、一夜明けて、渉が出社してみると、まだ社には誰も来ていなかった。何時もは最初に来て、事務室の床を掃いたり、机の上を拭いたりしている藤代紫だったが、まだ来てはいなかった。

暫くして、社長が出社して来た。

「藤代さんはまだ来てはいないよね。」

「ええ、来てない様です。何時もは出社は早い筈ですがね。」

「どうなったのかね。滝沢志郎君は。もう少しして現れない様だったら、賀茂君、病院へ行って様子を見て来てくれんかね。」

「そうですね。私もそうして見ようかなと思ってます。」

しかしそれから小一時間程経って、藤代紫が社に現れた。顔には泣き腫らした跡が見えた。その表情はまだ悲しみに打ち沈んだままだったが、

「昨夜遅く、滝沢志郎は亡くなりました。ご心配お掛けしました。」

と言って、再び溢れて来た涙を拭って、じっと立っていた。

「まあ、藤代さん。そこに座ってお話を聞きましょう。」

藤代紫をソファーに座らせて、社長と渉がその前に座った。

「志郎は眠る様に死んで行きました。もう限界だったんですね。でも亡くなる間際に、少しだけ意識が戻ったみたいで、一言こう言ったんです。『紫、君と行った由比ガ浜、きれいだったね。忘れないよって』それが最後でした。後はどんどん意識が無くなって、何を言っても応えなくなってしまって。」

そう言って藤代紫は再び涙を拭った。葬儀は滝沢志郎の故郷の仙台で行うということで、藤代紫も結婚も婚約もしていないが、唯一の縁者なので、葬儀に参加すると言う。藤代紫は一週間の休暇を貰って気持ちを整理して、また鎌倉新報社に戻って来たいと語った。

「勿論結構ですよ。安心して休養して下さい。」

社長がそう答えると、

「有り難うございます。また鎌倉に戻って来ます。」

藤代紫はそう言って仙台に向かった。

十二、藤代紫と賀茂渉

藤代紫が葬儀を終えて仙台から戻ってから、仕事に復帰したが、口数も少なく表面上は明るい表情を見せてはいたが、どうかすると沈んだ表情で考え事をすることが多くなった。藤代紫は多分そう簡単には滝沢志郎の思い出や追憶から逃れられないのだろうと渉は思った。

そんな或る日、藤代紫が退社した後、渉は社長に呼ばれた。

「賀茂君、藤代さんをどう思うかね。中々亡くなった滝沢氏のことを吹っ切れない様子だね。まあ気持ちの整理に時間が掛かることは分かるが、早く立ち直って貰いたいものだね。そこでだ、この際賀茂君に藤代さんの相談相手になって貰いたいのだ。どうかね、嫌かね。」

突然の社長のこんな話に少し戸惑った渉ではあったが、

「いや、それは構わないんですが、どうせ二人しか居ない社員ですから一緒に協力してやって行くしかないし、私もこの前休日に泉が谷を散歩していた時、藤代さんと浄光明寺で偶然出会って、少し話をしたりもしました。でも亡くなった滝沢さんの存在の代わりになることは難しいと思いますが。」

と言った。

「それはそうだよ。亡くなった滝沢氏は藤代さんの愛人だった訳だからね。それになり代わることとは全く別の問題だからね。あくまで相談相手ということだよ。」

「分かりました。それでは一つお願いがあるんですけど、この前泉が谷で会った時ですけど、私の文学者取材の状況を話したら、彼女もかなり興味を持っていて、出来れば一緒に取材に行ってみたいと言うのですよ。彼女はご存じの様に、『源氏物語』をライフワークにしていて、和歌にもかなり関心を持っている。何かと助けになる部分もあると思うんでね。それで彼女が仕事の遣り甲斐を見出してくれれば立ち直るきっかけになるかも知れない。どうです、たまには彼女を連れて取材に行ってみるというのは。」

「成る程、それはいいかも知れない。しかしそうしょっちゅうという訳にはいかんだろう。藤代さんの本来の仕事というものがあるからね。まあ気分転換に時々影響の少ない範囲でやってくれたまえ。」

こうして渉は、遠慮なく藤代紫を文学者取材に連れ出すことが出来る様になった。

渉が藤代紫と共に文学者の取材に訪れたのは、それから少し経った二月の終わりであった。滝沢志郎が亡くなってから三週間経とうという頃で、ようやく藤代紫も滝沢志郎の追憶から立ち直り、少しずつ落ち着きを取り戻し始めた頃であった。

藤代紫を連れて取材に向かう対象として渉が選んだのは、木下利玄であった。木下利玄と長与善郎を最後に訪ねた時から一年は経っていた。木下利玄は長与善郎とかなり頻繁に行き来していて、多分また長与善郎も同席しているのではないかと思った。二人は何かという機会に会っている様であった。

木下利玄を選んだのは、歌人であるということもあり、しかもその詠風はどちらかというと万葉調と言っても良いのかも知れないが、基本的には現代人にも取っ付き易い自然な写実風の歌調を持っていて、渉もその歌に親しんでいたし、紫も気に入っているのではないかと思ったからだ。

木下利玄は気に入った植物を庭に植え込んでいて、それらの植物を題材に歌を詠んでいた。そんな話を紫にすると、

「それは楽しみね。是非お庭も見せて貰いたいわね。」

と期待を露わにした。

昼前の明るい日差しの中を、八雲神社の参道に面する木下利玄の家に遣って来た。斜め向かいは昨年の暮に訪れた広津和郎の家である。玄関で来訪を告げると、引き戸が開いて女中が顔を出した。

「『鎌倉新報』の賀茂様ですね。伺っております。どうぞお入りください。」

昨年の春に訪れ、二度目なので、多少は覚えられた様だ。奥の庭に面した十畳の部屋に通された。前回と同じ部屋である。しかし今回はそこにソファーが四つ並べられていた。既に木下子爵と長与善郎が並んで座って、楽し気に会話をしていた。渉と紫は二人に相対する様にソファーに座った。

「今日はお二人ですか。こちらの女性は記者の方ですか。」

木下子爵が言った。

「ご紹介します。こちらは『鎌倉新報』の社員で、まあ記者見習いと申しましょうか、今日は書記として同伴いたしました。」

「私、藤代紫と申します。宜しくお願いします。」

「藤代紫さん。品の良い名前だね。」

長与が言った。

「この人は和歌が好きで、『源氏物語』をライフワークにしたいなんて言っております。まあ、あくまでアマチュアですが。木下子爵の歌集も読んでいて、今日お伺いすると聞いて、是非連れて行ってくれと言うので、一緒に参りました。」

「ほう、それはうれしいね。次に出す歌集も是非読んで下さい。」

「ところで、子爵のお歌は自然の風景や草花をその一瞬間の美しい姿で捉えた作品が多いと思いますが、何か工夫されていることがあるのですか。」

渉が聞いた。

「私は中国地方の足守という所の生まれでね。自然の豊かな所に育って、そういう周囲の自然の風景や草花を始めとする植物と親しむことが多かった。それに体が弱かったということもあって、そういう傾向が強かったのだろうね。だから歌の題材も風景や植物の美しさを捉えることにこだわり、しかもどうその美しさを歌で伝えるかということに努力してきたのですよ。私は、牡丹や曼殊沙華、そして薔薇や花菖蒲といった花々が特に好きでね。その美しさを歌の中で表現することに色々工夫を懲らして来た。花と一口に言っても、各々違う味わいを持っている。その花の美しさをピタッと伝える表現にこだわっているのですよ。まあ、どれだけ成功したか、それは読んで頂いた方の意見に待つしかないのですけど、少しは成功したところもあるのかな。」

「いや、かなり成功していると思いますよ。私が言うのも潜越ですが。あくまで読者として。」

「いや有り難う。それで十分なのだよ。」

「ところで長与様は今はどんな作品に取り組まれておられるのですか。昨年伺った時は、『或る人々』を書いておられて、かなりの大作になると伺いましたが。」

「うん、あれは昨年夏頃前編を完成させて、今後編に取り掛かっている所だ。」

「矢張り大作ですからまだ完成までには相当時間が掛かりそうですか。」

「まあ、私は小説を書き出すとつい色々と書き込む事が多くなってね、どうしても大作になって仕舞う。この『或る人々』というのは三年程前に書いた『誰でも知っている』の焼き直しと言うか、更にそれを膨らませた内容でね。日露戦争を題材にしているのだが。ご存じだと思うが『誰でも知っている』が発禁になって仕舞ってね。テーマは共通するのだがね。どうなることか。まあもう少しで完成すると思うが。また『白樺』に載せるので、是非読んで下さい。」

「楽しみにしております。ところで長与様は所謂人道主義という視点で武者小路様と並んで『白樺』の代表的作家と言われておられ、思想性の強い作家という風にお聞きしていますが。」

「そうだね。人道主義の代表者の様に言われてはいるが、これは白樺派全体のテーマで、私だけではない。最近は僕もこの人道主義一辺倒から少しずつ抜け出ようと思ってはいる。審美的と言うか、絵画や美術と言ったもの、つまり美しいものを小説の中に取り込んでいくことを考えているのですよ。私の家系と言うのは、父も祖父も兄弟も学者が多くてね。観念や論理へ傾斜する傾向が強過ぎるのだよ。僕は今は出来る限りそこから抜け出して、人間と美とをバランス良く簡潔に描いて行きたいと思っている。」

「そうですか。これからが楽しみですね。ところで去年三月にお伺いした後、有島武郎様とか、このお向かいにお住いの広津様、建長寺宝珠院に住まわれ始めた葛西善蔵様と言った方々に取材させて頂きましたが、お二人から見てこの方達へのお考えが何か御座いますか。同じ作家仲間としてお気付きの点があればお聞かせ下さい。」

「ほう、有島さんと広津君、葛西君も取材したのですか。」

長与善郎が興味深そうに言った。

「有島さんは白樺派だけどね、ちょっと我々とは距離を置いている。だから傍から眺めているのだが、今彼は『或る女』を書き終えて、そこから何処へ進むべきか迷っている様だね。そして武者小路君が「新しい村」を始めて、彼は北海道の不在地主であることに強い罪悪感を持っている。彼は相当社会主義の方向に傾斜しつつあるからね。広津君と葛西君は例の奇蹟派ということで、我々とは違った流れで、個性を自由に出し合ってやっている。面白い人達だと思う。広津君とは一時トルストイを巡って謙悪な雰囲気になったことがあったが、何か私の事を言っていたかね。」

「ええ、仰ってました。広津様の家は木下子爵と向かい合わせにあるので、調度木下様の家にいらしていた長与様が家を出るところで睨み合いになって、気まずい雰囲気になったことがあった。しかし今は親しくなっていると仰ってました。」

「ははは、そんなこともあったね。彼とは十分分かり合えると思うよ。葛西君の事は良く知らないが。」

「ところで木下子爵は確か名越に新居を建てられているとお聞きしましたが、何時頃完成のご予定ですか。」

渉が聞いた。

「もう大分工事が進んでいて、夏頃には完成の予定ですよ。完成したら是非いらして下さい。」

「有り難うございます。是非新居を拝見に伺わせていただきます。」

「ところで今回の話は記事にするのかね。」

長与善郎が聞いた。

「勿論です。去年記事にさせて頂いてから一年が経っておりますので、白樺派の皆様の近況として特集を考えております。」

「有り難う。記事楽しみにしているよ。」

長与善郎の言葉を受けて、渉と紫は木下邸を退出した。そして一呼吸置いて、次は広津邸への訪問である。土御門敏麿の話を広津和郎に取り次いで置かねばならなかった。木下邸の門を出て直ぐ、斜め前が広津邸である。眺めてみると、ひっそりとして人の居る気配は窺えなかった。多分父の柳浪が一人で留守を守っているのだろう。玄関で来訪を告げると、父の柳浪が迎えた。

「『鎌倉新報』の賀茂君だったね。まあ入り給え。今日はお二人ですか。」

そう言って隣の紫に目を遣った。

「今日は生憎和郎は東京へ行っていて不在でね。私で良ければお話しますよ。まあ上がって下さい。」

そんな風に突然の訪問にも気安く迎えてくれる柳浪の対応に渉は言われるままに座敷に上がった。去年の暮れに訪れた時の様に座敷には火鉢が据えられてあって、その脇に柳浪は座った。

「こちら、我が社の社員でまだ記者見習いですが、書記として連れてまいりました。」

「私、藤代紫と申します。宜しくお願いします。」

紫が言った。

「まあ、私でお役に立てるか分からないが、どんな御用ですかな今日は。」

「昨年の暮は広津様に取材させて頂き、葛西善蔵様の紹介状も頂きありがとうございました。」

「お役に立てましたかな。」

「葛西様は中々個性的な方で、忌憚のないお話を色々伺いました。これも紹介状のお陰かと感謝しております。」

「葛西君は息子の事を何か言っていたかね。」

「確か『遊動円木』という小説の事を話しておられまして、勝手に広津和郎様の事を小説に書いてしまったが、止むを得なかった、という様なお話でした。多少反省の弁という感じではありました。」

「その程度の言い方かね。だからあの男は駄目なんだよ。あれでは息子が可哀想だ。そう思わんかね。」

「読者がそういうのを喜ぶし、他の作家もやっていることだという様なお話でした。」

「そうだろう、そういう言い方になるだろう。それが怪しからんということなんだ。」

柳浪は憤懣遣る方ないという表情で黙り込んだ。

「でも葛西様は自分の事を実に率直に話して頂きました。私共としては収穫があった取材でした。お陰様で有り難うございました。」

「で、息子の事も含めて記事は何時頃出すのかね。」

「ええ、三月に入ってから、奇蹟派の作家達の近況ということで特集を出します。」

「奇蹟派ということは、葛西善蔵と一緒ということかね。ちょっと気に食わんな。息子の事はきちんと書いてくれよ。」

「分かりました。ところで今日お伺いしたのは、ちょっと別の要件なのですが、実は私の友人で東京の雑誌社に勤める者がおりまして、その男が小説家志望で、自分の書いた小説を広津和郎様にご指導頂きたいと申しているのです。一度お会いしたいと申しております。」

「ほう成る程。そういう人は息子の所には良く来る様だ。話をして置くよ。連絡先を教えてくれれば都合の良い日を連絡させるよ。」

そう言って柳浪は真に快く引き受けてくれた。こうして一仕事終えて、ほっとした気分で渉は広津邸を退出した。

社へ帰る道々渉は紫と話しながら歩いた。大町の八雲神社から由比ガ浜通りの社までゆっくり歩いても十五分ぐらいの距離である。

「どうでした。初めての取材体験は。」

「ええ、面白かったわ。作家の皆さんはそれぞれ個性があって、その表情と話を聞いているだけで楽しかった。それぞれ創作へ向かっての苦吟の様な所が現れていて、しかも次に向かっての夢を描いているのが矢張りすごいなと思いました。」

「教科書的だね。作家も生身の人間だからね。時には感情を剝き出しにすることもあるんだよ。」

「私は現代文学の事は余り分からないけど、文学に向かっている作家の今という瞬間に接した様な気がします。それに賀茂さんの話の引き出し方が上手いと思いました。」

「そうですか。僕も藤代さんと同じ様に、作家の創作の瞬間というものに立ち会えれば収穫だと思って取材に取り組んでいる。同じ人に何回か会っていると、そこから次々と新しい事が引き出されて、見えなかったものが見えて来るということがある。そういう意味で遣り甲斐のある仕事だと思う。」

「賀茂さん、次はどういう作家に取材をする積りなんですか。」

「うん、先ずは久し振りに陸奥伯爵の所へ行く。例の由比ガ浜埋め立ての件は、沙汰止みになったらしいが、その経緯を聞いてみたい。それから矢張り、白樺派の有島武郎と有島生馬だろうね。長与氏が言っていたが、有島武郎は『或る女』を書き終えて世に出した訳だが、その後壁にぶち当たっている様だ。有島生馬が鎌倉に戻って来そうだから、有島武郎もそこに遣って来ることになるだろう。まあ、まだ憶測だがね。そこで二人に取材しようと思う。有島武郎の動向から目を離せない状況だと思っている。まあそんな所かな。」

「益々先が楽しみですね。」

そんな事を話す内に、二人は社に着いた。渉は少しは藤代紫の気持ちが前向きになって来そうな気がして、これで良かったのかなと思った。

十三、陸奥伯爵、陸奥エセルと海浜ホテル

木下邸と広津邸を藤代紫と一緒に訪ねてから、暫くして季節は四月に入った頃、久し振りに陸奥邸を訪れた。昨年の七月に訪れてから、もう一年近くも経っていた。例の財閥グループの由比ガ浜埋め立て構想を聞いて以来、この話が結局無くなったという噂を聞いてはいたが、その辺りの経緯について陸奥伯爵の話を聞いて置きたかった。相変わらず同人会の話題は同人会の事務局に取材を行っていたが、陸奥伯爵に話を聞くのは久し振りだった。藤代紫も陸奥伯爵に会ってみたいという希望を漏らしていたので、今回は紫も同行した。

由比ガ浜通の鎌倉新報社から江ノ電を横切って、和田塚を過ぎると海岸通りを中心とした別荘地域に入る。右手奥の海浜ホテルを眺めながら、伯爵の邸の建つ由比ガ浜へ向かう道を進んだ。やがて伯爵の邸が左手に現れる。

「ここだよ、伯爵の邸は。」

「へえ、素敵ね。右手に海浜ホテルを見て、正面は由比ガ浜だから最高の環境だわね。」

玄関をノックするとすぐドアが開いて、何時もの女中が立っていた。

「賀茂様どうぞお入り下さい。ご案内します。」

渉と紫は、応接間に通された。そこからは手前に芝生の広がりが見え、松林の向こうに由比ガ浜が眺められた。そして室内はヨーロッパ調の意匠で統一されていた。紫は暫く感心した様にその室内と外の情景を眺めていた。

「さすが伯爵はイギリス生活が長かっただけあって、外の風景も良いけど建物の中も本当に素敵ね。」

紫は感に耐えない様に呟いた。やがて何時もの様に和服の着流しで、寛いだ雰囲気で伯爵が現れた。

「久し振りだね、賀茂君。去年の夏以降だったかね。今日はお二人でお出でですか。」

「ええ、こちらわが社の社員で、目下記者見習い中で、書記として参りました。」

「私藤代紫と申します。よろしくお願いします。」

「こちらこそよろしく。どうですか『鎌倉新報』は。相変わらず文学者取材の方は進んでますか。」

「ええ、お陰様で昨年お伺いしてから、また色々な文学者の方達に取材しまして、昨年伯爵の所にお伺いした少し前に、有島武郎様を取材いたしました。記事は伯爵を取材した少し後に出しましたので、伯爵にお話は出来なかったのですが、有島様は丁度円覚寺の松嶺院で『或る女』という小説を執筆されていて、そこへ伺って執筆中の多忙な中を無理を言ってお話をお聞きしました。小説執筆の裏話の様なお話で、本を出版するまでは記事にするなと駄目を押されました。」

「ほう、賀茂君も中々積極果敢に取材を遣っているのだね。流石だね。」

「有島様は、丁度小説の山場に差し掛かっていて、大分頭を悩まされている感じでした。主人公の早月葉子という女性を作中で死なせるべきか迷っていると仰っていました。」

「成る程、小説家の執筆の舞台裏を覗いたということかね。」

「ええ、あの時は真に興奮しました。作家の執筆の瞬間に立ち会ったという様な気がいたしました。」

「有島武郎君は知っているよ。何てったって御父君有島武さんの別荘がこの家のすぐお隣にあったからね。この別荘地の草分けで、長与さんとか海浜ホテルと同じ位古い鎌倉の住人だったからね。有島君は子供の頃この辺りで遊んでいた筈だよ。」

「その他にも広津和郎様とか、葛西善蔵様とかも取材いたしました。」

「そうだったね。記事読みましたよ。葛西善蔵という人は余り良く知らなかったが、面白い作家だね。まあこういう人の書くものを面白がって読む人が結構いるんだね。しかしこういう破格な人物が建長寺の塔頭などという堅い所に住んでいるというのも不思議だ。」

「ええ、建長寺の宝珠院のご住職は本当に優しい方で、真に悟りを開いた境地に居られる方なのでしょうね。それは葛西様も認めていて、小説の中でご住職の事を尊敬を込めた表現で書かれています。こんな方には矢張り葛西様も頭が上がらないという所でしょう。」

「鎌倉も色々面白い人達が来る様になったね。今後とも記事を楽しみにしているよ。」

「有り難うございます。ところで例の浅野様等の由比ガ浜埋め立ての件は無くなったというお話をお聞きしましたが、その辺りどういう経緯があったのですか。」

「あれはねえ、昨年の十一月か十二月だったかねえ。いよいよ噂通り、浅野、安田両氏が県に埋め立て認可の申請を出した。それを聞いて、これは早い内に阻止しなければならないと同人会の皆の意見だったので、私が県に行って知事に認可をしない様要請したのですよ。同時に浅野氏が私の所に遣って来て、埋め立て計画に賛同して欲しいということを言って来た。確かにホテルを建てるということは必要かも知れないが、由比ガ浜を埋め立てるなんてことは絶対認められないということで安田氏を説得したところ、結局認可を取り下げ断念したという訳だ。」

「成る程そういうことですか。矢張り伯爵の力は強いですね。有り難うございます。」

「いやいや、当然のことをしたまでですよ。」

そんな風に何事も無かった様に話す伯爵の姿に、改めて渉は敬意を表した。

「ところで今日は折角お二人で来たのだから、ご紹介したいことがある。もうご存じかも知れないが、私の妻が本を書いたのですよ。私の妻はイギリス人でね。イギリスで育った訳で、日本暮らしはまだ長くない。しかしこの鎌倉に遣って来て、この地が気に入った様で、鎌倉のあちこちを歩いて、人に聞いたり、本を読んで調べたりして、『鎌倉、その事実と伝説』という本に纏めて出版したのですよ。」

そう言って伯爵は渉と紫の前のテーブルに本を置いた。渉はその学術書の様な地味な装丁の本を開いて見た。かなり分厚い本である。勿論全て英文である。鎌倉の寺や神社が写真入りで紹介されて、説明がなされている。

「これは奥様が全て書かれたのですか。かなり詳しい内容ですが。」

「まあ、私も多少は手伝いましたが、彼女が寺々や神社を回り、住職に話を聞くなどして纏めたのですよ。私も一緒に散歩がてら回ったりもしました。少し遠い所へは、自転車に乗って行くこともありました。そうだ折角だから彼女を呼びましょう。」

伯爵は女中に命じて、夫人を呼びに遣らせた。やがてエセル夫人が部屋に現れた。夫人とは前回昨年の夏来た時帰り際に一度だけ会ったことがあった。一通り挨拶が済むと、渉が早速エセル夫人の本を手に取って話し始めた。エセル夫人はまだ日本語は不自由であるし、渉も勿論英語は殆ど出来ない。ここは伯爵に間に入って貰って、通訳をして貰いながら話をした。

「奥様の書かれたこの本、今少し見せて頂きましたが、感心しました。」

「そうですか、有り難う。賀茂さんの事は夫からも聞きましたが、鎌倉がお好きであちこちを歩かれているとのこと。でも鎌倉にお詳しい賀茂さんから見ると、物足りないのではないですか。」

そんな風に夫人は謙遜気味に聞いた。

「いえ、そんなことは無いです。鎌倉の観光客なら誰でも行きそうな大きな寺や神社ばかりでなく、日本人にとってさえそれ程注目されない寺の事まで詳細に書かれているので、正直驚きました。例えば私が好きで良く行く覚園寺とか浄光明寺、為相の墓、そして寿福寺、海蔵寺、極楽寺といった所も取り上げておられるので感心しました。」

「そうですか。有り難う。私は鎌倉の有名な寺も好きですが、小さな寺も好きで、そういう所も取り上げました。逆に余り人の行かないそういうひっそりとした寺の方が風情があると思います。」

「成る程。奥様は本当に鎌倉好きなのですね。そこまで鎌倉好きになられたきっかけは何だったのですか。」

「私は日本に来る前からラフカディオ・ハーンが好きで、そこに描かれている日本を体験したいと思っていました。私は夫と東京に住んでいたのですが、ラフカディオ・ハーンも来たという鎌倉に行こうということで、鎌倉に旅行して以来、すっかり鎌倉の魅力に捉えられて、鎌倉に住みたいと思う様になりました。鎌倉ではこの隣の海浜ホテルに泊まりましたが、ここも気に入りました。由比ガ浜が目の前に眺められるという環境に魅せられました。そこで夫に話をした所、夫も喘息の療養にも良いだろうと、早速鎌倉に家を建てる事を賛同してくれました。そしてこの海浜ホテルの隣に土地を見付けて、こうして住むことに成ったのです。鎌倉に移ってからは鎌倉の寺や神社やあちこちを訪れる内に、本に纏めたいと思う様になりました。日本語がまだ読めない私が、夫にも手伝って貰い、夫と一緒にあちこちを訪ねて、ここまで纏められたのです。」

「そうですか。奥様と伯爵の努力の賜物ということになる訳ですね。」

今まで黙って夫人の話を興味深げに聞いていた紫が、突然口を開いた。

「寿福寺や浄光明寺、為相の墓も取り上げられているそうですが、奥様は『源氏物語』の事はご存じですか。」

紫の突然の問い掛けにも、エセル夫人はにこやかに答えた。

「ええ、知っていますよ。しかしまだ英訳が出来ていないので、平安の昔に長い小説を書いた女性が居たということで。英訳が進められているという話も聞きますので、英訳が出たら読もうと思います。」

そんな夫人の話を聞いて、紫も満足気に頷いた。そんな風に話が盛り上がった所で、伯爵が口を開いた。

「賀茂君にも、藤代さんにも興味を持って頂いた所で、是非この本を『鎌倉新報』で取り上げて欲しいんだよね。」

「勿論です。承知しました。これは読者の皆さんも関心を持つと思います。」

こうして渉は、その日予想もしなかったエセル夫人の話を聞くことが出来、執筆された本の紹介も約束し、高揚した気分のまま、伯爵邸を辞した。

十四、彷徨する者達そして大杉栄

八月の半ば過ぎ、鎌倉は漸く暑い夏も終わりに向かっていた。滝沢志郎が亡くなってから、五カ月余り経って、藤代紫の記憶から少しずつ志郎の思い出も風化の兆しを見せていた。勿論一人になって、下宿の壁に貼られた志郎の絵を眺めると、思わず涙が溢れて来ることもあった。そんな寂しい思いを少しでも忘れるためにも、出来る限り渉の取材に連れて行って貰うこともあった。

しかし、それもそうしょっちゅう出来る訳もなく、渉もそんな紫を慮って、休みの日になると紫を鎌倉中のあちこちに散策に連れ出すことが多くなった。

そんな夏の終わりの或る日、渉は、

「明日の休みまた何処か散歩に行ってみるかい。」

と声を掛けた。

「そうね、賀茂さんが何時も行っている覚園寺、賀茂さんの好きな地霊が犇めいている場所に連れて行って欲しいわ。」

「まあ、僕の言う地霊は、犇めいているって言うか、感じ方の問題だからね。」

「そうでしょうけど、賀茂さんと同じ様にその地霊を感じてみたい。」

「よし、分かった。じゃあ、明日は覚園寺を久し振りに訪ねてみよう。」

まだ、夏の盛りを少し過ぎたばかりの、蟬時雨の覚園寺の境内は、外の暑さから見ると多少はひんやりとした空気に満たされている。山門を入って行くと、繁り合った木々の中を分け入って行く。ここの木々は、それぞれが大木で、そこに下草が繁り合い、落ち葉が分厚く敷き詰められている。何百年とも知れぬ太い古木の林立する中を進んで行く。やがて、苔むした石碑や、崖に穿たれた矢倉の群れに行き着く。蟬の声だけがうるさい程に響いている。

「もう地霊が出ているの、この辺り。どうって事無い感じだけど。」

「しっ、話しちゃ駄目だ。じっとこの風景を眺めるんだ。」

暫くじーっと二人押し黙ったまま、そこに立ち尽くしていた。一瞬地霊を感じた様に思ったが、僅かな瞬間だった。

「矢張り地霊はね、一人で居る時じゃないと駄目なんだ。今度来る時は、藤代さんも何時も阿仏尼や為相を偲んで、寿福寺や浄光明寺を訪れる様に、一人で来てみると良いかもしれない。」

「え、そうなんだ。確かにそうかも知れない。でもこの場所は賀茂さんの言う様に、地霊を感じそうな場所の気がする。」

「そう見えればそれで十分なのだ。もう既に藤代さんは地霊に嵌まってしまった様だね。」

「そうなの。随分簡単な様な気がするけど。」

「矢張り地霊を感じられるかどうかは、人による様だ。藤代さんは十分素質があると思う。まああれだけ『源氏物語』をきっかけにして阿仏尼や為相の所縁の場所を追い求めているんだからね。」

「他にも賀茂さんが何時も散策している地霊の名所と言うのはあるんでしょ。次はそこに連れて行って欲しい。」

「まあ、名所という訳じゃないけど。そして、僕の場合は散策なんて言うことではなくて、彷徨と言って欲しいな。」

「彷徨。同じ事じゃないの。」

「いや、違う。散策っていう様な気晴らしということじゃなくて、彷徨と言うのは、地霊に憑りつかれて、当てもなくさ迷うという意味合いがあるんだよ。」

「当てもなくさ迷う。だから彷徨なの。賀茂さんの言う事って少し哲学的過ぎて難しい。矢張り、陰陽師の血が流れているのかしら。」

「陰陽師は止めて欲しいな。その言葉は土御門敏麿に献上したいところだね。」

「土御門敏麿。最近どうしているのかしらね。」

「石田萌というガールフレンドが出来て、しかも彼女の父親が海浜ホテルの副支配人だということで、かなり舞い上がっているんじゃないの。」

「そう言えば、二月の終わりに広津和郎さんの所に行った時に紹介してたわね。小説の原稿見て貰ったのかしら。」

「さあ知らない。もう僕の役割は終わった訳だ。海浜ホテルの広告も取れたしね。」

そんな話をしながら、二人は覚園寺を後にし、鎌倉宮の前を通ってぶらぶらと雪ノ下の方へと向かっていた。そして八幡宮の前を通り過ぎ乍ら、渉は一週間前に起こった事件の事を思い出した。それは八幡宮の前を若宮大路の先で曲がった瀬戸小路に四月頃住み始めた大杉栄の事であった。社会主義者、無政府主義者として知られた大杉栄が、瀬戸小路の自宅で平民大学と言うものを開催した。瀬戸小路はその後小町通と称されることに成るが、この頃は周囲にまだ畑もあったりする寂れた場所であった。

ここで大杉が平民大学講習会を開催すると、鎌倉の若衆とか職人とかが二十人近く集まって来た。大杉宅は常に警察によって見張られていたため、直ちに解散を命じられた。それを怒った大杉が、鎌倉警察署長に対して馬鹿野郎とか言って罵ったりして、鎌倉中の評判になって面白おかしく伝えられた。こんな事件発生を聞いて、渉も瀬戸小路の現場に駆け付けた。丁度大杉が警察とやり合っている所で、初めて大杉栄を垣間見たのだ。

「この先の瀬戸小路に住んでいる大杉栄氏の事を知っているかい。」

「知っているわ。先週何か事件があったって話よね。」

「毎日この辺りを散歩しているらしいから、もしかしたら会えるかも知れない。」

そんな話をしながら、二人は八幡宮の前から瀬戸小路に入って来た。渉もそんな話をしてはいたが、まさか今日ここで大杉栄に出会えるとは思ってはいなかった。瀬戸小路に入って直ぐの場所にその家はあった。渉はその家の様子を眺めながら、少し足を緩めてゆっくりと通って行った。一週間前とは打って変わって、家の中も周囲も今日は静けさが支配していた。家の手前の空地に建っている尾行警官の詰め所も、外からは警官の姿も見えなかった。

大杉栄は今日は東京にでも出掛けているのだろうと思って、その家の前を通り過ぎ、駅の方へ歩いて行った。そして瀬戸小路の半ば位に至った時、若宮大路へ出る横道から背の高い、眼光の鋭い特徴的な顔をして、トルコ帽を被り、筒袖の和服を着た男がひょいと現れた。大杉栄だった。渉はすかさず大杉の前に回り、

「大杉栄様ですか。」

と声を掛けた。大杉は一瞬驚いた表情を見せた。

「大杉だけど何か御用かい。」

と言って特徴的な目がぎょろりと動いた。

「私、『鎌倉新報』の賀茂と申しますが、大杉様とお見受けしたので、お話をお聞きできないかと、

突然で失礼とは思いましたがお声をお掛けしました。」

「『鎌倉新報』かね。知らないね。そんな新聞が出来たのかね。」

「ええ、まだ出来て六年程ですが、色々鎌倉の地域情報や、最近は鎌倉に遣って来られた文学者の方達を取材しております。」

「鎌倉に住んでいる文学者達を取材している。どんな人達を取材しているのかね。」

文学者の話に意外に乗って来た大杉に、渉はここぞとばかり、畳み込む様に説明を始めた。

「先ずは萩原朔太郎様を皮切りに、有島武郎様、木下利玄様、長与善郎様、広津和郎様、葛西善蔵様、といった方々を取材させて頂いております。」

「ほう面白いね。そして僕も取材したいと言う訳かね。構わないよ僕で良ければ。幾らでも話すよ。僕の家は直ぐそこだから寄ってみるかね。」

大杉はそう言って渉と紫を連れて家の方へと向かった。大杉が家の戸を開けて入ると、妻の伊藤野枝と娘の魔子が大杉を迎えた。

「お客さんを連れて来た。僕を取材したいという方達でね。『鎌倉新報』だったね。」

「私、『鎌倉新報』の賀茂と申します。こちらは藤代紫です。」

「まあまあ入り給え。」

そう言って大杉は玄関に面した三畳間の奥の八畳程の和室に案内した。そこからは縁側の先にちょっとした庭も眺められた。大杉が座るとその横に伊藤野枝も座った。娘の魔子も母親の隣に畏まって座っていた。しかし目は興味深げに渉と紫の方をきょろきょろと眺めていて、時々笑って見せた。

「有島武郎とか広津和郎を取材したと言っていたね。二人とも良く知っているよ。有島武郎は今年の三月だったかな。賀川豊彦の『死線を越えて』の『改造』への連載を記念して、神戸から遣って来た賀川氏を歓迎する会があってね。そこで一緒になった。その時は広津和郎も居たね。そして有島君は僕が獄中で暮らしていた時の体験談を話していたら、僕の前に座って熱心に聞いていた。有島君はクロポトキンに大分傾倒していて、無政府主義にも興味を持っている様だ。僕などと共通する部分があるのではないかと思ったね。」

「有島様は『或る女』を書き終えてから、壁にぶつかっているというお話を聞きますが。」

「それはあるだろうね。有島君の父の有島武は、役人から民間に下って財を成した。北海道に農場も持っている。要するにブルジョワだよ。そういう人がクロポトキンや無政府主義、社会主義に興味を持ったらどうなるか。自分の作家としての立ち位置に色々と疑問を感じてしまったのだろう。武者小路君の様に楽天的でアバウトな性格ではないからね。」

「そう言えば大杉様は有島生馬様ともお付き合いがあると聞いたことがあるのですが、お親しい関係なのですか。」

「有島生馬君とも色々あったね。彼にはお世話になったこともあった。去年だったね。第六回の二科展があって、そこに僕の肖像画「出獄の日のＯ氏」という絵が展示されたのだが、これが官憲の目に触れてね。撤去を命ぜられたのだよ。まあ確かにこんな絵を二科展などという所に展示されて話題になったりすると面白くはないだろう。有島生馬君は二科展の設立からの委員だからね。この時も展示の責任者であった訳だ。この絵を撤去することに最後まで反対してくれた。まあしかし、官憲は色々な手を使って、事実上は撤去されたのだが、有島生馬君は大分頑張ってくれたのだよ。彼はフランスに長いこと居て絵を学んでいたから、そういう日本の官憲の遣り方に大分腹を立てたのだろうね。」

「そうですか、結構深いお付き合いなのですね。ところで少し前の話になりますが、奥様を前にして失礼かと思いますが、大杉様と言えば例の日影茶屋事件と言うのが有名ですが、何故あんなことになったのか、教えて頂けると有難いですね。」

「ははは、それを聞いて来るかね。この話は新聞でも大分取り上げて、皆殆ど知っている話だと思うがね。まあ野枝を前にして言うのは言いにくい所もあるけれど。」

大杉はそう言って傍らの野枝の方を一寸覗った。野枝は少し微笑んで、

「もう終わったことですから。そして皆さんも知っている話でしょう。あなたの本音を話して下さい。」

と言った。

「まあね、色々言い方はあるだろうが、僕は勝手だと思われるかも知れないが、自由恋愛主義者でね。自由と言うことを最大の価値としている。当にそれは無政府主義だからね。僕の自由恋愛と言うのは、相手の女性に対しても自分の自由に恋愛をすることを許す代わりに僕が色々な女性と恋愛することも許して欲しいという、当に自由な恋愛関係なのだよ。金持ちが妾を作るのとは訳が違う。そういう主義で、相手にも言っていたのだが、矢張り、と言っても、どうしても嫉妬や誤解や、所有欲というものから人間は自由になれないのだよ。それがあの結果だ。そういう事だったよね。」

そう言って大杉はまた野枝の方に目を遣った。

「私も自由に色々な男性と恋をして、子供も作り、別れたりを繰り返して来たので、お互い承知の上だと思ってました。しかし神近さんはそれが出来なかった。独占欲が強すぎるのですかね。そこで刃物を持ち出して来て凶行に及ぶなんていうのはルール違反ですよ。でももう終わったことですから。神近さんも罪を償って出直していますからね。」

少し沈黙が流れた。そして大杉が野枝に向かって言った。

「この人は中々才能のある人だからね。小説も書くし文章も上手い。そして僕を支えてくれる。ぐうたらな僕がここまで遣って来れたのも、野枝のお陰だと思っている。」

そう呟く様に言った。それを聞いて野枝も満更ではない表情を見せた。この二人は中々良いカップルになっているのだなと渉は思った。

「ところで今日の取材、記事にしてもよろしいですか。」

「ああ勿論だよ。特に僕は世間で思われている様な危険人物ではない。あくまで自由を求めて活動しているだけなんだという事を書いて欲しいね。」

「分かりました。」

そう言って渉と紫は大杉邸を出た。玄関を出ると、尾行の警官が詰め所から渉と紫をじっと観察していた。しかし特に尾行する気配はなかった。

十五、世界日曜学校大会鎌倉歓迎会

十月上旬の秋の快晴の昼過ぎであった。鎌倉駅前は海軍軍楽隊の賑やかな奏楽と、見物の人々で異様な盛り上がりを見せていた。渉と紫の覚園寺彷徨と大杉栄の取材から一か月半が経っていた。日頃静かな鎌倉駅前が、この日ばかりははち切れんばかりの賑わいに染まっていた。

駅前広場には「世界日曜学校大会鎌倉歓迎会」という横断幕が掲げられている。午後一時四十分、世界二十か国の代表からなる日曜学校観光団一行男女約九百六十三名が鎌倉駅ホームに特別列車で到着すると、ホームには人々の歓迎の声が怒濤の様に響き渡った。

そして観光団一行が駅のホームに降り立つと、歓迎会代表である陸奥広吉伯爵が歓迎の辞を一言述べると共に、歓迎文を観光団団長に手渡した。

駅ホームは陸奥伯爵と歓迎会委員達、関係する同人会、鎌倉高等女学校関係者等が犇めいていて、儀式が終わると一斉に拍手が沸き起こった。駅頭で様子を見ていた渉や辰巳社長や紫等にも、そのどよめきは聞こえてきた。

それから観光団はホームから駅頭に出て来て、色とりどりの旗で示されたグループ毎に人力車に乗り込んで、大仏や途中の観光地へと向かった。人力車を必要な数だけ揃えるのは鎌倉だけではとても不可能で、足りない分は逗子や横須賀から集めた。

一体何故この様な盛大な歓迎会が催されたのか。そのきっかけはその年東京で開催された世界日曜学校大会の参加者が、鎌倉観光を希望し、それを聞いた陸奥伯爵が、世界各国代表からなる大会参加者を鎌倉で歓迎し、交流する機会を作ることの意義を、外交官経験者として感じていたからなのだろう。

そして自らの主唱で、世界日曜学校大会鎌倉歓迎会を立ち上げ、自らその会長として先頭に立って計画を進めた。従って、実態としては殆ど同人会が中心となって歓迎会を運営したと言える。同人会、そして海浜ホテルも協力をしていた。海外の人々に鎌倉海浜ホテルの存在をアピールする絶好の機会と捉えたのだ。

軍楽隊の奏楽の中、駅前から観光団は次々と人力車に乗って大仏方面へと向かった。駅前はこの観光団を見送る人々で埋まっていた。渉はその人々の中に、土御門敏麿と石田萌の姿を見出した。そこは海浜ホテルの人々の一団らしく、海浜ホテルの旗を持っている人も居た。流石に今日の土御門は何時もの羽織袴姿ではなく、きっちりとした背広にソフト帽を被っていた。観光団の外国人達はこの盛大な歓迎の人々に感激したのか、嬉しそうに笑顔を振り撒き人力車に乗り込んで行った。そして、陸奥伯爵とエセル夫人が人力車に乗り込み、一隊となって大仏に向かって走り始めると、俄かに拍手が沸き起こり、奏楽の音も一層力強く高調させ、駅頭の興奮は一挙に最高調に達して行った。

観光団が出発して行くと、駅前は再び元の静けさに戻って行った。渉達は駅前を後にして、江ノ電の駅へと向かった。この時代江ノ電の駅は若宮大路通りの中にあった。その途中土御門敏麿と遭遇した。石田萌と一緒だった。

「『鎌倉新報』の皆さん取材ですか。」

「おや、土御門さん。海浜ホテルの方々とご一緒で。」

「ええ、萌に頼まれましてね。日曜学校観光団の皆さんを海浜ホテルでお迎えします。鎌倉について観光団の人達に説明するお手伝いという事です。これから海浜ホテルで準備がありますので失礼します。」

土御門はそう言い残して、石田萌と一緒に足早に立ち去って行った。渉も若宮大路の江ノ電の駅へと向かった。その時ふと瀬戸小路の辺りを見ていると、目つきの鋭い、背の高い、トルコ帽を被って筒袖の和服姿の男が目に入った。大杉栄であった。周りを警察の尾行らしき男達に囲まれて、険しい顔をして駅前の様子を眺めていた。駅前の人達が三々五々と去って行くのを見て、再び瀬戸小路の方へ入って行った。

大杉栄も駅前の賑やかな観光団の歓迎式典を興味を持って見ていた様だった。しかも警察の尾行付きでだ。警察も何か起こっては大変だとばかり警備員を増やして対応したのだろう。大杉は野枝と魔子を連れて、談笑をしながら瀬戸小路の家へ帰って行った。

後で渉が横浜の新聞を見て知ったのだが、この一週間程後、大杉は上手く尾行を巻いて、大船から汽車に乗り、横浜港から上海に脱出し、コミンテルンの極東社会主義者会議に日本代表として出席していた。

一方大仏での観光を終えた人々は、各々の休憩所に向かった。各休憩所の内最も多数を受け入れたのは海浜ホテルであった。約三百五十人の人々が海浜ホテルの大食堂で休憩を取った。既に駅前で貰った鎌倉案内のパンフレットを見ながら、お茶とお菓子で一服した。このパンフレットは、陸奥伯爵のエセル夫人が出版した『鎌倉、その事実と伝説』から要約して作成したものである。この観光団の休憩の様子を取材のために、渉達も海浜ホテルに遣って来た。

海浜ホテルの大食堂には、観光団の外国人達がぎっしりと席を占め、寛いだ雰囲気でお互いに歓談していた。そしてその席の間を、土御門と石田萌、そして数人の若者達があちこちと動き廻って、外国人達に何やら説明をしていた。外国人達は若者達に説明を求めているらしかった。土御門は英語は殆ど喋れないから、石田萌が一緒に行って土御門の説明を通訳するという形で対応しているらしかった。

時にはエセル夫人も求められて、パンフレットの説明に廻っていた。流石に伯爵は自分の席に腰掛けて周囲の外国人達と楽し気に会話を交わしていた。やがて、陸奥伯爵から観光団の人々に、鎌倉の風景を浮き彫りにした銅メダルが、記念品として贈呈された。そして人々の間から盛んな拍手が沸き起こった。

こうして一時間程の海浜ホテルでの休憩と歓談が終わると、外国人達は再び人力車で駅へと向かった。観光団の人々を追い掛ける様に、渉達も、海浜ホテルの人々も駅前へと向かった。途中由比ガ浜通を歩いていると、再び渉は土御門と一緒になった。土御門が渉に話し掛けて来た。

「賀茂さん、先日は広津氏への紹介有り難うございました。お陰様で広津氏と知己になることが出来ましたよ。」

「ほう、それは良かった。我が社の方も海浜ホテルの広告が入る様になって、社長共々喜んでいます。ところで、小説は広津氏に見せたんですか。」

「ええ、見て貰いました。そして、この小説一応預かって置くが、次回作に期待します、というお言葉を頂きました。」

「それは喜んでいいんですか。」

「ええ、僕は励ましの言葉だと思ってます。広津さんに師事して行こうと思っています。」

「で、どんな小説を書いたんですか。若し宜しければ聞かせて下さい。」

「いえね、夢の中で海浜ホテルを炎上させるという様な内容でね。広津さんも多少は好印象を持った様で。アイデアは面白いがリアリティーが無いねというお言葉を頂きました。」

「海浜ホテルの炎上。穏やかではないですな。土御門さんがあんなに憧れていた海浜ホテルを炎上させるなんて。」

「いえね、憧れていたからこそ、もしそれが炎上したらもっと美しいだろうと思いましてね。浅野、安田の財閥連中が提案した由比ガ浜を埋め立ててホテルを建てるなんて言う話より余程美しい想像だと思いますがね。それも飽く迄夢の中ですから。でもその話を萌にしたら、喩え夢の中でも海浜ホテルを炎上させるなんて止めて下さいと叱られました。」

「それよりも、土御門さんは鎌倉のあちこちの神社、仏閣を歩いているんだから、それをテーマに書かれたらいいんじゃないですか。去年の夏会った時も、鎌倉のあちこちで地霊の様なものを感じると言っていたでしょう。」

「そうね、地霊は確かに居ます。鎌倉の至る所にそれを感じます。」

「私も土御門さんの言う地霊の様なものを感じるけれど、私の感じる地霊は、見えもしなければ、音もしない。地霊らしきものと戯れていることに心地よさを感じるという事なんですよ。」

「成る程、賀茂さんも地霊を感じるのですか。僕のお仲間だ。しかし僕の場合は地霊を本当に感じるのですよ。他の人には見えも、聞こえもしない地霊を感じます。」

そんな際限のない地霊話をしている内に、駅前に到着すると、観光団の人々はあちこちの休憩所から駅前に戻って来て、続々と駅舎の中に入って行った。

再び駅前の軍楽隊が、賑やかに音楽を奏でる中、観光団の人々はホームに停車した特別列車に次々と乗り込んだ。ホームには見送りの人が陸奥会長を始めとして、同人会の人々を中心として勢ぞろいしていて、やがて汽車が汽笛を鳴らして発車すると、ホーム上では拍手が起こり、軍楽隊の音楽が最高潮に鳴り響いた。

駅前で渉達はその風景を眺めていたが、渉が瀬戸小路の方へ目を移すと、そこにまたトルコ帽に筒袖の和服を着た、背の高い男がぎょろりとした目を忙しなく動かして立っていた。大杉栄であった。軍楽隊の音を聴いてまた遣って来た様であった。渉は土御門に言った。

「あの男を知っているかい。大杉栄だ。」

土御門もそれを聞いて、目を瀬戸小路の方に向けた。

「ああ、大杉栄が鎌倉に遣って来たという話は聞いたけど。あの男か。」

「何時もこの辺りを散歩しているらしい。この前偶然会ったので、取材させて貰った。」

「ほう。僕も会って見たいな。」

そんな話をしていると、大杉栄はホームから列車の姿が消えると、くるりと振り向いて、瀬戸小路の奥へと帰って行った。相変わらず警官と尾行の私服が後ろから大杉を追い掛けて行った。そして軍楽隊の音も止み、駅前は再び元の静寂に戻った。

十六、有島生馬

こうしてこの年は十月に陸奥伯爵が力を入れて主催した「世界日曜学校大会歓迎会」が華やかな内に終わり、鎌倉は元の静けさのままに年の瀬を迎えるかに見えた。しかし十二月に入って、また一つ予期しない事件が起こり、波乱含みなこの年に最後の止めを刺した。その主役は矢張りあの瀬戸小路に根城を構えた大杉栄であった。

十二月十日社会主義同盟創立大会東京開催を控え、その前日全国から集合した地方代表五十名近くを、大杉栄は自邸に歓迎した。この状況を見た鎌倉警察署は署長以下四十名を持って大杉邸を包囲し、秘密集会だとして解散を命じた。大杉は一旦全員を八幡宮に移動させ、そこから再びデモをしながら大杉邸に戻って、握り飯で昼食を取っていると再び警察は秘密集会であるとして全員を警察に拘引した。そして夜九時ごろ解放されて東京へ戻って行ったという事件であった。

突如起こったこの事件は鎌倉中を驚かした。デモなどと言うものを見たことも無い静かな、村に近い鎌倉の住民に、突如降って沸いた様な出来事だった。大体八幡宮でデモや集会が行われるなどと言うことは、確かに未だ嘗てない事件ではあった。こんな風にしてこの年が暮れ、年が明けて、渉は有島生馬が稲村ケ崎に引っ越して来たという文壇情報を得た。引っ越した間近の慌ただしい時期を避け、落ち着いた頃を見計らって取材申し込みをすることとした。そしてようやく五月の末、有島生馬の取材了解を取り付けた。

今回の取材も渉は紫と二人で出掛けた。有島生馬の住んだ家は、江ノ電の姥が谷の近くで、音無川の脇の海に面した場所にある。新渡戸稲造の旧居を譲り受けた所だという。

五月の末、日々暖かさの増す心地良い日の午後、渉と紫は和田塚から江ノ電に乗り、稲村ケ崎の一つ先の駅である姥が谷へと向かった。

この頃の江ノ電は今よりかなり駅の数が多く、今は既にこの駅は無い。稲村ケ崎を過ぎると前面に海が開けて来る。輝く様な快晴の五月の海である。姥が谷の駅を降りると、少し汗ばむ様な日差しと、心地良い風が頬を撫でた。駅から近い場所に有島生馬の家はあった。古い日本家屋である。そこから相模湾の海が見える。右手には江ノ島や富士山も一望できる。ここは確かに別荘地としては絶景を我が物に出来る場所ではあろう。一帯は松林に覆われ、海に向かって芝生が広がっている。静かな場所である。音と言えば波の音しか聴こえない。

涉は玄関で来訪を告げた。暫くして女中が現れ、

「『鎌倉新報』の賀茂様ですね。お待ちしておりました。ご案内いたします。」

と言って先に立って進んだ。外観の和風とは違って、建物の中は至る所洋風の内装になっていた。やがて、海が一望できる応接間に通された。芝生の方を見ると、有島生馬らしき人物がイーゼルを立てて絵を描いていた。女中が有島生馬に涉の来訪を告げに行ったのだろう。有島生馬は描き掛けの絵やイーゼルを手際良く片付けてこちらに向って来る様子が見えた。やがて応接間に入って来て、二人の前のソファーに座った。お互いの紹介が済むと有島生馬が話し始めた。

「手紙に書いてあったけど、皆さんの新聞はまだ七年目とかいうことだね。文学者取材をやって来ていて私の兄も取材したという話だったね。」

「あれは一昨年の四月頃だったと思います。有島武郎様は円覚寺松嶺院で『或る女』の後編を執筆されていて、中々取材はお許し頂けなかったのですが、少々無理矢理に松嶺院にお伺いし、外出される所を失礼ながらお呼び止めして取材させて頂きました。武郎様はそんな私の強引な取材にも、嫌な顔一つせず快くお話をして頂きました。そして大分口が滑ってしまったと仰られて、新聞には後編が無事出版されるまでは出さない様にと釘をさされました。」

「ははは、そうかね。兄は弟が言うのも何だが、真に寛大で優しい男だからね。頼まれると嫌と言えない性格なのだよ。そこが兄の良い所であり、時には欠点にもなる所でもある。」

「成る程、そうなのですか。矢張りご兄弟にも優しい方なのですか。ところで生馬様は御兄弟共々お父上の鎌倉の別荘で少年時代を送られたとのことで、色々思い出があるのではないですか。」

「随分昔の話になるけれど、父の建てた別荘は、今で言う別荘とは比べ物にならない小屋の様な物だったけど、周りは畑や砂地ばかりで松林の中にポツリと建っていた。海浜院があったくらいかな。今でも思い出すのだが、あの辺りの砂地には枯れ骨が時々出て来てね。あの辺りの墓場と言うか、鎌倉時代には死体を捨てる場所だったらしくて、人骨がよく砂地から出て来たね。ちょっと気味が悪かったけど。」

「本当に骨が出るんですね。私も歴史の本でそんなことを読みましたが、実際に矢張り骨が埋っているんですね。」

「だから考え様によっては、あんな所に別荘を建てるのはどんなものかと思うね。」

「ところで昨年の夏、偶然瀬戸小路でお会いした大杉栄様を取材したのですが、大杉様は生馬様の事を存じられていて、お世話になったと仰っていましたが。」

「大杉君とはね、一昨年の二科展の時だったかね。林君の作品「出獄の日のO氏」という大杉君の肖像画が出展されたのだよ。警察は保釈中の被疑者の肖像を展示させるのは好ましくないとして、撤去命令が出た。大杉君はこの絵より僕自身の方が危険だよなどと嘯いていたがね。警察に対して法的手段をもってかなり抵抗し、世論も味方してくれたが、日本の警察はフランスなどと違って古いから、結局撤去命令の撤回は出来なかった。今でも大杉君とは時々東京に行く時、横須賀線の中で偶然会ったりもするし、面白い人物だと思っているよ。」

「話は変わりますが、生馬様は画家と言われていますが、小説も書かれる。今日も芝生の所で海の方へ向かって絵を描かれているのが見えました。生馬様としてはどちらに重点を置かれているのですか。」

「難しい質問だね。世間では私を画家という風に認識している人が多い様だ。しかし私としてはどちらも私にとっては愛着があるとしか言えない。武郎はそんな僕を見て、生馬が小説家になって、武郎が画家になった方が良かったのではないかなんて言っていたこともあった。武郎も絵を描くし、中々良いものを持っているからね。しかし僕が結局画家になったのは、その方が楽だったからということもあるんだ。」

「矢張りそこに落ち着くわけですか。ところで今日この家に伺って感じたのですが、外観は全くの和風の家なのに、家の中は殆ど洋風にできていますね。これは元の持ち主の新渡戸稲造様のご趣味ということなのですかね。」

「それはね、新渡戸さんの奥さんのメリーさんはアメリカ人でね、どうもメリーさんの希望を入れたのではないかと思うね。メリーさんが間取り等全体の計画を決めたらしいね。良かったら家の中を案内するから帰りに見て行って下さい。」

「しかしちょっと見た所、この建物は相当古いと見受けますが、住み心地は如何ですか。」

「確かにあちこち傷んではいるが大分手は入れたんだよ。でもね僕はこういう年代を経た古い家が好きでね。新しい家は幾らでも建てられるが、古い家は中々手に入らない。貴重なものなのだよ。実はね最近発見したのだけどこの脇に流れる音無川の向こうの何軒か先に素敵な古い洋館があってね。空き家になっている様なのだ。今色々と調べている所なんだが、持ち主はイタリア人だったらしいが、アメリカに行ってしまって、そこで亡くなったため、今はアメリカ領事館が管理しているらしい。入口に〝松の屋敷〟という看板が立っていて、敷地には松がいっぱい生えていて、その他にも蘇鉄とか変わった植物が色々と生えているのだ。後で案内するよ。」

「それは是非拝見したいですね。ところで最近武郎様とお会いすることはあるんですか。最初に取材してから二年たっているので、また近況を取材させて頂きたいと思っているのですが。」

「兄はつい一か月前にも、この家に来た。三人の息子を連れてね。元々僕がここへ引っ越す前は、東京の番町で兄と隣り合って住んでいた訳だからね。良く行き来をしていて、三人の息子も僕等夫婦にも良くなついていたのだ。まあ僕がここに引っ越したのも、突然肺炎にやられてね。療養を兼ねてここへ来たのだ。鎌倉は僕等兄弟にとって馴染みの場所だからね。兄にとっても、隣に僕らが居なくなって寂しくなったのもあるだろう。奥さんが亡くなってもう五年以上も経つからね。それから兄は堰を切った様に、次々と小説を発表して、一躍文壇に躍り出たのだ。そして、『或る女』の後編を書き終えた。まあこれがある意味で今の所兄のやり遂げた最大の仕事と言って良いのだろう。」

「そうですね。たまたま私も円覚寺松嶺院で武郎様の『或る女』執筆の現場に立ち会って、その臨場感と言ったものを体験させて頂きました。でも、『或る女』を完成されてから、今は壁にぶつかっているのではないかというお話を長与善郎様に取材した時伺いました。武郎様に、ここに来られた時、そんな話はされたのですか。」

「兄はこの五年間、『或る女』の完成までに一気に今までの兄の全てを吐き出してしまう様に、次々と作品を書いた。だから一種の虚脱状態に陥ってしまったのだろうね。それと同時に兄は、元々社会に対する関心が強く、女性問題、社会問題に敏感な感性を持っている。ここ五、六年間に起こった色々な事件、大きい所では米騒動やロシア革命、社会主義、労働運動の勃興、小さい所では大杉栄の日影茶屋事件に至るまで相当影響された。そして社会主義やクロポトキンの思想と言ったものに傾斜して来ている。今年に入って兄は、小説が書けないと良く言っていた。この前もそんな話をしていて、今年は生活自体を改善しなければならないと盛んに言っていた。兄の中には、自分は北海道に農場を持つ不在地主で、東京でも大きな屋敷に住んでいる。そういう階級に生まれ育って来たので、いくら社会主義だ、労働運動だと言っても、結局第四階級の人々を本当に理解することは出来ないし、一緒に運動することも出来ないだろうという根本的な負い目があるんだ。だからそういう今までの財産を前提にした生活から抜け出ないと小説は書けないと純粋に思ってしまっているのだ。北海道の農場を自ら手放して、小作人を解放するという様なこともありうると漏らしていた。」

「そうなのですか。それは是非武郎様に取材させて頂きたいですね。またこちらに来られることはあるのでしょうか。」

「勿論来ると思うよ。ただ、さっきも話した様に、この音無川の向こうの方にある〝松の屋敷〟を手に入れて、そこに移ることになるとすると、僕の方が少し慌ただしくなるのでね。来るとしてもそれが一段落してからかな。まあ来年位になるかも知れない。また兄が来そうになったら連絡するよ。」

「是非お願い致します。」

帰り際にこの家を一通り案内して貰った。一階にはこの応接間として使われている、海に面したサロンの奥に、マントルピースのある食堂と書斎があった。そして二階には寝室が五室あった。そこからの広い海の眺めが素晴らしかった。

家を出て、有島生馬が今手に入れようとしている、イタリア人の別荘、〝松の屋敷〟へと向かった。それは音無川に掛かる橋を渡って、ここにやって来る時に降りた、姥が谷の駅の前にあった。その時はまるで気が付かず、見過ごした建物である。入口の門の門柱に〝松の屋敷〟という鋳鉄製の文字が打ち付けてあって、ヴィヴァンディーという表札が掛かっていた。庭内は松や月桂樹等の樹木と、棕櫚や芭蕉が伸び放題に生えていて、エキゾチックな雰囲気が漂っていた。

「手に入れられた所で、是非またお伺いしたいですね。」

そう言って渉達は、生馬に駅前で別れを告げた。

江ノ電に乗って、外に広がる海の景色を二人で眺めていた。

「有島生馬さんの取材面白かった。去年大杉栄さんの取材もしていたから、その関連も出て来て、話が良く分かった。」

「そうかい、それは良かった。」

海の景色が切れて、電車が極楽寺の方へ向かい始めると、紫が言った。

「せっかくここまで来たから、月影が谷に寄ってみたくなって来た。いいですか極楽寺で降りて。」

阿仏尼の旧宅があったという月影が谷を紫は良く訪れると言っていた。矢張りここに来るとまた訪れてみたくなるのだろう。

「構わないよ。次の極楽寺で降りよう。」

電車を降りて月影が谷に向かいながら、紫が言った。

「生馬さんがすっかり惚れ込んで手に入れようとしている松の屋敷も素敵な外観と庭を持っているみたいだけど、今住んでいる新渡戸稲造さんの別荘と言うのも雰囲気が良かったわ。外観が全く和風なのに、中に入ると洋風の内装で、ゆったりと出来ている。部屋から見える海の風景も素敵だし。」

「是非生馬さんに松の屋敷を手に入れて貰って、来年生馬さんの所に来る時は、松の屋敷でお会いしたいね。そして有島武郎氏の話も聞ければ最高だな。」

「でも今日は弟の生馬さんから見た武郎さんの近況を聞かせて頂いたけど、武郎さんはこれからどうなって行くのかしらね。賀茂さんどう思います。」

「それだよ。矢張り武郎氏に直接取材して近況を聞くしかないと思っている。生馬氏も言っていたけど、武郎氏は今上層階級出身で、所謂知識人である自分と、社会主義や労働運動の波が押し寄せて来て、自らの自覚を強めている所謂第四階級の人々との間で板ばさみに遭っているのだろうね。そして、武郎氏は非常に優しい感性を持っていて、人を思いやる心が強いのだ。先ず相手の身になって考えるという発想が身に付いている。元々彼はクリスチャンだったからね。幼少の頃からキリスト教の影響を受けていた。一方で父親の武氏は薩摩藩出身の貧乏武士だったのだが、明治政府の官僚を足掛かりに、民間に下って財を成した。そういう生き方を息子にも求めた様なのだね。そして妻も父も亡くなって、そういう家族のしがらみが消えたので、自分の個性を一気に解放したのが今の彼だと思う。そして残された財産、不在地主としての自分と、社会の在り方との関係、まあ社会主義、労働運動の勃興へも目を向けると、自分自身の中に越えるべき矛盾が大きくなって来たということなのだろうね。武郎氏がこれからその自己矛盾をどう解決して行くか。目が離せない所だろうね。」

「私、社会主義とか社会運動は良く分からないんだけど、第四階級って良く出て来るけど、どういうことかしら。」

「第四階級と言うのは、要するに労働者階級、工場などの工員とか、労働に従事する大衆一般と言うことだよ。フランス革命の頃の話になるのだが、貴族、僧侶、有産市民、資本家が居て、その後労働者階級が登場して、その次に位置しているから第四階級だ。何れにしろ、武郎氏は今言った様に優しい人間で、誠実そのものだから、自分の生き方に迷っているのだろうね。だから生身の武郎氏に取材し、今の気持ちと考えを聞いてみたいのだ。」

そんな話をしている内に、二人は江ノ電の踏切の脇に立つ阿仏尼邸跡という石碑の前に至った。石碑はまだ新しく、昨年に鎌倉青年会により建立されたと書かれている。

「ここが月影が谷ということかい。」

「ここはほんの谷の入り口で、この奥の山に囲まれた月影が谷の奥懐の辺りに阿仏尼の邸はあったらしい。」

辺りは所々畑はあるが、殆ど樹林に覆われた谷の中に一本の細い道が通じている。

「この山の向こう側が極楽寺になるのよ。昔はこの辺りまで極楽寺の塔頭があったのではないかと言われている。阿仏尼はその塔頭の一つに住んだのではないかとも言われている。

この山を越して行くと、この先に月影地蔵というのがあるのよ。山道だけど越えて行ける。」

阿仏尼邸があった場所と言われている、紫が指し示す谷戸の奥の一帯を眺めながら、二人は山道を上がって行った。

やがて小高い峠を越え、所々脇にある古い墓地と墓石を眺めながら山道を下って行くと、小さな古びた地蔵堂に至った。月影地蔵と言う。堂は大きく外に開かれていて、正面奥に地蔵が立っていた。辺りは所々畑があるばかりで、樹林に覆われていて人影はない。二人は地蔵堂の上がり框に腰掛けて、辺りの静かな風景を眺めていた。

「ここにも滝沢氏を連れて来たのかい。」

「ええ一度だけ。」

と言って紫は黙り込んだ。瞬間これはまずかったかなと渉は思った。

「滝沢氏を思い出させちゃったかな。」

「いいのよ。もう志郎の事は大分忘れて来ているから。それに賀茂さんに文学者取材に連れて行って貰ってから、大分気が紛れて来たし。」

「そうか、それならいいんだけど。」

「賀茂さんには感謝している。足手まといな私を文学者取材に何時も連れ出してくれて。お陰で私も大分志郎の事は忘れて来ている。と言うより志郎の事は心の奥底に潜めて、もう別の世界に踏み出すしかないと思い始めた。賀茂さんは何時も私に優しくしてくれるし、お陰で志郎との過去を吹っ切って『鎌倉新報』でやって行こうという気持ちになって来た。賀茂さんには私の存在は迷惑かもしれないけど。」

「そんなことはないよ。僕にとっても今までの藤代さんは滝沢君という愛人が居るからということで、距離を置いてみていたけど、何時も文学者取材で一緒にあちこち行っている内に、実を言うと藤代さんが好きになって来た。」

「ええ、本当に。私も賀茂さんは好きだったけど、志郎の事があったので、兎に角志郎を回復させるということしか頭に無かった。……渉って呼んでいい。」

藤代紫が言った。

「ああいいよ。じゃあ僕も紫って呼ぶよ。」

渉はそんな紫の肩を抱いてそっと引き寄せた。紫もそんな渉に寄り添って、渉の肩に首を持たせて来た。

「本当に滝沢君の事はいいのかい。」

もう一度渉は紫に念を押した。

「大丈夫、もう吹っ切れたから。気にしないで私と付き合って頂戴。」

「分かった。」

辺りはまだ五月の眩しい程の日差しに満ちていた。二人は月影地蔵から木々の間を、極楽寺を右手に見て、駅の方へ歩いて行った。そして極楽寺駅から江ノ電に乗り、社へと帰って行った。

十七、有島武郎と有島生馬

翌年の五月、有島生馬邸を訪ねてから一年が経っていた。生馬から手紙が来て、武郎が生馬邸にやって来るので、取材に応じられるという内容だった。松の屋敷は生馬の手に入って、改修も終えて快適にここで生活していると書き加えてあった。

「生馬氏から取材了解の手紙が来たよ。」

「良かったわね。いよいよ松の屋敷で有島武郎の取材が出来るってことよね。」

「武郎からどんな話が聞けるか楽しみだね。そして松の屋敷がどんな風になったのか、建物の中も見てみたいし。」

この年の初め、有島武郎は『宣言一つ』という文章を『改造』に発表した。この『宣言』に対して、文壇の各所から様々な議論が沸き起こって、その殆どが有島論文に対し異を唱えるものであった。有島の主旨は、第四階級に属さない知識人、学者は労働運動の主導権を不用意に握るべきではないという内容であった。有島もこれらの論者に対して説明を試みたようだが、その余韻はまだ続いていた。渉はこのことについても有島の持論を直に聞いて置きたかった。

渉と紫は江ノ電で姥が谷に向かった。この日も去年と同じ様に、五月のさわやかな快晴の日であった。少し汗ばむ様な陽気の中、姥が谷で降りると、直ぐ前に〝松の屋敷〟はあった。ペンキを塗り直したのか、ベージュ色の壁と茶色の窓枠が去年見たより五月の日差しに輝いて見えた。

女中の案内で海に面した応接間に通された。そこにはソファーに有島武郎と生馬が座っていて、談笑していた。渉と紫もその前のソファーに座った。そして簡単な挨拶をした。

「円覚寺でお会いしたのはもう三年位前になるかね。懐かしいねあの頃が。」

有島武郎が言った。

「あの時は予約もなしに突然取材させて頂き、失礼いたしました。あの時はあれしか方法が無かったものですから。」

「正直驚いたよ。頭の中が小説で一杯でね。突然脇から賀茂君が飛び出して来たのでね。でも賀茂君は中々話を引き出すのが巧みでね。あの時『或る女』の執筆が山場に入っていて、色々悩んでいたことを良く知っている様に、するっと私の頭の中に入って来た。お陰で言わずもがなの事まで思わず喋ってしまった。」

「私もあの時はあんなに有島様が小説と取り組んでいる今現在の思いをありのままに話して頂いて、少し興奮しました。作家の執筆の瞬間に立ち会った様な経験をさせて頂きました。」

「ははは、そうだったかね。今考えるとあの頃は兎に角『或る女』を書き上げてしまわなければならないという思いに夢中で書いていた。今はもう出来ないけれどね。僕は『或る女』を書いてしまって、僕の中の全てを出し切ってしまったのか、今は全く書けなくなってしまった。だから僕は去年辺りから再び小説に立ち向かえる様に、生活自体を変えようと思っている。」

「それはまたどんな風に変えようとされているのですか。」

「まあ一つには、僕のよって立つ社会的、経済的あり方を変えようということなのだけどね。僕には北海道に父譲りの農場があってね。そこに小作人が居て、僕は不在地主になっているのだ。そしてそこから上がる地代で生活しているのだよ。こういう生活から脱出して、筆一本で生活できる様にしたいと思っている。生馬を始めとして、他の兄弟や母にも話している所なのだがね。そしてこの夏には農場で小作人達を集めて、彼らに農場を全て譲ろうという話をしようと思っている。その際の今後の農場の在り方や、譲渡方法等も今考えている所なのだ。」

「これは驚きましたね。本当にそこまで考えておられるとは。これは今年一月に『改造』に発表された『宣言一つ』とも関係する流れと考えてよろしいのですかね。」

「ああ、あの『宣言一つ』ね。あれはかなり色々な人から様々に誤解を受けていてね。まあ今言った農場を解放することによって『宣言一つ』の内容が変わる訳ではないのだがね。農場の問題は或る意味で僕の個人的問題ではあるが、『宣言一つ』は今の学者や知識人、労働運動に関わっている人々全てについて言えることなのだよ。僕は今日本で労働運動が盛り上がって来て、第四階級出身の人々が自ら、つまり労働者達が自らその先頭に立って組織を動かす流れになって行くことは喜ばしいと思う。しかし第四階級でない人達、学者や知識人、僕の様な人間には、結局労働者の事は理解出来ないだろうし、そういう人々が労働運動に関わることの限界を感じるのだよ。例えばロシアでの革命にもそういう傾向が現れている。バートランド・ラッセルがこの前日本にやって来たが、あの人のロシア見聞記によると、ロシア革命によって、農民等苦しんでいる人々が居るという報告がなされている。僕は労働者反対派という人々の主張に賛同し、ロシア革命に良い影響を与えるのではないかと期待していたのだがね。党の中で抑圧されてしまった。僕は社会主義にも自由が必要だという考え方だから、この先のロシアの状況も心配しているのだよ。」

「では、有島様としては労働運動や社会主義の流れに距離を置くというお考えですか。」

「僕は去年設立された社会主義同盟にも誘われたが、加入しなかったし、とは言っても賛同している部分はあるから、全体的な面などでは大いに支援して行こうと思っている。組織の中で活動する積りはない。第四階級ではない僕がそれを遣ることは出来ない。しかし外から何かの支援は出来るし、したいと思っているのだよ。」

「具体的に何か支援をされているのですか。」

「昨年の十二月に僕は大阪に行って、革命政府下にあるロシアの飢餓救済募金講演会というのを司会し、募金を行ったりしている。こういう活動を遣って行こうと思っていてね。賀川豊彦が例のベストセラーになった『死線を越えて』の印税を基金として大阪に労働学校を開設する様なので、そこにも資金援助をしようと思っている。」

「ところで一昨年鎌倉に引っ越して来た大杉栄様を取材したのですが、その時大杉様からその年の三月に賀川豊彦歓迎会で有島様とお会いした時の話をされていましたが、大杉様ともお付き合いがあるのですか。」

「ほう、賀茂君は大杉栄も取材したのですか。今話があった賀川豊彦が『死線を越えて』を『改造』に連載している時、神戸から遣って来たので歓迎会を開いたのだ。その時大杉君と色々と話した。彼は獄中にあった時の体験談を話していた。彼は無政府主義的社会主義者で、クロポトキンにも傾斜しているということで、僕と共通のものが多いのだ。去年の夏にも横須賀線で一緒になり、話をしたこともあった。話はしっかりしていて感じの良い人だと思ったね。」

「大杉様に取材した時は、例の日影茶屋事件のこともお聞きしたのですが、奥さんの野枝様も一緒でしたが忌憚のないお話をお聞きしました。」

「そうかね。賀茂君はそんなことまで大杉君に聞いたのかね。どんなことを言ってましたか。」

「自分は男女関係については自由恋愛をモットーとしているが、中々これを実行するのは難しい。どうしても嫉妬や独占欲と言った感情が出て来て、上手く行かなくなるのだと仰っていました。野枝様の事は、自分に良く尽くしてくれるし、野枝様のお陰で遣って行ける様なものだと仰っていました。」

「まああんな事件が起きてしまうと、大杉君にとっては野枝さんを大事にして行くしかないのだろう。これはここだけの話だけど、僕はあの犯行に及んだ神近さんにむしろ興味があってね。あの事件後彼女に手紙を書いて、何度か会ったことがあるのだよ。中々綺麗な人だし、きちんとした教養もある人でね。或る意味で大杉君を一時期経済的に養っている様な所もあって、かなり大杉君に尽くしていたのだね。まあそれが裏切られたという想いが強かったのだろうね。すっかり僕は彼女に惚れ込んでしまってね。軽率な事にキスをしてしまったのだよ。これはまずかったと今でも大いに反省しているのだがね。これはここだけの話にして下さい。」

「えっ、そんなことがあったのかい。初めて聞いた話だな。兄は賀茂さんも円覚寺松嶺院の取材で言っていた様に、サービス精神が旺盛だから、直ぐ口が滑るんだよね。」

生馬が横からそんな事を言った。

「まあこれは相手のプライバシーもあることだから、ここだけの話にして欲しい。」

「承知しました。勿論ですよ。で、結果的に神近様とはどうなったのですか。もしお聞かせいただけるなら。あくまでここだけの話で。」

「神近さんも、僕が余り熱烈にアプローチするものだから、その気になったらしくて、色々お願い事が出て来てね。それを聞いて僕はこれは拙いと思い、急に興醒めがして、それがきっかけで関係が途絶えてしまったのだ。そういう熱し易くて冷め易い軽率な所が僕にはあるんだよ。結構僕は女性好きという所があってね。与謝野晶子さんとも手紙のやり取りをしたりして、付き合いがあるのですよ。これもここだけの話だけど。」

「本当ですかそれは。でもそれもここだけの話という事で私の心の中だけに留めて置きます。ところで話は戻りますが、生活の改善を今はやられているということですが、次の作品は何か書かれていらっしゃるのですか。」

渉が聞くと、有島武郎は苦渋の表情を浮かべて言った。

「まあ、話は堂々巡りになって仕舞うが、さっき言った様にここの所全く書けない状況が続いている。場合によっては、もう作家としてやっていけないのではないかという気分になることもある。そういう意味で生活の改善ということを最優先に考えているのだよ。」

そう言って再び沈み込んだ表情を見せた。

「是非また『或る女』の様な素晴らしい作品を書いて下さい。今日は中々聞けない様なお話を聞かせて頂き有り難うございました。」

「賀茂君が相手だとつい口が軽くなる様だね。松嶺院の時と似た様なことになって仕舞ったが、記事にする時は十分注意してくれたまえ。」

「ええ、勿論です。承知しております。」

それから、生馬の案内で松の屋敷を一通り廻って、生馬邸を退出した。松の屋敷はイタリア人が作って住んだ家らしく、コロニアル風の明るい内装と外観に満ちていた。フランスに長く居て、絵を学んだ生馬氏にとっては、居心地の良い家なのだろうと思った。帰りの江ノ電の中で渉と紫は今日の有島武郎の印象を語り合っていた。

「どう思う、武郎氏の事。余り元気がない様子だったね。」

「私もそう思った。大分疲れている様な感じがした。何が原因なのか分からないけど。矢張り書けないということが大きいのかしら。」

紫が言った。

「その壁を破ろうとして色々足掻いている様なのだが、どんどん逆に深みに嵌まり込んで行ってしまっている様な風にも見えるね。」

「私には何が武郎さんを落ち込ませているのか分からないけど、矢張り財産のこと、小説の書けないということ。そして女性関係のことも言っていたけど、色々な問題があるみたい。渉には少し見えて来ているんじゃない。」

「僕もはっきりとは分からないんだが、自分の生い立ちや、財産を巡る問題があり、社会情勢が社会主義、労働運動の高揚との間で、自分自身それに賛同して行く意識があるのだが、自分の出自と今の位置を考えると踏み込めないという自己矛盾にぶち当たっている様だね。だから大杉栄の様に、有島氏と同じ様な思想と傾向を持って正々堂々と振舞っている人間を見ると、好意を感じると同時に、自分自身の限界を感じて悩んでいるのだろうね。それと、紫が言う様に、女性への意識というのもかなり複雑にある様だ。神近市子氏との関係を話していたが、あれには驚いた。考えてみると、『或る女』をあんな風に後編で奔放であると同時に破滅へと導いて行く発想と共通する何かを感じるね。自分自身をかなり早月葉子に感情移入してしまっている様な気がする。そういう意味で『或る女』が有島氏の限界を作り出してしまっているのかも知れない。あの小説の早月葉子のモデルの佐々城信子は死んではいないし、静かにささやかに生きているらしい。だから早月葉子は有島武郎の中にしかいないのだと思う。」

「そんなに色んな矛盾と悩みを抱いて、武郎さんは何処へ行ってしまうんですかね。一体どうなってしまうのか。」

「僕もそう思う。どこかで立ち直って貰いたいのだが、暫くは目を離せない存在だと思う。何か爆弾が破裂する様に大きな事件が起こらなければ良いと思っている。」

「え、何かそんな大事件が起こる気配があるの。」

「いやこれはあくまで僕の危惧と言うか、最悪の結果としてということだがね。」

「でも北海道の農場の解放だって、或る意味じゃ爆弾と言っても良いものじゃないの。」

「確かにそうだけどね。だがもっと悪い方向で何か起こらなければ良いんだがね。」

「余計な心配は止めて置きましょう。」

「まあそうだね。」

十八、有島武郎の死と鎌倉大崩壊

有島武郎と生馬の取材が終わって、渉は次の文学者の取材について考えあぐねていた。そこで文学者達のその後の動きをもう一度捉え直して見ようという事を考えた。先ずあれだけ何度も鎌倉を騒がせた大杉栄がこの年の春に逗子へ引っ越して行った。鎌倉警察署の署長に散々睨まれて、嫌気が差してしまったからだろうか。兎に角大杉栄が鎌倉を出て、一応瀬戸小路は静かな場所に戻ったと言えなくもない。

大杉栄は一昨年の年末に社会主義同盟の結成大会に際して、瀬戸小路の自邸に地方代表者達を集めて鎌倉警察と睨み合いになり、八幡宮で集会とデモを行って、鎌倉中を驚かせた。しかしその後社会主義同盟内で社会主義派と無政府主義派の間の論争が始まり、この同盟も大きな危機に瀕していた。

労働運動、社会主義の高まり、そしてロシアにおける革命の動向、日本国内の運動への抑圧。そういう時代の流れが有島武郎の生き方にも影を落としているのだろう。大正も十二年を目前にして何か暗い影が差して来た様な悪い予感を渉は感じていた。

文学者達の動向を見ると、広津和郎は小説がスランプに陥り、芸術社という出版社を立ち上げて、武者小路実篤全集の発行を始めたりしていた。作家が出版社を立ち上げるなどと言う異例の試みがあった。そのため殆ど鎌倉にはいないことが多かった。

葛西善蔵についても、長年の飲酒と乱れた生活が祟って、肺病を病んだという情報が流れていた。と同時に渉が訪れた時出会った茶屋の娘を小説に登場させて、おせいという名前で「おせいもの」と言われた小説を書き続けていた。

そしてこの年の七月にいよいよ有島武郎は北海道の農場を解放するべく、農民を集めて農場で宣言を行った。この話が渉達にも新聞紙上や文壇情報として伝わって来た。矢張り有島武郎は、五月に有島生馬邸の取材の時に語っていたことを実行に移したのだ。

そして、大正十二年に入ると直ぐ、二月に有島武郎が番町の広壮な自邸を売りに出したという情報を渉は新聞で知った。前の年の北海道の農場の小作人への解放に引き続き、いよいよ有島はその資産を次々と整理し始めた様だ。この先何処までその動きを進めて行くのか、渉には有島の動向を遠くから眺めているしかなかった。

そして七月になって、渉が危惧した悲劇的情報が伝わって来た。軽井沢の別荘で、有島武郎と波多野秋子が心中を遂げていたのが発見されたという情報である。この情報に接し、一体何が有島に起こったのか。波多野秋子という女性の事は全く初めて聞く名前であった。この心中を取り上げた各種新聞、雑誌を読んでも納得の出来る情報はまるでなかった。

渉は有島に最後に取材した一年前の五月の事を思い出した。有島は確かに生活についても、小説についても、どうにもならない袋小路に入り込んでいる感じがした。女性関係の事も語っていたが、結局最後は女性問題がこれらの状況に決定的な破綻を齎したに違いない。どこか『或る女』の最後と共通する様な、破滅的な最期が齎されたのだろう。そんな風に考えるしかなかった。

そして事件の衝撃が未だ覚めやらない夏の終わり、九月に入って、鎌倉に大崩壊が起こった。関東大震災の発生である。ある意味で、有島の死は、この大崩壊の前触れだったのではないか、渉はそんな風にも思った。

しかしこの大崩壊はそんな感傷に浸る暇を与えなかった。『鎌倉新報』が間借りしていた由比ガ浜通の店舗の建物は一溜りもなく崩壊した。二階にあったので社長以下三人は外に飛び出して、どうにか命に別状はなかった。しかし由比ガ浜通に面した古い建物群はあちこちから出火し、火の海となった。

渉達は由比ガ浜通から海の方へ向かった。海浜ホテルがどうなっているか、見て置きたかったからだ。しかし海岸通りや海浜ホテルの周囲の別荘群は悉く崩壊して、惨憺たる状況を呈していた。しかし、海浜ホテルだけは殆ど損壊が無く建っている様に見えた。

由比ガ浜近くに来ると、辺りは海水で濡れていた。そして海の方を見ると、驚くべきことに、海水が遠くに引いて、海底がずっと彼方まで見えていた。津波が遣って来て、丁度去って行ったところだった様だ。辺りを見てみると、海岸橋の方や坂の下の方は建物が影も形もなくなって、津波に持って行かれた様だった。

海浜ホテルの方に戻って被害の状況を見ていると、芝生の中に土御門敏麿と石田萌が居て、建物の周囲を矢張り眺めていた。渉と紫が近付いて行くと、土御門もこちらに近付いて来た。

「お互い無事だった様ですね。」

「土御門さんも石田さんも無事で良かった。」

「会社の方は大丈夫だったのですか。」

「由比ガ浜通は火が出たから、もう手に負えない状況ですよ。社長は広告を出してくれている会社の様子を見に行っています。海浜ホテルの被害はどうですか。一見したところ余り被害が見受けられないが。」

「海浜ホテルは大きな損害は無さそうだ。中々しっかりとした建物ですよ。」

「ここへ来る時見て来たが、陸奥伯爵の家は完全に壊れていましたね。伯爵は姿がちらっと見えたから、大丈夫だった様ですが。」

「別荘も大分壊れている様ですね。もうこの辺りの別荘地もこれでは終わりだね。矢張り鎌倉中の地霊が暴れ出したんだね。ねえ、賀茂さん。そう思いませんか。」

土御門は渉に同意を求める様に言った。

「地霊ですか。矢張り地霊が暴れ出したってことですか。そういうことにして置きましょうか。土御門さん。」

そう言って二人は顔を見合わせてにやっと笑った。

「しかし、海浜ホテルが殆ど無傷だったというのは不幸中の幸いだった。まさか土御門さんがそこだけ地霊を封じ込めたという訳でもないでしょう。」

「ははは、僕にはそんな力はないですよ。海浜ホテルは残ったけれど、別荘は殆ど壊れた。鎌倉から別荘族は居なくなるかな。そして文学者はどうかな。こういう人達も鎌倉を去るのかな」

「ま、一時は去るでしょう。しかしまた戻って来ると信じたいね。」

そんな話をしている内にも、絶え間無く余震が続いていたので、渉達は再び由比ガ浜通りの状況を見るために、土御門と石田萌とはここで別れた。

地震から数日後、次第に東京の震災の様子が鎌倉でも分かって来た。そしてまた悲劇的な情報が渉達にもたらされた。大杉栄と伊藤野枝が地震の混乱の最中に憲兵隊に殺されたという情報である。有島武郎が死に、それから三か月後今度は大杉栄も死んだ。一体これをどう考えたら良いのか。不安な気持ちに満たされたまま、地震の跡片付けに忙しい中を、渉は紫を誘って由比ガ浜へ海を見に行った。至る所壊れたり傾いたりして惨憺たる姿を見せている別荘群を過ぎると、その向こうに海浜ホテルが殆ど無傷の姿を見せて、毅然として建っていた。そしてその先には静かに輝く海が見えていた。九月の空気の中に、地震の時の姿が嘘の様に、静かで穏やかな海である。

「やっと静かな海に戻ったね。」

「これから鎌倉はどうなるのかしら。」

「それも心配だけど、有島武郎が心中で死に、大杉栄が憲兵隊に殺されて、二人とも非業の死を遂げた訳だ。つい一年程前に二人を取材して、その時の二人の生き生きとした姿を思い出すと嘘の様に思える。何か時代が大きく変わって行く様な不安を感じるね。」

「確かにそんな気がする。何か得体の知れない不安と言うか。でもそんな正体の見えない不安に憑りつかれても仕方ないわ。文学者達はきっとまた鎌倉に戻って来る。そしてこれまでの様に地霊に会いに行きましょう。」

「そう言うことかも知れないね。紫がそんな気持ちになってくれたのが一番心強いね。何てったって地霊はこの鎌倉にもう何百年も住み付いているのだから。ちょっとやそっとじゃ動揺する筈はないよ。」

「だからまた二人で地霊を訪ねて鎌倉を彷徨しましょうよ。」

紫のそんな言葉に渉も思わず頷いていた。そして何故か嬉しさが込み上げてきた。何が嬉しいかと言うと、紫が地霊彷徨の意味をやっと分かってくれたと思えたからだ。

忘れられた庭の薔薇達

一

初めて須田恭子が、扇ガ谷の早見葵の家を訪れた時の印象を、今でも忘れることが出来ない。それは、同じ時代の同じ時期に、この同じ地上に存在する風景の在り方として、余りにも大きな隔りがあると感じさせたからである。

と言うのは、須田恭子はその日の朝、あの酸鼻を極めた東京大空襲の直後の、おぞましい焼け野原の風景のただ中から、鎌倉にやって来たばかりだったからだ。

三月九日の大空襲で焼け出された人々は、浮浪者の様な襤褸を着て、東京駅の連絡通路のあちこちに行き場を失ってたむろしていたが、須田恭子も住む家を焼け出され、辛うじて焼け残った友人の家に泊めさせて貰っていた。一緒に焼け出された両親は早々と信州の田舎に疎開し、病院勤めの薬剤師だった須田恭子は、病院は最早機能せず行き場を失っていた。人々は再度の空襲を恐れて次々と田舎に疎開して行った。そして四月中旬の再度の空襲で友人の家の近くも被弾し、伝手を頼って未だ大きな空襲もなく機能していた鎌倉の病院を紹介して貰い、そこから扇ガ谷の早見葵の家を下宿先として案内されたのだ。

四月も終わりに近い暖かい快晴の日であった。それまで空襲に明け暮れて焼け野原になった東京の風景が嘘の様な静かな鎌倉の駅前であった。三角屋根の上に時計塔が付いた瀟洒なつくりの駅舎の前には広々とした広場があり、樹木の植え込みの周りを廻るロータリーには、疎らな人影しかなかった。

案内された扇ガ谷の家の家主である早見葵という人は、未亡人であるという。夫は横須賀勤務の海軍軍人であったが、戦火が険しくなると共に、フィリピンはレイテ島の最前線に送られ、そこで前の年の秋頃戦死したという。

未亡人となってまだ半年しか経ってはいなかった。そんな家主の住まう家に突然厄介になるということは、相手が全く初対面の人物であり、しかも夫が戦死したとの報を得て、僅か半年しか経っていないということもあり、どう付き合ったら良いのかという不安が須田恭子の頭を掠めてめていた。

取り敢えずなるべくそうした個人の状況や心境などには触れず、あくまで家主と下宿人という立場で付き合うしかなかろうと心に決めた。

駅前から予め聞いておいた道順に従って、扇ガ谷の方へ向かった。先ずは横須賀線を横切らなければならない。駅前からの通りにも、あまり人影はない。そして東京とあまり変わらず、男は国防服、女はモンペである。須田恭子も東京で空襲から逃げ回っていた時のままの防空頭巾にモンペ姿である。誰もが矢張り薄汚れた姿ではある。しかし東京の人々程の呆けた様な暗さはない様に思えた。

横須賀線には電車はめったには通らない。そんな線路沿いに進み、源氏山の麓を廻りながら、木々の繁った谷戸の奥へと入って行った。今まさに鮮やかな新緑に覆われた木々の繁みの中に、ぽつりぽつりとこじんまりとした住宅が建っていた。中にはかなり大きな屋敷を構えた家もある。

谷戸のかなり奥まった辺りまで来た。そこに、山を切り取って、岩肌がむき出しになっている様な絶壁の手前に、押し込められた風に建っている家の一画に到達した。ここへ来るまで、一つ一つの家の表札を見ながらやって来たのだが、まだ早見という表札を掲げた家はなかった。この谷戸の突き当りの一画まで来た時、新緑の木々が分厚く生い茂り、家の屋根も隠れんばかりに木々の繁りが盛んに伸び放題に伸びている家があった。そして須田恭子がそこまで来て、思わず足を止める程驚かされる光景が広がっていた。

その家の周囲の竹垣を覆い尽くす様に、そして更にその竹垣を越えて行く様に、濃いピンクの花が一面に波打って咲いているのだ。須田恭子は思わず我が目を疑った。とにかくこの光景は一体何なのだというときめく心を抑えながらその花々に覆われた家へと近付いて行った。

近くで見るとその花は薔薇の様であった。しかしこれまで恭子はこんな見事な薔薇の花の茂みを見たことがなかった。と言うより、今朝抜け出て来たばかりの、一面焼け野原になった、酸鼻を極めた東京の風景に馴染んで来た目にとっては、それは美しいと言うよりむしろ目に痛い様な、とても同じ世界のものとは思えない違和感に満ちていた。

更にその家の方に近付いて行くと、辺りにその薔薇からの心地良い香りが漂っていた。多分蔓薔薇と思われるその花々は、恭子の背丈以上に竹垣に絡み付いていて、一輪一輪が見下ろすように俯き加減に、風に揺られながら咲いていた。

その家の表札を確かめると、早見と言う名前が読み取れた。そして薔薇の茂みを通して、庭の中を覗いてみると、防空頭巾にモンペ姿という、恭子と同じ格好のまだ若い女性が立っていた。庭の中を眺めていたらしい女性は、やがて須田恭子の姿に気付いたらしかった。

「須田様ですか。私早見と申します。お待ちしてました。どうぞお入りください。」

早見葵はそう言って道の先にある門の方を指差した。

「須田と申します。突然で申し訳ありませんが暫くご厄介になりますのでよろしくお願い致します。」

恭子はそう挨拶して門の方へ廻った。そこは門の上にも塀側の竹垣とは別の、上まで覆う竹垣になっていて、塀の竹垣とは違う白い蔓薔薇が絡んでいて、まだほとんど蕾ではあるが、これから咲き出す様に見えた。門から家へ入って行くと、早見葵も庭の中からやって来た。

「薔薇が素敵ですね。こんな見事な薔薇はこれまで見たことはありませんわ。」

恭子はそう言いながら早見葵を近くで見て、その若さに驚いた。自分とそう違わないと思われるこの人が、もう未亡人になってしまったのかと思うと、恭子は改めてこの戦争の残酷さを思わずにはいられなかった。

「道はすぐに分かりましたか。」

早見葵が言った。

「ええ、前もって病院に聞いておりましたので。それにこの見事な薔薇に誘われてやってきました。これ本当に素敵な薔薇ですね。私薔薇のことは全く素人で良く分からないんですけど。何と言う薔薇なんですか。早見様が育てられていらっしゃるんですか。」

「いえ、主人が育てていたんです。スパニッシュビューティーというスペインで作出された薔薇と聞いています。主人が気に入っていた薔薇です。主人は軍人のくせに薔薇が好きで。横須賀勤務の頃は色々育てていたんですが。」

そう言って早見葵は、草が茫々と生い茂り、木々の枝葉が繁り合って奥が見えなくなっている庭に目を遣った。ここで、戦死したというこの人の御主人の事を聞いたものかどうか、恭子は迷っていたが、そんな気配を察知したのか、早見葵が言った。

「ご存じだと思いますが、主人は昨年の秋に戦死いたしまして。フィリピンのレイテ島という所で亡くなったと聞いております。まあ軍人ですから、いずれはこんなこともあるだろうと覚悟はしておりましたが。でも少し変わった主人でした。薔薇の好きな軍人なんておかしいですよね。ま、軍人には合っていなかったのではないかと思います。」

そう言って、庭の奥の方を再び眺めやった早見葵の横顔はこんな言葉に不似合いな程静かで落ち着いた透明感に包まれていた。

庭の奥の方を、恭子も葵の目の先を追う様に辿って眺めた。良く見ると草茫々の庭の中に、草の中から所々顔を出す様に、他にもあちこちに薔薇が咲き始めていて、真っ赤な薔薇や白い薔薇や、中には黄色い薔薇もあった。葵はそれらを眺めながら、

「草が茫々になってしまって、ほとんど手入れしていないものですから。」

と言った。

その時、そんな静かな時を破る様に、突然空襲警戒警報が鳴り始めた。東京に居た時、昼夜を分かたず鳴り続けていた音である。しかしそれを聞いたのは鎌倉に着いてから初めてであった。空襲は鎌倉にはないと聞いていた恭子にとっては意外に思えた警報であった。

「これ空襲警報なんですか。」

確かめる様に恭子が葵に聞いた。

「最近多いんですよ。ほとんど毎日この警報が鳴っています。でも大体横浜や川崎や東京の方へ空襲に向かう敵機が、鎌倉の上空を通って行くみたいです。二十から三十分もすると警報が鳴り止んで、元の静けさに戻ることが多いんですよ。

でも、何時鎌倉にも本格的空襲がやって来てもおかしくはないんで、とにかく防空壕に入りまし

ょう。」

葵はそう言って先に立って奥の崖の方に慣れた足取りで足早に歩いて行った。恭子も東京に居た時は、毎日の様に朝と言わず夜と言わず、敵機が来れば防空壕の中に駆け込んでいたので、その動きにすぐ反応出来た。

草に覆われて所々薔薇が顔を出している庭の一画を抜けると、急に辺りは開けて、畑らしき場所が現れ、その先に切り立った崖が立ち上がっていた。崖には岩を削り取って掘り出した様な洞窟の様な凹みがあって、その中に古い朽ちかけた様な小さな墓石状の石の塊が横たわっていた。そしてその脇に人が一人入るのがやっとという様な小さな扉があって、早見葵が先にその扉を開けて中に入った。恭子もすぐにその後から入ると、中は真っ暗な防空壕になっていた。

葵が壕の上の方を手探りして裸電球のスイッチを入れると、壕の中はお互いの顔が分かるぐらいに明るくなった。照らし出された壕の広さは三畳か四畳位の空間だろうか。そこに木の椅子が二つ置いてあった。葵と恭子はそこに向かい合う様に座った。警報が鳴り終わると、外は静けさが支配していた。時々味方の高射砲の音が聴こえる位だった。東京ではこの後敵機の飛んで来る轟音が上空を支配し、やがて焼夷弾や爆弾が降り注ぐ音に辺りは支配された。しかしここは不思議な静けさに包まれていた。

「多分三十分もすれば警報は解除されると思いますわ。先程も申しました様に敵機はここを通り過ぎて横浜や川崎や東京の方に飛んで行くんです。」

葵はそんな風に淡々と話した。

「でも一人でこんな所に居られると不安じゃないですか。」

「まあ、仕方ないですわ。戦地に行かれた軍人さん達のことを考えれば何程のこともありません。それにこれからは須田さんもご一緒ですし。」

そう言って笑顔を見せた。

「そうですか。どれだけお力になれるか分かりませんけど。そう言っていただけると私もここに住まわせていただける甲斐があります。ところでこの隣にあるお墓の様な洞窟は何なのですか。」

恭子は防空壕に入る前に左手にあった洞窟状の不思議な穴の事を聞いてみた。

「ああれは矢倉と言って、昔の人のお墓だったらしいです。鎌倉中至る所にありますわ。特にこの扇ガ谷の辺りには寿福寺や海蔵寺といったお寺の周囲の崖にあちこちに穿たれています。」

「この防空壕は、そのヤグラとかいうお墓の跡だったということではないですよね。」

恭子は少し薄気味悪くなって聞いてみた。

「勿論ここは防空壕として掘ったものですわ。まだ主人が横須賀に勤務していた頃、いずれ鎌倉にも空襲があるだろうと予測して、近所の隣組の人達に手伝って貰って、海軍の人達にも来て貰って掘ったものです。この鎌倉の山が出来ている鎌倉石というのは比較的柔らかくて、掘り易かった様で、昔から穴を掘って矢倉として、お墓や倉庫として利用していたらしいですね。」

「空襲警報は毎日出るんですか。これから先もっとひどくなるとか。」

「毎日ですね。でもさっきも言った様に、二十から三十分で大体解除になります。そして余り爆弾が落ちて人が死んだという様な話は聞きません。これからどうなるか私には分かりません。噂では相模湾に敵が上陸するなんて言われますけど。ですから陸軍がこの裏山に陣地を作ると言って、あちこちにトンネルを掘っているみたいですよ。」

「この裏山にですか。じゃあ敵が相模湾に上陸したらその陣地も真っ先に攻撃されるということになる訳ですよね。」

「そういうことになりますね。でもまあ先の事は分かりませんから。もしかするとその前に戦争が終わってしまうかも知れませんしね。」

葵はそんなことまで言って少し微笑んで見せた。そんな話をしている内に空襲警報は解除になった。葵と恭子は狭苦しい防空壕を出ると、外は四月の眩しいばかりの陽光に満ちていた。そして相変わらず叢の中に、様々な色をした薔薇の花が咲いていた。暗い防空壕の中から出て、明るい春の陽を浴びたこの花々を見ると、信じられない程美しく思えた。そして、木々の葉を隔てた向こうに、竹垣に絡んだ濃いピンク色の薔薇、スパニッシュビューティーが壁の様に立ち上がっているのが見えた。

「早見さんは素敵な所にお住まいですね。こんな花に囲まれた生活なんて、今の東京では考えられませんわ。」

恭子が感に耐えた様にそう言うと、

「そうでしょうか。でもこんな草茫々になっちゃって。主人が居た頃は草もほとんど生えていなくって、毎年薔薇ももっと咲いていたんですけどね。」

「草取り位お手伝いしましょうか。」

恭子がそう言うと、

「有り難うございます。ご親切は感謝しますけど、何か手を付けようという気が起きなくて。暫くはそのままにして置こうと思っているんですの。」

そう言って葵は何か感情をこらえる様に沈んだ表情になった。その時恭子は葵の中に色々な思いが渦巻いているらしいことに気付かされた。そしてこれ以上何かを言うのを躊躇った。

二人は黙ったまま、叢の中を玄関の方へ向かって歩いていた。早見葵は気を取り直す様に先に立って歩いた。

「先ずはお部屋をご案内しなければならなかったんですけど、いきなり空襲警報ですからね。防空壕が最初のご案内なんて情けない話ですわね。」

と自嘲気味に言った。

「でも今の時代は防空壕が一番大事ですね。命を守るために先ず一番重要じゃないかしら。」

「確かにそうですわね。須田さんは東京で大空襲の中で暮らされていたのですから、身に染みて感じられるんでしょうね。」

早見葵は須田恭子を二階の部屋に案内した。

「ここが須田さんのお部屋になりますが。陽当たりも良いし、落ち着いてお過ごしいただけると思いまして。」

そう言って窓のガラス戸を開け放つと、涼しい風が部屋に入って来た。その部屋からの眺めは、須田恭子を十分に満足させるものだった。そこからも、雑草の一面に生えた叢の中にぽつりぽつりと薔薇の花々が咲いているのが眺められ、竹垣を覆う濃いピンク色の蔓薔薇が咲き乱れているのが目に入って来た。

そして、右手の方に目を転じると、木々に覆われた山の麓を削り取った様な崖に、矢倉と今入って来た防空壕の風景が眺められた。また、この谷戸の奥はかなり高台になっていて、そこから鎌倉の町の家並みを望むことも出来た。

二

こうして早見葵と須田恭子の二人の暮らしが始まった。勿論家主と下宿人という立場ではあったが。須田恭子はここから若宮大路に面した病院に通った。早見葵は下宿人である須田恭子の食事を用意することと、庭の一画にある畑で芋や野菜を育て、食糧難の足しにするのが日々の日課となっていた。

やがて須田恭子は早見葵が自分と四つ違いの年上であることを知った。しかし傍から見ると同じ家に住んでいる二人は、年もそれ程違わないので姉妹と見えるらしく、隣家の奥さんから、

「妹さんですか。」

などと声を掛けられることもあった。そんな時は何時も、

「いえ下宿人として居させていただいています。でもお友達みたいな感じで住まわせていただいているんですよ。」

と答えた。

やがて五月が過ぎて、薔薇の季節が終わると、梅雨から夏へと季節が移って行った。相変わらず空襲警報は鳴り続けていたが、鎌倉が空襲に曝されることはなかった。

そして敗戦の日がやって来た。その日を境にして、ぴたりと空襲警報は止んだ。

そこから二人にとっての戦後の生活が始まった。空襲警報は無くなったが、戦後の混乱した社会状況が二人にも影響を与えた。戦争が終わる直前まで、鎌倉の寺や学校などに駐屯していた陸軍や海軍の軍隊が敗戦とともに潮が引く様に消え去った。

そしてそれと入れ替わる様に駐留して来たアメリカ占領軍が町のあちこちに現れた。最初相模湾に現れ、由比ガ浜の沖に停泊した黒々としたアメリカの艦隊を見た時、二人は不安に駆られ、もうここには住めないのではないかと語り合った程であったが、意外に静かに穏やかに米軍の駐留が始まったので、何時の間にかこれまでの生活に戻っていた。しかし食糧難が戦争中以上に激しくなり、若宮大路沿いに何時の間にか雨後の筍の様に出来上がった闇市に通うのが日課になった。旧軍が解体した時に、旧軍人によって持ち出され、横流しされた食料や様々な物資がそれらの闇市には溢れ返っていた。

敗戦の年のクリスマスイブには、米軍に接収されて宿舎となっていた、由緒ある巨大な鎌倉海浜ホテルが駐留軍の火の不始末で炎上し、燃え尽きるという事件があった。この時の火は二時間燃え続け、その火が扇ガ谷の二人の住む家からも見えた程であった。

そんな敗戦直後の混乱期が少しずつ収まって、食糧事情もある程度緩和され、平常の日常生活に戻って来たかに見えた頃、今度は鎌倉の町には復員兵が目に付く様になった。中国大陸や南方で敗戦を迎えた兵士達が帰還し、鎌倉の町にも戻って来た。

須田恭子は鎌倉駅に降り立つそうした復員兵達を、駅近くの町中で見掛けた。ボロボロになった軍服を着て、痩せ衰えたこうした復員兵達は、虚ろな目をして町中をうろついていて、人々は露骨な嫌悪感を示していた。復員兵達も、行先が直ぐに見つかって肉親との再会が果たせた人達は、それで出征前の生活に戻るきっかけを得て、落ち着いていった。しかし実家が疎開や戦時中の混乱や空襲に会って行方が見つからない復員兵達は、行く当てもなく町の中でたむろするしかなかった。

早見葵も、闇市へ買い物に出掛けて、こうした復員兵達の姿を見掛けることが多くなった。そんな、痩せ衰えて眼光鋭い復員兵達は、それぞれが誰かを探しているらしく見えた。そして、戦死した夫と同じ位の年のこれらの復員兵達を見ると、妙に心が高まるのを抑え難かった。

夫が戦地でどんな風に亡くなったのか、葵には何も知らされてはいなかった。だから、もしかしたら戦死は何かの間違いで、生きて帰って来るのではないかという一抹の希望さえ心の片隅に見出すこともあった。

そんな風にまだ戦争の余韻を引き摺りながら、日々は流れて行った。そして敗戦の年が明けて、再び春がやって来た。それは矢張り四月も終わりに近い、強い陽射しの差す、暖かい日であった。

竹垣を覆う蔓薔薇スパニッシュビューティーが、今年もまた濃いピンクの花を、ぎっしりとつけて咲き匂っていた。そんな眩しいばかりの昼下がりに、早見葵は陽気に誘われて、何時もの様に庭に出て、相変わらず草茫々の庭の中で咲き始めた色とりどりの薔薇や、竹垣に絡んだ蔓薔薇やを眺めていた。須田恭子は病院に行っていて、たった一人で過ごすゆったりとした時間であった。

そして、ふと蔓薔薇の絡んだ竹垣の隙間から何気無く外の道路の方に目を遣ると、ボロボロの軍服を着て痩せ衰えた復員兵がこちらを覗いているのが目に入った。こんな所にまでいよいよ復員兵が何かを求めてやって来たのかと思って、早見葵は少し怖くなって家の中に入ろうと思ったが、もう一度この復員兵の方を眺めて見た。確かに軍服はボロボロで痩せ衰えた表情を見せていたが、まだ若くどちらかと言うと品の良い風貌を見せていたので、気を取り直して様子を窺った。

男は早見家の表札を注意深く確かめる様に眺めたりしていたが、やがて、早見葵の存在に蔓薔薇越しに気付いたらしく、

「こちら早見様のお宅ですか。決して不審なものではございません。フィリピンで早見大尉の部下だった岩瀬と申します。」

と言って葵に深々と頭を下げた。

葵は突然現れた岩瀬と名乗る若い復員兵を前にして、暫く言葉を失っていた。夫が戦死したフィリピン・レイテ島の戦いは、新聞や帰還者からの伝聞をこれまでにも聞いていたが、とにかく悲惨

なものであったということが言われていた。こうした情報は、戦争中は軍は殆ど詳細について発表しなかったが、敗戦と同時に、次第に明らかになって来た。レイテ島の戦いでは生存者は五パーセントにも満たない全滅であったことが明らかになっていた。だからこの岩瀬という復員兵が、夫の部下であったということは、一体如何にしてレイテ島から脱出して来たのか。それが不思議であった。

やがて、突然の復員兵の出現の衝撃が収まるに従って、夫の最期を知っているだろうこの男の話を聞きたいという思いが湧き上がって来た。そしてわざわざ自分を尋ねて来てくれた岩瀬という男についても知りたいと思った。

岩瀬は、玄関の方へ廻って来て、

「失礼ですが、早見大尉の奥様ですか。」

と言った。

「はい、私早見の家内ですが。まあ、ここでお話をするのも何なので、中にお入りください。岩瀬様は、早見の部下だったというお話ですが、どんな関係だったのかお聞かせ下さい。」

そう葵は言って、岩瀬を招じ入れた。

岩瀬徹は応接間のソファーに座ると、そこのガラス窓から見える竹垣に絡んだ蔓薔薇の満開の花々を眺めて、感心した様に言った。

「フィリピンに居た頃、早見大尉は薔薇の花の事を良く話されていました。大尉は本当に薔薇がお好きだったんですね。今日ここにお伺いしてそのことが良く分かりました。」

「主人が居た頃は、もっと花も咲いていて、草もこんなに茫々になってはいなかったのですが。ほったらかしになっていたものですから、草も生え放題になっていて。主人は確かに薔薇が好きで、でも薔薇の好きな軍人なんて少し変なんじゃないかと思っていたんですけど。だから主人は軍人には向かなかったんじゃないかと思って。」

「そんなことはありませんよ。確かに早見大尉は薔薇をこよなく愛する様な、優しい方だった。そういう優しい方が軍人に向かないという考え方は、日本の軍隊のむしろ最大の欠陥だったのではないかと、私などは思います。こういう軍隊だからこそ、軍の上層部に居た指揮官達は間違った作戦を取って、我々フィリピンに居て部隊が全滅してしまう様な完全な失敗を引き起こしたのではないかと思います。」

「そうですか。岩瀬様も軍人らしくない珍しいお考えの方なんですね。ところで早見とはどんな関係だったんですか。宜しかったら教えて下さい。」

「そうでしたね。先ずそれをお話ししなければならなかったですね。私は学徒動員で出陣いたしまして、准尉として早見大尉が中隊長を勤められた中隊付き見習士官をさせて頂いておりました。ですから、早見大尉とは常に付かず離れず、一体となって従軍しておりました。従って早見大尉とは、中隊の指揮に関することは勿論、個人的なことまで良くお話をさせて頂きました。年も大尉は私より八つ年上で、まだ三十歳になられたばかりで、私は二十二歳だったので良き兄貴という感じでした。大尉は職業軍人でしたから、軍事に関しては本当にプロで、私なんか学徒動員で俄かに軍隊に入り全くの軍事には素人に近かったので、色々教えて頂きました。」

「そうですか。でも考えてみると、職業軍人である早見が結局戦死して、学徒動員の岩瀬様が、ご苦労されたのでしょうがこうして帰還されたというのも不思議ですね。」

「いや、もうフィリピン、そしてレイテ島の状況は、戦争のプロも素人も関係ない酷さでした。はっきり言ってレイテ島の日本軍は戦闘で死んだというより、飢餓と病気で死んだというのが正しいでしょうね。どんなに優れた軍事技術を持っていても、全く役に立たなかったのですよ。そういう意味で、早見大尉があんな風に亡くなられたのは、本当に残念としか言いようがありません。」

「早見は結局どんな死に方をしたのでしょうか。お話し難いでしょうが、構わないですので本当の所をお話しください。」

早見葵は懇願する様に、岩瀬徹の目をじっと見つめて言った。

「そうですね。今日は早見大尉の奥様に、この大尉の最後のことだけはお伝えしなければいけないと思って、お宅にお伺いした様なものですから。実は大尉から預かった物を持参いたしました。先ずこれをお渡ししておかなければなりません。」

そう言って、岩瀬は薄汚れた風呂敷包みを前のテーブルに置いた。

岩瀬はその風呂敷包みの結び目を解いて開けた。そこには汗と汚れにまみれた軍帽と、あちこちが擦り切れて、手垢にまみれた大学ノートが入っていた。

「早見大尉が亡くなられたのは、飢えとそれにより体が弱った所に、マラリアに感染して止めを刺されたためです。我々はレイテ島の中に孤立して、日本軍から見捨てられたのです。早見大尉が高熱の中で亡くなられる時、私は枕元に呼び寄せられ、この軍帽と大学ノートを形見として奥様に届けてくれと頼まれました。そのため、お前は何としても生き残って、この島を脱出して日本に帰ってくれと言われました。私は学徒出陣で軍隊に召集された時から、自分は絶対死なずに生きて日本に帰ろうと心に決めていました。ですから、早見大尉から死に際にこう言われたので、改めてこれは何が何でも生き残って日本に帰ろうと決意したのです。」

岩瀬の話を聞いていた葵は、じっと夫が岩瀬に託したという遺品を眺めていたが、それを手に取って愛し気に触っていたが、やがてその目から涙がぽろぽろと溢れて来た。そして言った。

「これをここまで届けて頂いたことに、心から感謝申し上げます。これを持って、レイテ島から脱出して日本まで帰って来られるまでに、岩瀬様のご苦労は大変なものだったと思います。有り難うございました。夫は死に際に他に何て申しておりましたでしょうか。」

「大尉は奥様のことを心配されておりました。大尉からお聞きしたのですが、大尉は奥様と結婚されて二年もしない内にフィリピンへ派遣されてしまったということで、奥様に会いたいと常に仰っていました。ですから奥様にどうしてもこの遺品を届けて、もし奥様が困っている様な事があれば力になって欲しいということまで仰っていました。大尉は奥様を本当に愛されていたのですね。」

「そうですか。そんな事を申していましたか。」

そう言って再び葵は涙にむせんだ。それから葵は、岩瀬が預かって来たノートを取って、パラパラと中をめくった。

「このノートについては何か言っておりましたでしょうか。」

「大尉は、このノートは奥様に読んで貰いたいことが書いてあると仰ってましたので、私はプライベートな内容だと思って、中は見ておりませんが、とにかく奥様に渡してくれということでございました。」

再び葵はそのノートを手に取って、一ページずつめくっていった。そのノートに目を走らせながら、時々微笑んだりしていたが、ある所まで来ると感に耐え難くなったのか、目頭を熱くして涙をこらえているのが分かった。

「岩瀬様を前にして言うのも何ですが、新婚時代の思い出が書いてあります。戦地でこんなことを書いて、自分を慰めていたのですね。もうよしましょう。後でゆっくり読ませて貰います。」

そう言って気を取り直す様に、葵は岩瀬の方に目を遣った。そして岩瀬は少し落ち着いて来た様に見えた葵に言った。

「ところで、先程も申しました様に、大尉から奥様の力になってくれと言われておりまして、今日はその辺り、何か困っていることがあればお聞かせください。私で出来ることがあれば、何なりとお力添えいたしますので。」

「ご親切に有り難うございます。しかし今の所、特に不自由なこともありませんし、国からも戦争未亡人として何かしらの物を頂いておりますし、今は鎌倉の病院勤めの女性が下宿人として住んで頂いておりますので、女二人でお友達の様に楽しく暮らしております。

それよりも、岩瀬様は戦地から帰還されたばかりで、身寄りの方はおられるのですか。」

葵には、ボロボロの軍服を着て、復員したばかりで痩せ衰えた姿の岩瀬という男が寧ろ救いの手を必要としているのではないかと思えた。

「そうですね。はっきり言って身寄りと言うものは無くなりました。母と姉が東京に住んでいたのですが、母は去年三月の東京大空襲で大火に巻き込まれて亡くなったと知りました。姉は戦時動員で働いていた軍需工場で、空襲の爆弾にやられて亡くなったとのことです。それも復員してから分かったことですが。従って身寄りというものは無くなりました。住む家もありません。まあ生きて帰れたということだけが幸いだったということになります。そして早見大尉のお宅に伺って、こうして大尉からお預かりした形見の品を奥様にお会いして、お渡し出来たというのが唯一救いだったということでしょう。」

そう淡々と語る岩瀬の表情を眺めながら、葵は言葉を失った。そして、レイテ島からどうにか脱出して、生きて日本の地を踏むことが出来た岩瀬を待っていたのは、こんな戦地にも勝る様な不幸であったことに、葵は衝撃を受けた。

「そうですか。この先住まわれる所は当てがあるんですか。もし良かったらこの家は下宿人が一人居るだけですので、この家で暫く過ごされてはどうですか。早見の形見を、遥々レイテ島からお持ち頂いた大恩人ですから、それ位は御恩返しをしなければ。」

岩瀬は葵の言葉に、一瞬表情が輝いた様に見えたが、少し考えがちになって言葉を躊躇っていた。それから思い切る様に言った。

「有難いお言葉ですが、それは遠慮させていただきます。幾ら奥様がそう仰っても、大尉の奥様の家で一緒に暮らすなんていうのは、大尉に申し訳ない話です。私は奥様のお力になれる様、遠くで見守らせていただくに越したことはないと思います。ですからそれだけは御遠慮します。」

岩瀬はそう頑なな表情を見せて言った。

「そうですか。まあそのお気持ちは分かりますけど、そんなに気にされることではないんですよ。むしろ岩瀬様の様な若い男の方が家に一緒に住んで頂ける方が、色々不用心も防げるでしょうし。今は鎌倉もアメリカ兵や、岩瀬様は別ですけど、復員された方々で行き場のない方々が駅の近くでたむろされていたりで、何かと不用心なのです。ですから、岩瀬様の様な方に住んで頂いた方が安心なのです。」

葵のそんな言葉に、岩瀬の心が少し動いた様だった。

「そうまで言って頂けるなら、少し考えさせて下さい。下宿人としてご厄介になることもお願いするかも知れません。今日の所はこれで失礼させていただきます。奥様とはまた早見大尉の事などお話させて頂きたいと思っています。またお伺いいたします。」

岩瀬はそう言って玄関を出た。玄関まで見送りに出た葵に気付くと、振り返って、

「そうだ、こちらが大尉が薔薇を育てていたお庭になるんですか。ちょっと見せて頂いてよろしいですか。」

そう葵に向かって言った。

「主人がフィリピンに行って以来、全然手を入れてなくて、草茫々になってしまいましたけど、宜しければどうぞご覧になって下さい。」

そう言って先に立って庭の方へ歩き始めた。草茫々の中、あちこちで思い出した様に様々な色の薔薇が咲いていた。この風景は去年須田恭子が葵の家を初めて訪れた時見た風景と殆ど変わっては居なかった。むしろあの時以上に草が激しく繁茂しているとすら思えた。

「どうでしょうか。薔薇がこんなに草の中に埋もれてしまって。亡くなった夫が見たらどう思う

か。でも私には何故かこの庭に手を入れる気にならなくって。夫が戦地に行った時のままにして置くしかない様な気持ちがするのです。でも薔薇というものは結構強いものなんですね。こんなに草茫々の中に放って置かれても、季節が来るとちゃんと花を咲かせてくれるんですから。勿論枯れて、消えて行った薔薇も沢山ありましたけれどね。」

葵はそう言って叢の中の細い道を所々咲いている薔薇を尋ねて行く様に、くねくねと曲がりながら歩いて行った。そして、その叢を抜けた場所に、畑のある一画に出た。この先が山を削った様な崖になっていて、そこに矢倉と、昨年の敗戦になるまで須田恭子と二人で、空襲警報が鳴ると入っていた防空壕があった。そこまで来た時、葵は岩瀬に聞いて置きたい事を思い出した。

「ところで先程お聞き出来なかったのですが、岩瀬様はレイテ島をどんな風に脱出されたんですか。さぞご苦労されたんでしょう。宜しければお聞かせください。」

岩瀬は葵のそんな求めに暫く考え込んでから、やがて話し始めた。

「私達レイテ島の日本兵は、先程も言いました様に、日本軍から見捨てられました。補給路は全く断たれ、脱出のための撤退作戦も、稼働舟艇が米軍の空爆で全て破壊されて失敗に終わりました。日本軍は、フィリピンの本島を守り、沖縄を守ることで手一杯で、我々は見捨てられて、ばらばらになりました。そして、島を脱出するか、島の中で生き延びるしかなかったのです。食糧もなく、飢えに苛まれながら、島の中をさ迷い、一緒に居た仲間も次々と死に、私は全く一人で兎に角何としても島を脱出しなければならないという思いで、原住民の丸木舟を使って島を出て、行き着くかどうか分かりませんでしたが、隣のセブ島に向かって漕ぎ出しました。そして、何とかセブ島に到達して、軍の本隊に合流して、生き延びることが出来ました。そこで敗戦を迎えたのです。自分ながら今もって奇跡の様な気がしますが、しかし同時に悪夢の様な日々でした。」

葵は岩瀬の話を黙って聞いていたが、暫くして言った。

「良く分かりました。でもそんな悪夢の様な経験をされて、主人の形見の品を持ち帰って頂いたことは、本当にどんな感謝の言葉でも足りません。」

「形見の事もそうですが、大尉とのことについてはもっと奥様にお話ししなければならないこともあります。何れにしろ、また一度お伺いしてお話しますので。」

岩瀬はそう言って、早見葵の家を出た。

坂を下りながら、岩瀬徹は道々様々な思いが湧き上がって来るのを抑え難かった。早見大尉からは葵夫人の事を何か困っていれば面倒を見てやってくれと言われていた。それはその通りのことと考えれば良いのだろうか。そして、葵からは下宿人としてでも家に一緒に住んでくれれば心強いという言葉を貰った。

正直言って岩瀬は葵に会った時から、早見大尉が愛していたということが納得できる様な美しい人であると思った。この若さで未亡人のままにして置くのは、周りが放って置かないだろうとも思った。岩瀬が大尉から聞いていたところでは、二十六歳に成った位だろう。岩瀬はこの時二十五歳であったので、葵は一歳の年上であった。岩瀬の死んだ姉も、生きていれば岩瀬より一歳年上の二十六歳に成っていた筈である。岩瀬にとっては葵が死んだ姉の代わりに現れた様な風にも見えた。だから、葵から、住む家もないなら、とりあえずここに住んだらどうかと言われた時、頭をかすめたのは、もし一緒にこの家に葵と住むとしたら、たとえもう一人病院勤めの下宿人の女性が居るとしても、自分がどんな行動を起こすか、分からないという不安を感じた。自分の欲望と行動が制御できなくなったらどうなるだろう。そんなことになったら早見大尉に申し訳が立たないだろう。

しかし同時に葵が住むこの家に一緒に住むということは、抑え難い程の魅力を放っていた。何時の間にか岩瀬はこの相反する思いに引き裂かれている自分を見出した。

三

それからほぼ一か月後の五月の末の汗ばむ陽気の休日に、岩瀬徹は再び早見葵の家を訪れた。岩瀬徹は、四月に早見葵の家へやって来た時とは打って変わって、あのボロボロの軍服は脱ぎ捨て、白いワイシャツにネクタイを締め、真新しいズボンに革靴を履いていた。

早見葵の家に近付くと、竹垣に絡んでいた蔓薔薇はすっかり花が終わって、濃い新緑に満たされていた。しかしその葉の間から庭を覗き込むと、相変わらず叢の中に様々な色の薔薇が、四月に来た時以上にあちこちで咲き競っていた。

玄関で来訪を告げると、やがて早見葵が現れた。早見葵は薄いピンクの花柄のワンピースを着て、こちらに向かって歩いて来た。そして、ノースリーブの肩口から眩しい程白い腕を出していた。四月に来た時は黒っぽいスカートで、もっと地味な格好をしていた印象があったが、その日の葵は岩瀬には眩しい程華やかな趣があった。

早見葵は岩瀬の姿を見ると、最初少し戸惑った様な素振りを見せたが、やがてそれが岩瀬であると分かったのか、

「あら、岩瀬さん、誰かと思いました。今日はどうなさったんですか。そんな恰好で。」

と言って驚いた表情を見せた。

「いえね、何時までも復員軍人じゃあ早見さんに嫌われると思いましてね。お世話になる以上少し早見家の下宿人らしくしないといけないと思いましてね。」

「本当ですか。では内に下宿して頂けるってことですか。心強いですね。もう一人下宿して頂いている須田さんていう、病院勤めの薬剤師の方が居るんですけど、今日は休みで部屋に居りますので後でご紹介いたしますわ。」

そう嬉しそうに葵が言った。

「私も仕事が見付かりましてね。明日から出勤という運びになったんですよ。鎌倉にあった軍需工場が、終戦後に電気会社に戻ったんですよ。そこで雇って頂けることになりました。」

「そうだったんですか。それは良かった。おめでとうございます。」

「私も東京に戻ろうかなと思ったりもしたんですが、鎌倉は東京に比べると戦災も殆ど受けていないし、暮らし易そうでしたし、早見大尉の奥様の近くで何かとお役に立てればとも思いまして、鎌倉で仕事を探しました。」

「うれしいですわ。ではこれからは小さな家ですけど、須田さんと岩瀬さんと私と三人で楽しく暮らして行けそうですね。」

そんな風に明るく言う早見葵を見て、岩瀬徹は、今日の葵が随分華やかな若々しい衣装を纏っていることに改めて気付いた。

「奥様は今日は随分春めいた装いをされていますね。お似合いですよ。考えてみると、奥様はまだお若いんですよね。確か私の姉と同い年ですから。」

「この服は独身の頃に着ていた服で、箪笥の奥から引っ張り出して着てみました。もう何時までも大尉の妻だったということに縛られていても嫌ですからね。春めいて来たので、思い切って着てみました。岩瀬さんのお姉さんと同い年だったなんて嬉しいですね。」

早見葵はそう言って笑った。葵はそれから岩瀬徹を、前からここと決めていた下宿させる部屋に案内した。そこは少し奥まった一階の和室で、庭とその奥の菜園や、矢倉が穿たれた崖に面していた。

「ここは主人が書斎として使っていた部屋でして、少し奥まっていますけど、静かで庭も眺められますので。」

「大尉がこの部屋で過ごされていたのですか。それは光栄なことですけど、私などがここを占領してしまってよろしいのですか。」

「主人を思い出させる様なものは全て片付けて、私の部屋に移しましたので、まるで痕跡は残っておりませんわ。安心して下さい。」

その葵の言葉で、岩瀬は少しほっとした気分になって、改めて掃き出しのガラス戸の外の庭を眺めた。そこからは叢の中にあちこちで色とりどりの薔薇が、相変わらず咲いているのが見えた。まるで草と薔薇が競い合う様に、草は勢い良く繁茂し、薔薇は四月に見た以上に生き生きと数も多く咲き誇っている様に見えた。

「薔薇がきれいですね。四月の時より花がまた増えた様な気がしますね。」

岩瀬が言うと、

「薔薇の花は今が一番の開花期なんですよ。蔓薔薇は少し咲くのが早くって四月頃でしたけど、他の薔薇は殆ど今頃が一番花の盛りなんですね。」

葵が言った。

「では、須田恭子さんをご紹介しますので、応接間で待っていて下さいますか。」

と言って、岩瀬を応接間に案内すると、二階に上がって行った。やがて葵に案内されて須田恭子が応接間に現れた。須田恭子は茶色っぽいスカートに真っ白な無地のブラウスという地味な格好をしていた。それは葵の薄いピンクの花柄のワンピースという華やいだ装いとは著しい対照をなしていた。須田恭子の方がかなり年下だったが、むしろ葵の方が年下の様に見えた。

須田恭子は少し硬い表情を見せて、岩瀬の向かい側のソファーに座った。

「こちら須田恭子さん。昨年の終戦前の三月と四月の東京大空襲で焼け出されて、鎌倉の病院に移って来られました。薬剤師をされている方です。そしてこの方が岩瀬徹さん。フィリピンのレイテ島で、主人と一緒に従軍されていたんですけど、主人は戦死いたしましたが、岩瀬さんは生き延びて、主人の遺品を持ち帰ってきていただいたんです。」

須田恭子は、葵からそんな紹介をして貰い、

「私須田と申します。ここで昨年から下宿させていただいております。宜しくお願いします。」

そう言って頭を下げた。

「そうですか。須田さんも苦労されたんですね。実を言うと、私の実家も東京で矢張り昨年の東京大空襲で、母は亡くなりました。姉も軍需工場に動員されて、そこで空襲の爆弾を受けて亡くな

りました。須田さんはご家族はいらっしゃるんですか。」

「ええ、幸い両親はあの東京大空襲の後、親戚を頼って信州の方に疎開しまして、まだそこで暮らしております。そろそろ東京に戻って来ても良い頃だと思いますが。兄がおりまして、学徒動員で中国の戦線に送られて、そこで終戦を迎えましたが、まだ復員はしておりません。」

「それは心配ですね。早く戻って来られれば良いですね。」

そんな二人のやり取りを聞きながら、葵は改めてこの三人がそれぞれに深い傷を負ったまま、この家にこれから一緒に住むことになるのだなという不思議な巡り合わせを感じた。

「私も主人をフィリピンの戦場で亡くし、お互い三人共深い傷を負った者同士でこの家で一緒に住むことになったのですね。でも考えてみると、私達まだ若いんですよね。私が一番上で、それでもまだ二十六歳。岩瀬さんも二十五歳。須田さんなんて二十三歳ですからね。三人で楽しく暮らしましょうよ。こう思うんですけど、私達三人って、あすこの庭で叢に埋もれて咲いている薔薇達みたいなものじゃないかって。そう思いません。」

早見葵がそう言うと、須田恭子も岩瀬徹も思わず顔を見合わせて、微笑みを浮かべた。

「矢張りあの薔薇達はあの叢の中に埋もれさせて置くんですか。」

須田恭子が葵に向かって言った。

「私にはどうしてもあの叢に手を付けられません。何故だか分からないけど。草を取ろうとすると、何かが押し止めてしまうんです。」

葵は呟く様に言った。

「それは矢張り大尉の思い出がそうさせるんですかね。」

岩瀬徹が言った。

「そうかも知れない。でも何処かで薔薇と主人との関係は断ち切らなければいけないんですよね。」

葵は自分に言い聞かせる様にそう言った。

「それはそうでしょうけど、中々そう簡単に断ち切れるものではないでしょう。私も同じですよ。母や姉のことを忘れようと思っても、忘れられない。だから、僕が思うには、亡くなった人とは区切りを付けて、生きている者同士に関心を向けて、関わっていくしかないんじゃないですか。私達が、奥様が仰る様に、あの叢の中の薔薇達だとすれば、あの薔薇達の様に叢の中で辛抱強くお互いに励まし合って生きていくしかないんじゃないですか。」

岩瀬が言った。

「そうだ、岩瀬さん。私にはもう主人は居りませんので、奥様という呼び方は止めて頂きたいわ。須田さんにも葵さんと呼んで頂いているのですよ。」

「そうですか。確かにそうだ。先ずそこから始めましょうか。では、私もこれからは葵さんと呼ばせて頂きます。」

「それで結構です。それでお願いします。では私も徹さんと呼ばせて頂いていいですか。」

「勿論ですよ。これからはそれでいきましょう。葵さん、恭子さんそして徹でいきましょう。」

岩瀬が言った。すると須田恭子もそれに合わせる様に、

「私も賛成です。お互いそれで呼び合いましょう。」

早見葵の家で一緒に生活することとなった若い男女三人の最初の出会いはこんな風に始まった。お互いに癒し難い悲しい過去を封印しながら、まだ十分に若い三人が、この小さな家でどんな風に生活していくのか。これは葵が言った様に、雑草の叢の中に咲いている薔薇の花々の賑わいに似たものかも知れない。でもその庭は忘れられた庭だった。その庭を造り愛した早見大尉はもはや居なかった。そしてその庭は放置されたまま、ただ雑草が生えるままの叢となるに任せられた。

須田恭子は一か月前に岩瀬徹が葵の前に突然現れた時の話を、そのすぐ後に葵から詳しく聞いていた。葵は、岩瀬徹がフィリピンのレイテ島から復員し、早見大尉の形見という物を持ち帰って来て、葵に届けてくれたのだという話を、恭子に目を潤ませながら滔々と話した。恭子も早見大尉の汗と汚れの染み付いた軍帽を見せて貰った。そして大学ノートもパラパラとめくって、その中身についで話してくれた。

「そのノートにはどんなことが書いてあったのですか。良かったら聞かせて頂けませんか。」

須田恭子は早見大尉の残したノートの中身を是非知りたいと思った。葵は語り始めた。

「この中身については、私にもどう考えて良いか分からない部分もあって、恭子さんにもご意見を聞きたいと思っているんです。」

「それはどんなことでしょうか。私で良ければお聞かせ下さい。」

「このノートにはこんなことが書いてあるのです。大体は私達の二年間の新婚時代の思い出についてなのですが、それは単なる回想ですからどうということはないんですけど、最後にこんなことが書いてあるんです。つまり自分はここでもう死ぬから、もう葵は自分の事は忘れて、自由に生きて欲しい。それが自分の願いだと言うのです。そして、自分の部下の岩瀬が運良く日本に帰ってこのノートを届けてくれたら、それを良く読んで、そして困ったことがあれば岩瀬に頼ってくれというのです。そして岩瀬は頼りになる安心出来る男だから、頼みには十分応えてくれると思う。という内容なのです。しかしその頼りにするということがどういう意味なのか分からないんです。」

「成る程、頼りにすると言っても色々な程度がありますからね。どこまで頼りにするかという様な事かしら。でもここは素直に亡き大尉の願いを受け入れれば良いのではないですか。私は岩瀬さんという方にまだお会いしてないし、人物を評価できないですが。でも岩瀬さんは確かに頼りになる方だと思いますよ。そんなにまでして大尉の形見を日本に持ち帰って葵さんに届けられたんですからね。矢張り亡くなった大尉が信頼を置くだけのことはあると思います。素直に頼りにして、困った事はお願いされたらどうですか。むしろこんな風に葵さんに岩瀬さんが頼られれば、大尉は地下で喜ばれるのではないですか。」

そんな恭子の言葉に葵は少し納得した様な表情を見せた。

そんな話を聞いている恭子は、この二人の関係が結果的に、余人を寄せ付けない強い絆で結び付けられた、特異な関係であると感じた。それは葵の亡夫、早見卓也という存在を介している。亡くなった早見大尉こそがこの二人を結び付けている唯一でしかも最も強力な絆であるに違いない。しかしそれは両刃の剣でもあった。結び付けると同時に引き離す作用もする筈だった。それが二人の関係にどんな作用を与えるのか。須田恭子はそんな二人の関係を関心を持って眺め始めた。

四

それから瞬く間に薔薇の季節は終わり、季節は夏に向かっていた。そして終戦から一年が経った。三人の生活は何事も無く流れていった。葵が家主として、二人の下宿人に食事を作り、小さな畑を耕した。二人の下宿人は日々勤めに出掛けていた。

三人が出会うのは、朝食の時と夕食の時とに限られた。そこで三人は何となく日々の話題を語り合い、お互いの事を少しずつ知り合う様になってきた。その食事の間、恭子が気が付くことがあった。それは、徹が葵を見る眼差しの変化である。その眼差しが以前と違って、時々ふと熱の籠った視線を徹が葵に向けている様に見えることがあった。そしてそういうことが日を追うごとに多くなって来る様に恭子には思えた。多分二人は亡くなった早見大尉を一つの絆として同じ世界に住んでいるのだろう。その世界から、恭子だけが弾き出されているという孤独感を恭子は感じ始めた。

そんな或る日、トイレに行こうとして、階段を下り、廊下を歩いて行くと、葵の部屋から徹と葵が話をしている声が聞こえて来た。こんな夜に二人が葵の部屋に居るのは珍しかった。そこで恭子が暫く話声を聞いていると、どうも大尉の事を話しているらしかった。そして、それから葵の泣き声が聞こえて来た。かなり抑えた押し殺した様な泣き声なのだが、深夜の静けさの中では良く聞こえた。

一体どんな話をしているのだろうと聞き耳を立てて聞いていると、矢張り大尉の名前が時々出て来る所を見ると、これは大尉が葵に残したという話を徹が葵に伝えているらしかった。そして涙が止まらない葵に色々な慰めの言葉を言って、徹が葵の心を落ち着かせようとしているのだろう。少しずつ静かになって来た二人の会話を後に、恭子は階段を上がって部屋に戻った。

翌日、朝食が済むと、恭子は先に出勤のために家を出る徹が、玄関を出たのを見計らって、徹の後を追った。通勤の途中で徹を捕まえて、それとなく話し掛けて見ようと思ったからだ。

谷戸の奥にある扇ガ谷の家から坂道を下って行った途中辺りで、恭子は徹に追い付いた。

「何時もお早いんですね。お仕事は如何ですか。」

そう恭子は通り一遍の挨拶をして、徹の横に並んだ。

「今日はどうしたんですか。珍しいですね。朝一緒になるなんて。」

不思議そうに徹は恭子の顔を見た。

「実は昨日の晩トイレに立った時に、葵さんの部屋から葵さんと徹さんの話声がして、葵さんが泣いている様な声も聞きました。立ち聞きの様で申し訳ないんですけど、通り掛かりに自然に耳に入ったものですから。あれは矢張り亡くなった早見大尉のお話だったのですか。」

いきなり恭子は徹にそう話した。

「そうですか。お耳に入りましたか。もうレイテ島での大尉の話は、葵さんに何度もお話ししたんですけど、矢張り大尉がいらっしゃらなくなって、寂しいというお気持ちが強いのか、昨晩もお話をいたしました。」

「立ち入ったことで申し訳ないんですが、大尉は徹さんにどんなお話をされたんですか。傍観者である私がこんなことをお聞きしてはどうかとも思いますが。葵さんのことも気になりますし、宜しかったらお話し下さい。」

「実は、もうこれは何度も葵さんにお話しした大尉の言葉なのですが、それでも葵さんはもう一度聞きたいと仰るんでお話ししました。その中身は要するに扇ガ谷の家に咲いていた薔薇はどうなっただろうか。もう一度見てみたい。丁度今頃一斉に咲いている筈だ。それは、レイテ島は何時も夏の様な場所ですから、季節の感覚が無くなってしまって、熱にうなされる様に薔薇の話をされました。

そして、矢張り葵さんにもう一度で良いから会いたい。俺にはもう葵を幸せにすることが出来ない。それが何と言っても心残りだ。大尉は矢張り葵さんを愛していたのでしょうね。結婚して二年に足らぬ内にフィリピンに送られてしまった訳ですからね。葵さんのことが心配だ。そして私に葵さんの面倒を見てやって欲しい。葵を幸せにしてやってくれとまで仰られたのです。

私も、葵さんにこの話を何度もしている内に、まるで私に大尉が乗り移ってしまった様な気がして来て、葵さんも私が大尉の言葉だと言っても、まるで私が大尉になり切ってしまった様に私の話をせがむので、これで良いのだろうかと、不安な気持ちになりました。」

徹がそんな話をすると、恭子が葵から聞いた話を思い出した。

「そうですか。私も葵さんに大尉が残したという形見のノートの内容についてお聞きしたことがありましたが、その中に徹さんを頼って欲しいという言葉があって、それをどう捉えて良いか分からないと葵さんは仰っていました。つまり、何処まで頼りにすれば良いのか分からないという迷いがあるというお話しでしたが、私はそれは素直に考えれば良いのではないかとお答えしました。でも今の話を聞くと、本当に葵さんは徹さんを頼りにし始めている様ですね。というより、徹さんが、葵さんにとって大尉の様な存在、或いは大尉に代わる様な存在になって来ているのではないかという気がします。そう考えると、勝手な言い方ですが、葵さんと徹さんは、行く所まで行ってしまうのではないかという気さえします。」

「それは一体どういうことですか。まさか私が葵さんを愛する様になるということではないですよね。確かに私は葵さんの近くに居る内に、葵さんに好意を感じていることは事実です。それと葵さんとの関係がそれ以上のものになるということとは別の事だと思います。

葵さんとの関係が、その一線を越えてしまうということは、私にとっては大尉に対して申し訳が立たないということになりますし、私は飽く迄大尉から葵さんの力になって欲しいと言われただけですから、決してそれ以上のことまで許されたとは考えられません。

そんな考えは止めて貰いたいのです。その一線を越えるということだけは私は自分自身に戒めていることなのです。」

徹はそんな風に、思い詰めた表情で言った。

「多分、徹さんのお気持ちは、理性的にはそういうお気持ちなんでしょうね。良く分かりますわ。徹さんは大尉の思いを受けて、命懸けでレイテ島から、大尉から預かった形見を葵さんまで届けられたんですからね。

もしそれが、結果として葵さんとの関係が一線を越える様になってしまったら、全てが台無しになってしまう。そして徹さんの道義的な気持ちが許さないということになるのでしょうね。でも、何時も一緒に三人で食事をしている時に、最近発見したんですが、徹さんが葵さんを見る眼差しが明らかに変わって来た様に思えるんですよ。それを見ていて、私は徹さんの心の中で何かが変わり始めたんではないかなと思い始めたんですよ。違いますかね。

そして、昨日の夜の徹さんと葵さんとの話を漏れ聞いて、そのやり取りを聞いている内に、そんな気持ちが強くなって来ました。」

恭子はそう言って徹の表情を覗き込んだ。徹は相変わらず思い詰めた表情を見せていたが、明らかに自分の中の感情をどう整理してよいか、迷っている様に見えた。

「恭子さんから見ても、そんな風に見えますか。私も実は心の整理が付かない所もあります。自分自身が何処かで突然変わって、一線を越えてしまう様な不安を感じています。それは何なのか。しかし私が思うには、葵さんの変わり方によってありうるかも知れません。」

「そうですか。私もそう思います。それは先程の徹さんの言葉にもありましたが、葵さんが徹さんの中に大尉を見始めているのではないかというお話がありましたが、そんな風に葵さんも変わり始めているのではないでしょうか。」

「本当にそうなるのでしょうかね。恭子さんから見て、そうなって行くと思われますかね。恭子さんは、葵さんが大尉を通して私を見ていたのが、大尉を通り越して、私そのものが大尉の存在と振り替わって行くというか、そういうことを仰いたいんだと思いますが、そうなると葵さんは何処かで大尉そのものを否定して、大尉の存在を忘れて、その代わりに私が大尉の役割を演じて行く様になると仰いたいんですかね。

それは、葵さんにとっても、かなり辛い壁を越えなければならないし、私にとっても、大尉を裏切るという辛い立場に立たされる様な気がしますよ。」

「それはでも葵さんが、あのノートの中に書いてあることで、どういう風に大尉の遺志を捉えたのかによると思いますよ。あのノートの内容と、徹さんが大尉から直接聞いた言葉とが、完全に一致しているのかどうか分かりませんが、もうそれは徹さんと葵さんが良く話し合って、最後の終着点をお互いに見出すしかないんでしょうね。」

「恭子さんには、私と葵さんが結局どうなってしまうのか見えている様な気がする。恭子さんはそうなることを望んでいる様にさえ見える。」

「いえ、望んでいる訳ではないけど、そうなれば葵さんは幸せになれる様な気がする。そう思っただけなのです。

ところで、こんなことを言って置いて、本当に申し訳ないのですが、私はもう東京に戻らなければならなくなりました。両親が信州から戻って来て、兄もようやく中国から復員して来ました。葵さんにも徹さんにもお世話になりましたけど、来週には東京に戻る積りです。別れ際にこんなことを言い残してここを去るのも心苦しいのですが、いよいよお別れになるので、今日は敢えて徹さんを捕まえてこんなことを申し上げました。」

そう言って、恭子は横須賀線に乗る徹を鎌倉駅で見送って、若宮大路の病院へと向かった。

須田恭子が、扇ガ谷の早見葵の家を去ってから、再び翌年の春を迎えていた。ここ一年程の間に、須田恭子は東京に戻って多忙な日々を過ごしていた。父母が信州から戻り、兄も中国から復員をして来て、取り敢えず住む家を確保するのが当面の課題となり、兄が中心となり先ずはバラックを建て、それから質素な住宅を確保して、親子四人の生活がどうにか軌道に乗り始めた。

かつて勤めた病院に復帰して、仕事をしながらの東京での日々が戻って来て、須田恭子から鎌倉の扇ガ谷での早見葵の家での生活の記憶は次第に遠ざかって行った。そんな春めいた或る日、須田恭子に早見葵からの手紙が届いた。

鎌倉を去ってからほぼ一年が過ぎていたが、早見葵という差出人の名前を読み取って、恭子は懐かしさに時めきながら封を切った。そこにはこんなことが書かれてあった。

恭子さんが東京に戻られてから、もう一年が経ちましたが、如何お過ごしですか。恭子さんと暮らしたのはほぼ一年間でしたが、一番大切な時で今でも時々懐かしく思い出しております。ところで、恭子さんがこの家から東京に戻られて、暫くは私と岩瀬徹との、家主と下宿人としての生活が続きました。でも二人だけの生活ですし、お互いに話し合うことが多くなりました。そして、恭子さんが鎌倉を去られる前に、徹さんと話したということについても、徹さんから色々聞きました。それは私にとっての亡夫、卓也の存在をどう考えれば良いのかということと、徹さんという存在がそこにどう位置づけられるのかということの関係に尽きるのですが、その時恭子さんが仰っていたことをお聞きして、私にも感じるところが色々ありました。

私にとって岩瀬徹は、レイテ島から夫の形見を、幾多の困難を乗り越えて持って来て貰った人ということで、家庭も家も失った徹さんに少しでも恩返しをしたいという思いでしたが、実は徹さんは夫の最後を知っている唯一の、掛け替えのない人であり、夫から私への最後の言葉を伝えてくれる貴重な唯一の存在でもありました。しかし徹から、夫から話されたという私への最後の言葉を何度も聞いている内に、岩瀬徹が夫に成り代わって行く様な気がして来たのです。そして夫はあのノートに書いてあった様に、岩瀬徹を頼りにして、幸せを見つけて欲しいということさえ言っています。

岩瀬徹がレイテ島から復員し、この家を訪れて来た時からそろそろ一年が経ちました。岩瀬から、亡夫が私に伝えようとした言葉を何度も聞く内に、次第に岩瀬徹が、亡夫卓也と入れ代わって、信頼すべきそして遂には愛の対象にさえなって来るのに気が付きました。

しかしそれには徹自身の気持ちの整理、私自身の卓也への追憶というか愛をどう整理するかという新たな悩みが伴っていました。

この様に徹と二人で暮らす内に、二人の間に本当の愛が芽生えて来ました。そして何時の間にか二人は一緒の部屋で寝る様にもなり、あっという間に一線を越えてしまったのです。私はこうなってしまった二人の関係について、新たな悩みを抱く様になりました。徹もこうなってしまったのは自分の責任でもあり、大尉に対しても申し訳ないと言います。

そして、私は色々と悩んだ末にある一つの決断をしました。それは岩瀬徹が命懸けでレイテ島から持ち帰った卓也の形見の遺品を燃してしまおうと思ったのです。私は徹が仕事に出掛けて家に居ない時間に、裏の畑辺りで卓也の軍帽とノートを一気に燃やしました。良く乾いていたので面白い様に燃え尽きてしまいました。しかし燃えて行く火の中の軍帽とノートを見ていて、その時は本当に悲しかったのです。でも暫くして少し気が楽になって来て、これで卓也も安心して、地下で眠れるのではなかろうかとさえ思いました。私という人間は、随分勝手な人間なのだなとその時思いましたが、妙に平然とした気持ちになりました。このことを徹に言えば、徹も気持ちが楽になるのではなかろうかとさえ思いました。そして、家に帰って来た徹に私はこのことを話しました。それを聞いた徹は、最初は驚きと次には怒りの表情を見せましたが、それから悲しみに満ちた表情に変わりました。そして一しきり涙を見せて泣いた後、少し気持ちが静まったのか、私に「葵さんはそれで良いんですか」と問質す様に言いました。そこで私は、「これをしないと亡夫卓也を本当に忘れて、新しく生まれ変わって、徹さんを愛せない気がするんです。どうか私の気持ちを理解して欲しいんです。」と言いました。暫く考えていた徹は、「分かりました。私は葵さんの気持ちさえ納得しているのなら何も言いません。もう全て大尉の葵さんへの言葉は、何度も葵さんにお伝えしましたし、我々はもうそこから抜け出して、生まれ変わる時なのかも知れませんね。」と言いました。

そんなことがありまして、私達は結婚することになりました。この手紙を恭子さんに書いたのは、私共の結婚のお知らせと、恭子さんに私共の扇ガ谷の家に久し振りにお出で頂いて、ここに至るまでの私共の成り行きをお話しし、これからのことを謂わばお披露目したいためなのです。

手紙はこんな内容でまとめられていた。そして最後に、来訪して欲しい日時と、形ばかりではあるが粗食を差し上げたいということが書かれていた。

須田恭子は、葵の手紙に記されていた日時に、久し振りに扇ガ谷の葵の家を訪れることにした。

それは、偶々の偶然なのか、不思議な巡り合わせなのか、丁度二年前に初めて大空襲下の東京から鎌倉にやって来た時と同じ四月の下旬であった。

久し振りに扇ガ谷の谷戸へ向かう坂を上りながら、あの時早見葵の家の竹垣を覆う様に咲いていたあの蔓薔薇、スパニッシュビューティーの花の盛りの時期であった。あの花はまだそこにあって咲いているのだろうか。他の薔薇達はどうなったのだろうか。そんなことを考えながら、久し振りの扇ガ谷の谷戸の坂道を、恭子は上って行った。

曲がりくねった道を何回か曲がって、葵の家が見える場所に至ると、その先に葵の家が見えて来た。そして矢張り相変わらずあの竹垣を覆うピンク色の蔓薔薇、スパニッシュビューティーは、満開になって咲いていた。二年前の時と同じである。懐かしくなって恭子は足早に葵の家へと近付いて行った。そして蔓薔薇の傍に寄って行って、久し振りにその香りと、風に花びらを微かに揺らしているピンク色の花々を眺めた。そして、その蔓薔薇の茂みからあの雑草に覆われていた叢の方を眺めた時、恭子は意外な風景を見出した。

そこにはあの叢と、その所々に咲いていた薔薇は、跡形も無くなっていて、代わりに広々とした芝生が広がっていた。そしてその芝生の真ん中に、真っ白なクロスを掛けたテーブルが置かれていて、椅子が周りに何脚かあった。その周りで、葵と徹が忙し気に立ち働いていた。多分会食の準備をしているのだろう。恭子は葵に竹垣の外から声を掛けた。その声に気が付いて、葵が恭子に、

「どうぞ中に入ってこちらにいらして下さい。」

と言った。その声は明るく華やいで聞こえた。徹もそれに合わせて、

「恭子さんお久し振りですね。どうぞお入りください。」

と言った。玄関を廻って恭子はテーブルの所までやって来た。やがて会食が始まった。

「お二人ともお幸せそうですね。お話は葵さんのお手紙に書かれていて、大体のことはお知らせ頂きました。とにかくお目出とうございます。」

恭子が言うと、

「恭子さんは私達のことを良く見ていらして、私達はまるで恭子さんの書かれたシナリオ通りに演じたのではないかという気がします。」

葵が応じた。

「そんなことはありませんわ。これは矢張り徹さんと葵さんが良く話合われた結果だと思います。私はただ思い付きを言っただけですわ。でも驚きました。葵さんがあれだけ繋っていた叢の草を取ることを躊躇していたのに、すっかり叢は無くなって、大尉の思い出の薔薇さえ殆ど無くなった様に見えるんですけど、これはどういう心境の変化だったんですか。」

恭子がそう聞くと、徹が、

「葵さんが、大尉の形見の軍帽とノートを燃やしてしまったのを見たので、ではこの叢やそこに

残っていた薔薇もきれいにしましょうということになりました。」と言った。

「この芝生はでも素敵ですね。広々としていて、お二人の新生活に相応しいと思います。でも一つだけ分からないことがあるんですけど。あそこに咲いている蔓薔薇スパニッシュビューティーですけど、何故あれだけは残したのですか。」

恭子が不思議に思って聞くと、徹が言った。

「あの蔓薔薇スパニッシュビューティーについては、どうしたものかと葵さんとも話し合ったのですが、あれは残して置こうということになりました。あれは亡くなった早見大尉の想いが詰まっている薔薇だし、あの薔薇がこれからの私達二人を見守ってくれているのだと思えば良いんじゃないかという結論になりまして、残すことにいたしました。」

「成る程。あのスパニッシュビューティーはお二人の守り神であり、早見大尉そのものだということなのですね。やっと理由が分かりました。」

恭子は徹からその説明を聞いて、改めて咲き誇っているスパニッシュビューティーを眺めた。矢張り最後はこの蔓薔薇で全ては落着するということなのか。そう心の中で言って見て、何となく自分でも納得できた様に思えた。

あとがき

小学六年の頃、父に連れられて天園コースを歩いた時以来、鎌倉に魅せられて約四十年、折に触れ鎌倉を散策に訪れて来た。二十年前には、遂に念願を実現し、鎌倉に住まいを移すことになった。そして十年程前から鎌倉のあちこちを散策する日々を送る内に、鎌倉を舞台とした物語を作ってみようと思い立った。しかもその背景を鎌倉時代、江戸時代、そして、大正、昭和という時代設定の中で物語を描けないものかと思った。

こうして出来上がったのがこの「鎌倉カルテット　四重奏」である。

鎌倉、江戸、大正、昭和という時間軸の中で出来上がった四つの物語が、鎌倉という共通の場所で、全体として一つに繋がっているという構成である。

「踊念仏」は鎌倉時代、「偏界一覧の雪」は江戸時代、「廃都地霊彷徨」は大正時代、「忘れられた庭の薔薇達」は昭和という各時代に設定し、それらの時間軸で構成された物語が、鎌倉という同じ場所で演じられるという一つのカルテット・四重奏を成しているという趣向である。

果たしてこのカルテットが全体として調和の取れた音楽を奏でているかど

うか、その片鱗を多少でも感じて頂ければ幸いである。

二〇二一年四月三十日

桐野　陽

栂野　陽　とがの　よう
一九四八（昭和二十三）年生まれ。

大学時代、学内の同人雑誌に参加、小説を書き始める。

この頃から鎌倉探訪を趣味とし、五十代で念願の鎌倉に転居。

六十代から自宅に作ったイングリッシュガーデンでオープンガーデンを開催。

また、鎌倉を舞台とした小説集を構想し、『鎌倉カルテット』としてまとめ、今回出版に至る。

鎌倉カルテット　四重奏
二〇二一年九月十六日初版発行
著　者　栂野　陽
装　丁　西田優子
発行者　上野勇治
発　行　港の人
神奈川県鎌倉市由比ガ浜三－一一－四九
〒二四八－〇〇一四
電話〇四六七－六〇－一三七四
FAX〇四六七－六〇－一三七五
印刷製本　シナノ印刷
ISBN978-4-89629-396-8